L'ENSEIGNEMENT EXPLICITE DES COMPORTEMENTS

Pour une gestion efficace des élèves en classe et dans l'école

Steve Bissonnette

Clermont Gauthier

Mireille Castonguay

CHENELIÈRE ÉDUCATION

L'enseignement explicite des comportements
Pour une gestion efficace des élèves en classe et dans l'école

Steve Bissonnette, Clermont Gauthier, Mireille Castonguay

© 2017 TC Média Livres Inc.

Édition : France Robitaille
Coordination : Dany Cloutier
Révision linguistique : Jean-Pierre Regnault
Correction d'épreuves : Isabelle Canarelli
Conception de la couverture : Madeleine Eykel

**Catalogage avant publication
de Bibliothèque et Archives nationales du Québec
et Bibliothèque et Archives Canada**

Bissonnette, Steve

L'enseignement explicite des comportements : pour une gestion efficace des élèves en classe et dans l'école

Comprend des références bibliographiques.

ISBN 978-2-7650-5181-7

1. Classes (Éducation) – Conduite. 2. Enseignement direct. I. Gauthier, Clermont, 1951- . II. Castonguay, Mireille, 1973- . III. Titre.

LB3013.B57 2016   371.102'4   C2016-942380-8

CHENELIÈRE
ÉDUCATION

5800, rue Saint-Denis, bureau 900
Montréal (Québec) H2S 3L5 Canada
Téléphone : 514 273-1066
Télécopieur : 514 276-0324 ou 1 800 814-0324
info@cheneliere.ca

ISBN 978-2-7650-5181-7

Dépôt légal : 1er trimestre 2017
Bibliothèque et Archives nationales du Québec
Bibliothèque et Archives Canada

Imprimé au Canada

6 7 8 9 10 M 25 24 23 22 21

Gouvernement du Québec – Programme de crédit d'impôt pour l'édition de livres – Gestion SODEC.

Ce projet est financé en partie par le gouvernement du Canada

Dans cet ouvrage, le masculin est utilisé comme représentant des deux sexes, sans discrimination à l'égard des hommes et des femmes, et dans le seul but d'alléger le texte.

Tous les sites Internet présentés sont étroitement liés au contenu abordé. Après la parution de l'ouvrage, il pourrait cependant arriver que l'adresse ou le contenu de certains de ces sites soient modifiés par leur propriétaire, ou encore par d'autres personnes. Pour cette raison, nous vous recommandons de vous assurer de la pertinence de ces sites avant de les suggérer aux élèves.

L'achat en ligne est réservé aux résidants du Canada.

Table des matières

CHAPITRE 5   La gestion efficace des comportements à l'école: le soutien au comportement positif 133

Préface d'Antoine Déry

L'accès grandissant aux données probantes issues de la recherche en éducation apporte un éclairage nouveau sur les actions qui doivent être posées au sein de notre système pour en améliorer l'efficacité. De façon plus spécifique, ces données nous renseignent sur les différents facteurs qui font que certaines pratiques offrent un meilleur potentiel pour assurer la réussite scolaire des élèves.

Ce livre traite d'un facteur qui possède un effet particulièrement marqué sur l'amélioration des résultats scolaires et sur la réduction des échecs[i], soit la gestion des comportements visant l'instauration d'un milieu sain, sécuritaire, prévisible et ordonné. Les auteurs relatent l'évolution des différentes recherches sur la gestion des comportements et s'attardent sur les interventions dites efficaces, qu'elles soient préventives ou correctives. Ils démontrent comment un enseignement explicite des comportements attendus permet l'émergence d'un tel climat en salle de classe et comment il est possible d'étendre ce climat à l'ensemble de l'école par le biais d'un système structuré d'interventions. L'efficacité de ce système, traduit sous le nom de soutien au comportement positif[ii] (SCP), a été largement documentée aux États-Unis et il s'implante graduellement dans plusieurs écoles des commissions scolaires québécoises.

L'implantation du système de soutien au comportement positif à la Commission scolaire des Laurentides a débuté en 2012 et son efficience a été démontrée dès la première année d'expérimentation. Quatre ans plus tard, plus de 90 % des élèves sont exposés aux effets reconnus de ce système de gestion des comportements. Pour la première cohorte d'écoles primaires exposée à ce système, nous avons observé une réduction de 53 % des sorties de classes[iii] sur une période de quatre ans. Nous avons également noté une diminution de 62 % des évènements majeurs[iv] ainsi qu'une diminution de 89 % des actes d'intimidation[v] pour la même période. Outre les effets mesurables obtenus lors de l'implantation du système SCP sur le comportement des élèves, le climat de la classe et de l'école, d'autres manifestations ont fait leur apparition. Notons la consolidation de certaines compétences collectives au sein des équipes de travail, particulièrement en ce qui a trait à la démarche d'expérimentation, au processus d'apprentissage collectif et au développement d'une vision partagée. Ces compétences, catalysées par l'implantation du système SCP, ont un effet non négligeable sur la capacité de l'école à assurer une meilleure réussite scolaire pour tous ses élèves[vi].

---

i. Collerette, P., Pelletier, D. et Turcotte, G. (2013). *Recueil de pratiques des directions d'écoles secondaires favorisant la réussite des élèves.* Accessible au http://www.ctreq.qc.ca/wp-content/uploads/2013/10/Recueil-Pratiques-de-gestion-favorisant-la-r%C3%A9ussite.pdf.

ii. *Positive Behavioral Interventions and Supports* (PBIS).

iii. Conséquence donnée à un élève qui, par son comportement, dérange le bon fonctionnement de la classe en empêchant l'enseignant d'enseigner. Cette conséquence se traduit par le retrait de son milieu d'apprentissage (classe) pour une période déterminée.

iv. Tout comportement qui est dangereux pour l'élève ou les autres, qui est illégal ou qui perturbe le bon fonctionnement de l'école.

v. Tout comportement, parole, acte ou geste délibéré ou non, à caractère répétitif, exprimé directement ou indirectement, y compris dans le cyberespace, dans un contexte caractérisé par l'inégalité des rapports de force entre les personnes concernées, ayant pour effet d'engendrer des sentiments de détresse et de léser, blesser, opprimer ou ostraciser.

vi. Richard, M., Bissonnette, S. et Gauthier, C. (2004). *Vers l'école de la réussite*, Ottawa, Centre franco-ontarien de ressources pédagogiques.

Durant la même période, la Commission scolaire a créé des équipes psychosociales sectorielles. Ce modèle d'organisation des services permettant de définir et de baliser les rôles et responsabilités des professionnels s'est avéré essentiel au déploiement territorial du système SCP. Composées de professionnels en psychologie et en psychoéducation, ces équipes ont pour mandat de soutenir les écoles dans la mise en œuvre de stratégies universelles en gestion des comportements et à déployer des interventions spécialisées de concert avec nos partenaires de la santé et des services sociaux. Ces équipes ont largement contribué à assurer un déploiement efficace et concerté des interventions reconnues comme efficaces en gestion des comportements à la majorité des écoles œuvrant sur le territoire de notre organisation.

L'expertise professionnelle, bien qu'essentielle, ne peut être la seule pierre d'assise pour opérationnaliser des changements en éducation. L'accès à des données probantes issues de la recherche doit occuper une place prépondérante pour éclairer notre prise de décision. Cet ouvrage s'adresse aux différents acteurs du monde scolaire qui désirent explorer les fondements des pratiques efficaces en gestion des comportements.

Sincères remerciements au chercheur Steve Bissonnette et à son équipe.

Aux enseignants, professionnels, directions d'établissement, cadres des services éducatifs et personnel de soutien de la Commission scolaire des Laurentides, notre profond respect pour votre engagement à l'amélioration des services dispensés aux élèves de notre territoire.

Antoine Déry
Directeur général adjoint
Directeur des services éducatifs de la formation générale
des jeunes, de la formation générale des adultes et de la
formation professionnelle
Commission scolaire des Laurentides

Préface de Claude Lévesque

Il va de soi que le présent ouvrage m'interpelle à l'égard de l'action éducative, action si chère au pionnier de l'intervention psychoéducative que fut monsieur Gilles Gendreau. Une action éducative qui instruit et qui forme les adultes de demain. Pour une gestion efficace de la classe et de l'école qui s'inscrit totalement dans les courants relatifs à l'organisation de milieux centrés sur les êtres humains, propre au déploiement de l'action éducative et des interactions qui les sous-tendent.

Boscoville est une organisation qui s'implique auprès des institutions et des organismes œuvrant auprès des jeunes de la naissance à 30 ans. Nous croyons fermement que l'école doit être une expérience significative, car celle-ci nous suit tout au long de notre vie. En ce sens, l'école doit être une opportunité de développement pour tous. C'est pourquoi il importe de mettre en œuvre diverses stratégies fondées sur des données probantes afin de lutter contre le décrochage scolaire, particulièrement chez les jeunes qui présentent des difficultés de comportement.

Comme les probabilités d'obtenir un diplôme d'études secondaires sont les moins élevées chez les élèves présentant des troubles du comportement, la gestion efficace des comportements des élèves devient ainsi une priorité dans les écoles du Québec.

Imaginer l'autrement

Il est temps d'imaginer un milieu scolaire qui se centre sur les être humains afin de tabler sur leurs forces. Imaginer une école où le respect est endémique, la gentillesse est possible et où les comportements responsables sont la base des relations. Est-ce concevable? Est-ce un rêve? Comment pouvons-nous tendre vers un tel objectif? Savons-nous ce qu'est un comportement responsable propice aux apprentissages? Si oui, peut-on l'enseigner?

Nous croyons fermement qu'il ne faut pas tenir pour acquis que les comportements attendus des individus dans un environnement éducatif donné (centre jeunesse, école, initiative communautaire) sont connus et que ses usagers les adoptent naturellement. Cette conviction est soutenue par les nombreux travaux effectués auprès des jeunes en difficulté de comportement au cours des dernières années. Pour Boscoville, un milieu éducatif ne doit pas être improvisé; il doit être organisé et soutenu par une structure et par un modèle psychoéducatif qui établit des modes relationnels entre les acteurs.

La rencontre avec Steve Bissonnette nous a permis de constater les similarités entre les interventions psychoéducatives et celles proposées dans ce livre, plus spécifiquement celles mises de l'avant dans le système du soutien au comportement positif (SCP) présenté au chapitre 5.

Les deux types d'intervention préconisent une structure d'ensemble permettant d'établir les modes relationnels et comportementaux attendus dans un environnement donné.

La démarcation

Alors que la plupart des approches en gestion des comportements sont généralement réactives, le système SCP représente plutôt une approche proactive. Ce système propose en effet des mesures préventives, voire des interventions universelles, enseignées de façon explicite à tous les enfants et les adultes. Au lieu de mettre en œuvre des interventions punitives pour régler des problèmes de comportement, le SCP les prévient en enseignant les comportements positifs attendus. Or, cela représente un changement de paradigme pour de nombreuses écoles!

Ce livre montre l'importance de l'enseignement explicite des comportements et que le système SCP s'inscrit dans un modèle de réponse à l'intervention comportementale (RAIC) en trois niveaux, modèle de plus en plus présent dans les écoles québécoises. Un niveau universel qui s'adresse à l'ensemble des personnes composant le milieu éducatif. Un deuxième niveau s'adressant à des sous-groupes d'élèves ayant besoin de parfaire leurs habiletés comportementales. Finalement, un troisième niveau pour ceux ayant des besoins particuliers nécessitant une aide intensive et individualisée ainsi qu'un plan d'intervention comportemental basé sur une évaluation fonctionnelle du comportement.

Dans la pratique de la rigueur et non de la rigidité!

Les expérimentations réalisées dans nos différentes écoles associées nous ont montré qu'il est essentiel que le système SCP soit implanté avec fidélité selon les conditions préconisées par ses auteurs, au même titre que lorsque l'on organise un milieu de vie à l'aide de la structure d'ensemble du modèle psychoéducatif. Ce besoin ne représente pas de la rigidité mais plutôt de la rigueur dans le respect des conditions d'implantation d'un système. Rigueur qui demande une compréhension de la part de tous les intervenants – gestionnaires, enseignants, professionnels et parents – afin de procurer aux élèves un environnement positif et propice aux apprentissages.

Les écoles qui sont à la recherche d'un changement important trouveront dans ce livre des éléments essentiels qui permettent le passage d'une culture d'intervention négative à celle d'interventions proactives favorisant un environnement positif tant en classe que dans l'ensemble de l'école.

Imaginez une école où les enseignants, les gestionnaires, les élèves, les professionnels et les parents partagent les mêmes attentes comportementales. Imaginez une école où les attentes comportementales ont été enseignées aux élèves tant en classe qu'à l'extérieur de celle-ci et que les comportements attendus des élèves sont valorisés et encouragés par tout le personnel. Imaginez une gestion efficace des comportements en classe et dans l'école lorsque les intervenants scolaires ont compris que la clé d'une mise en œuvre réussie d'une telle gestion commence uniquement par un changement de comportement des adultes pour qu'il y ait ensuite un changement de comportement des élèves. Voilà ce que vous retrouverez dans ce livre!

Bonne lecture.

Claude Lévesque
Directeur général
Boscoville

Avant-propos

Je suis très fier avec mes deux collègues de vous présenter cet ouvrage, car il représente à nos yeux une synthèse unique des connaissances scientifiques sur la gestion efficace des comportements en milieu scolaire. Comparativement aux autres ouvrages publiés sur le sujet, le nôtre se distingue par son **modèle systémique** de la gestion des comportements.

Pour nous, gérer efficacement les comportements en milieu scolaire, c'est utiliser un ensemble de pratiques et de stratégies éducatives, tant à l'échelle de la classe que de l'école. Il devient alors possible, d'une part, de prévenir et de gérer efficacement les écarts de conduite des élèves et, d'autre part, de créer et de maintenir un environnement favorisant l'enseignement et l'apprentissage. Ainsi, une gestion efficace des comportements implique la réalisation d'un ensemble d'interventions proactives permettant de prévenir les écarts de conduite des élèves, mais également le recours aux stratégies correctives pour intervenir auprès de ceux qui manifestent des comportements d'inconduite.

La mise en œuvre des interventions préventives et correctives crée alors un milieu sécuritaire, ordonné, prévisible et positif, tant pour le personnel que pour les élèves qui s'y trouvent. Or, les écoles efficaces sont celles qui créent de tels milieux scolaires (Bissonnette, 2008). Dans ces établissements, les enseignants peuvent s'appuyer sur les interventions préventives et correctives préconisées à l'échelle de l'école pour prévenir et gérer efficacement l'indiscipline des élèves dans leur classe. Par conséquent, une gestion efficace des comportements des élèves fait obligatoirement appel à deux types d'interventions, préventives et correctives, et à deux niveaux d'application, l'école et la classe.

Les interventions préventives et correctives présentées dans cet ouvrage constituent des outils concrets que vous pouvez utiliser quotidiennement pour agir efficacement sur la gestion des comportements, et ce, tant à l'échelle de l'école que de la classe. Puisse cet ouvrage contribuer à prodiguer un enseignement efficace à tous les élèves!

Steve Bissonnette, Clermont Gauthier et Mireille Castonguay

Bissonnette, S. (2008). *Réforme éducative et stratégies d'enseignement : synthèse de recherches sur l'efficacité de l'enseignement et des écoles.* Thèse inédite, Université Laval.

Introduction

Depuis que l'école existe, on attend des enseignants qu'ils instruisent et éduquent leurs élèves. *Instruire* au sens de transmettre aux nouvelles générations les savoirs estimés nécessaires par la société. *Éduquer* au sens d'inculquer aux jeunes les valeurs qui façonneront leurs comportements.

Doyle (1986) reprend cette idée en soulignant que l'acte d'enseigner comprend deux fonctions majeures : (1) l'enseignement des contenus et (2) la gestion de classe. Autrement dit, dans l'exercice de ses fonctions, l'enseignant doit, d'une part, s'assurer de couvrir le programme ; toutes les notions prévues doivent être présentées aux élèves et éventuellement maîtrisées par ces derniers. D'autre part, l'enseignant doit aussi gérer la classe, prévenir le désordre, maintenir une ambiance propice aux apprentissages, établir des règles de vie en classe, réagir aux comportements des élèves, en un mot, contrôler la conduite des élèves en fonction de certaines valeurs.

Ces deux fonctions fondamentales de l'enseignement sont indivisibles et indissociables : aucun enseignant ne peut exercer efficacement ses fonctions s'il ne remplit pas ces deux aspects du « double défi » (*double agenda*) de l'enseignant (Leinhart, 1986 ; Shulman, 1986). À ce sujet, Slavin mentionne : « *The most effective approach to classroom management is effective instruction* » (2014, p. 67).

La gestion de classe et la gestion des apprentissages doivent donc s'envisager conjointement, de manière symbiotique. Elles forment le cœur de l'acte d'enseigner :

> « Deux sortes de fonctions doivent être menées, deux sortes de programmes doivent être suivis. La première concerne l'aspect organisationnel, interactionnel, social et de gestion de vie dans la classe. Elle donne parfois l'impression d'être invisible ou cachée dans le programme, bien que depuis qu'elle a été étudiée formellement, sa visibilité soit devenue beaucoup plus évidente. La deuxième fonction renvoie aux travaux et aux tâches scolaires demandés, aux contenus enseignés et au programme établi. Les contenus de ces deux fonctions sont au cœur même de l'acte éducatif, car ils définissent la raison pour laquelle l'école existe et ce qu'elle est destinée à accomplir. » (Shulman, 1986, p. 8)

L'enseignant doit donc instruire et éduquer, gérer les apprentissages et les comportements. Quant à nous, nous parlons de ces deux grandes fonctions de l'enseignement, en termes de gestion des apprentissages (instruction) et de gestion de classe (éducation), comme l'illustre la figure 1.

Plus précisément, dans le cadre de son travail, l'enseignant efficace choisit de manière éclairée les meilleures stratégies d'enseignement pour parvenir aux apprentissages visés. Il met à sa main le curriculum afin de favoriser les apprentissages de ses élèves et utilise efficacement des stratégies de gestion de classe.

Figure 1 | Les deux grandes fonctions de l'enseignement

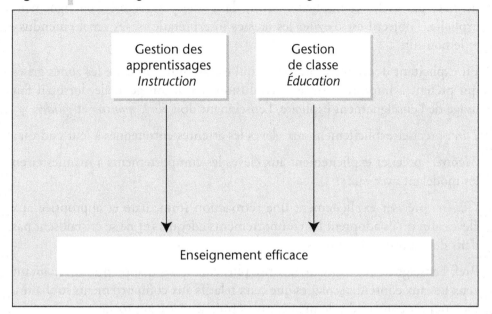

Chacun de ces rôles constitue une condition *nécessaire*, mais non *suffisante*, pour que l'enseignement offert soit efficace. Autrement dit, chaque rôle n'est pas, en lui-même, suffisant pour assurer la réussite des élèves, mais soustraire un de ces éléments menace de façon certaine leurs apprentissages scolaires. C'est pourquoi ces composantes de l'enseignement doivent fonctionner de concert.

En fait, plusieurs auteurs avancent qu'une gestion de classe efficace représente la condition préalable à tout enseignement efficace (Emmer, Sanford, Clements et Martin, 1982 ; Brophy et Evertson, 1976 ; Wang, Haertel et Walberg, 1993).

À ce sujet, Long et Frye (1985) indiquent qu'il est erroné de penser que les enseignants efficaces peuvent prévenir tous les problèmes de comportement en maintenant l'intérêt des élèves à l'aide d'activités intéressantes. Les problèmes éventuels existent par-delà l'intérêt des activités proposées aux élèves.

Or, en prenant appui sur les meilleures pratiques issues des recherches sur l'efficacité de l'enseignement, nous sommes désormais bien plus en mesure de déterminer les stratégies pédagogiques qui correspondent à chacune de ces deux grandes fonctions de l'enseignement.

D'ailleurs, nous avons déjà fait état des stratégies propres à l'enseignement des contenus, c'est-à-dire concernant la première fonction de l'enseignement, dans un écrit précédent[i]. Dans le cadre du présent ouvrage, nous traitons de la seconde grande fonction, à savoir l'enseignement explicite des comportements au niveau de la classe et de l'école.

Qu'est-ce qu'un enseignement explicite ? D'où vient ce terme ? En fait, il est particulièrement approprié, car il renvoie, comme le précise Hattie (2012)[ii],

---

i. Gauthier, C., Bissonnette, S., Richard, M. et Castonguay, M. (2013). *Enseignement explicite et réussite des élèves. La gestion des apprentissages.* Montréal, Québec : ERPI.
ii. Voir son ouvrage *Visible Learning for Teachers.*

aux comportements *visibles* de l'enseignant et des élèves, donc à tout ce qui ne reste pas caché et implicite. Ainsi, dans une perspective d'enseignement explicite, l'objectif est d'éviter les fausses interprétations, les « mal entendus » et le non-dit.

En explicitant de manière précise ce qui est attendu, on évite les zones grises qui prêtent à interprétation et à confusion. De façon générale, lorsqu'il fait usage de l'enseignement explicite, l'enseignant doit *dire, montrer* et *guider.*

Dire : préciser explicitement aux élèves les attentes entretenues à leur endroit ;

Montrer : préciser explicitement aux élèves les comportements à manifester en les modelant avec eux ;

Guider : préciser explicitement une rétroaction immédiate et appropriée aux élèves afin qu'ils adoptent les comportements adéquats et ne se cristallisent pas dans de mauvaises habitudes.

Bref, l'enseignement explicite favorise plusieurs types d'apprentissages : autant ceux liés aux contenus scolaires que ceux relatifs aux comportements souhaités. De quoi est constituée, de manière plus précise, cette approche ?

L'**enseignement explicite** est une stratégie d'enseignement structurée qui divise le contenu à enseigner (qu'il soit fait de savoirs ou de comportements) en étapes séquencées et fortement intégrées.

Dans cette perspective, l'enseignant vise à soutenir les apprentissages des élèves par une série d'actions effectuées à chacun des trois temps de l'enseignement :

1) la préparation et la planification (P) ;

2) l'enseignement proprement dit, c'est-à-dire l'interaction avec les élèves (I) ; et, enfin,

3) le suivi et la consolidation (C).

Il est à noter que les auteurs d'ouvrages traitant de l'enseignement explicite ne font pas nécessairement de telles distinctions selon un axe temporel. Nous considérons toutefois qu'il est fécond de regrouper les stratégies liées à l'enseignement explicite à l'intérieur de ces trois moments de l'acte pédagogique. À notre avis, cette façon de faire permet de mieux asseoir notre compréhension du phénomène de l'enseignement.

Ainsi, comme l'illustre la figure 2, notre perspective permet, d'une part, d'examiner l'enseignement explicite du point de vue des *trois grands moments de l'enseignement* (préparation, interaction avec les élèves et consolidation) et, d'autre part, selon les *deux grandes fonctions de l'enseignement* (gestion des apprentissages et gestion de classe). C'est ce que nous avons appelé le modèle PIC[iii].

---

iii. Voir Gauthier, C., Bissonnette, S. et Richard, M. (avec la coll. de M. Castonguay) (2013).

Figure 2 | Le modèle PIC

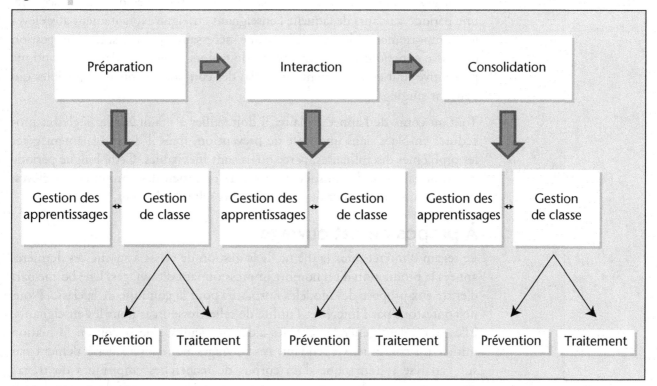

En ce qui concerne la gestion de classe, le lecteur remarquera que chacun des moments se subdivise en deux grands groupes de stratégies : celles relatives à la prévention (interventions préventives) et celles relatives au « traitement » (les interventions correctives). Dans la phase de préparation (ou de planification) qui a lieu avant le début de l'année scolaire, l'enseignant planifie l'ensemble des éléments importants de sa gestion de classe pour instaurer et maintenir un ordre fonctionnel dans la classe.

Cette étape renvoie aux éléments de l'organisation physique et sociale de la classe (règles et procédures, routines, etc.). Au cours de la phase de planification, l'enseignant prévoit non seulement le fonctionnement de sa classe dans une visée de prévention, mais il anticipe aussi ce qu'il fera en cas de manquement aux règles.

« Une partie de la préparation d'une gestion efficace de la classe est la préparation de l'enseignement du contenu. Cela a clairement été démontré par un ensemble de recherches sur la gestion de la classe menées par Kounin et ses collaborateurs, qui ont révélé que les différences importantes entre le succès et l'insuccès des enseignants ne se situent pas sur le plan de leurs réactions à l'inconduite des élèves. Les différences se situent plutôt sur le plan de la planification et de la préparation qui font aussi partie d'un enseignement efficace. Elles se situent aussi sur le plan des techniques de gestion de groupe que les enseignants utilisent pour prévenir l'inattention et les dérangements, contrairement aux techniques de "traitement" utilisées après que ces problèmes se sont produits. » (Brophy et Putnam, 1979, p. 189)

La mise en œuvre de ces éléments du plan, aussi appelée phase d'interaction, a lieu *grosso modo* au cours des trois premières semaines de l'année scolaire, une période au cours de laquelle l'enseignant enseigne explicitement aux élèves les comportements désirés qu'il estime nécessaires pour assurer une gestion de classe fonctionnelle. L'enseignant doit alors intervenir dans une optique préventive tout en s'occupant sans délai des comportements inadmissibles qui peuvent surgir.

Tout au cours de l'année scolaire, il doit veiller à maintenir les règles et procédures en place dans une visée de prévention, mais il devra également gérer les problèmes disciplinaires, parce qu'ils sont inévitables. Cette longue période constitue la phase de consolidation ou de maintien des conduites des élèves. Elle peut aussi demander des réajustements selon les besoins.

À propos de cet ouvrage

Le regain d'intérêt pour le thème de la gestion de classe a suscité ces dernières années la production d'un nombre impressionnant d'ouvrages. Une bonne part d'entre eux propose des modèles normatifs pour la conduite de la classe. Nous ne contestons pas l'intérêt et l'utilité de telles ressources pour les enseignants. Elles se révèlent généralement des aides précieuses, que ce soit en formation initiale ou continue. Cependant, ces ouvrages ne reposent généralement pas sur l'analyse systématique d'un corpus de recherches empiriques du travail enseignant, mais plutôt sur un modèle *a priori* ou normatif de ce que devrait être une bonne gestion de classe. De plus, ces ouvrages énumèrent plusieurs stratégies sans les classer ni les hiérarchiser, comme si toutes étaient d'égale importance. Nous croyons qu'il est plus utile et fécond pour les enseignants de pouvoir compter sur un répertoire de stratégies organisé et structuré.

Notre approche est donc différente et ces manuels normatifs ne feront pas partie de notre corpus. Nous tenterons plutôt de comprendre, à partir de l'analyse de résultats de recherches sur le travail de l'enseignant en classe, quelles sont les stratégies de gestion des comportements qui semblent être associées aux meilleurs effets sur les élèves, tant sur le plan de la classe que sur celui de l'école.

Étant donné qu'un très grand nombre de recherches sur l'enseignement ont été conduites et que les résultats sont dispersés dans la littérature, il nous est apparu essentiel de réaliser une synthèse de ces travaux et de tenter de les présenter de manière simple, organisée et intelligible. Ces travaux sur lesquels nous nous appuyons ont ceci de particulier qu'ils reposent sur l'observation de ce que les enseignants font en classe. Il existe maintenant des données issues des recherches, des *données probantes*, qui permettent d'évaluer l'efficacité sur l'apprentissage des élèves de diverses stratégies pédagogiques, non seulement en gestion des apprentissages, mais aussi en gestion des comportements dans la classe et à l'école. Si la gestion de classe est une fonction centrale de l'enseignement, il n'en demeure pas moins que tous les procédés utilisés ne s'équivalent pas nécessairement. En effet, certaines pratiques de gestion de classe sont associées à un plus grand effet de l'enseignant pour favoriser les apprentissages et le bien-être des élèves ; d'autres, au contraire, peuvent entraîner des effets pervers qui nuisent au bon fonctionnement de la classe et à la réussite des élèves.

Comme ces recherches sur l'enseignement ont été menées auprès d'enseignants en exercice pendant qu'ils emploient des stratégies pédagogiques concrètes qui fonctionnent dans les classes, nous sommes maintenant rendus à une étape de notre histoire pédagogique où la recherche en enseignement peut jouer un rôle intéressant dans la formation initiale et continue des enseignants. C'est la prémisse sur laquelle repose le présent ouvrage.

Le volume comprend six chapitres. Les deux premiers sont de nature plus théorique. Au chapitre 1, nous réfléchissons sur l'évolution de la pédagogie et tentons de montrer que la gestion de classe a toujours fait partie des préoccupations des enseignants; elle constitue même une composante fondamentale de leur métier. Dans le chapitre 2, nous examinons l'évolution de la recherche sur la gestion de classe au cours du XXe siècle. Les chapitres 3, 4 et 5 sont de nature plus pratique et décrivent des stratégies pour une gestion efficace des comportements en classe et à l'école. Le chapitre 3 porte sur les interventions préventives, et ce, dans l'idée que l'accent doit être mis sur la prévention des comportements indésirables. Cependant, en dépit des efforts de prévention, il peut arriver que des comportements inacceptables persistent, c'est alors qu'il faut déployer des stratégies correctives. C'est le propos du chapitre 4. La gestion des comportements ne peut se limiter à la classe, car les élèves se retrouvent également dans d'autres espaces de l'école (la cour de récréation, la cafétéria, les corridors). C'est la raison d'être du chapitre 5, qui présente un modèle efficace de gestion des comportements au niveau de l'école: le soutien au comportement positif (SCP). Enfin, par la comparaison d'un ancien et d'un nouveau discours sur la gestion de classe, le chapitre 6 expose une réflexion sur les attitudes professionnelles à privilégier par l'enseignant dans ses interventions auprès des élèves.

Il est important de mentionner que pour rendre la lecture de l'ouvrage plus aisée et éviter les répétitions inutiles, nous avons opté pour une présentation des stratégies selon qu'elles appartiennent aux *interventions préventives* ou aux *interventions correctives*. Il va sans dire que l'une ou l'autre de ces stratégies implique la planification (P), l'interaction (I) et la consolidation (C), ce que nous avons appelé le modèle PIC. Les chapitres 3 et 4 se terminent d'ailleurs par des précisions à propos des éléments à retenir à ce sujet dans le cadre d'un enseignement de type explicite. Finalement, sous forme de tableau, l'annexe 1 montre comment il est possible de distribuer les interventions proposées dans le temps (exemple: à faire avant le début de l'année scolaire; au début de l'année scolaire; au cours de l'année scolaire) selon la logique du modèle PIC.

Il mérite également d'être souligné que nous avons écrit ces chapitres en nous mettant à la place de l'enseignant ou du futur enseignant, en adoptant le point de vue du maître qui intervient auprès de ses élèves. C'est pourquoi le lecteur trouvera des dizaines de stratégies, illustrées par des exemples concrets, que l'enseignant déploie en vue de bien gérer sa classe. Soulignons aussi que, d'une certaine manière, chaque chapitre se suffit à lui-même. Le lecteur peut donc commencer sa lecture par le chapitre de son choix, selon ses goûts, ses priorités ou ses champs d'intérêt.

Enfin, et surtout, nous proposons un véritable système pour concevoir l'intervention pédagogique, système qui comprend plusieurs éléments en interaction. Parmi ceux-ci nous avons mentionné que la gestion de classe et la gestion des apprentissages sont les deux grandes fonctions du travail enseignant. Sur le plan de la gestion de classe, nous mettons en relation deux autres éléments, les interventions préventives et correctives, et celles-ci se déploient tant au niveau de la classe que de l'école.

Nous sommes donc fiers de présenter au lecteur francophone un ouvrage original, fondé sur la recherche empirique, appuyé sur le plan théorique, et mettant en scène un modèle systémique d'intervention basé sur l'enseignement explicite des comportements.

CHAPITRE 1

La pédagogie d'hier à aujourd'hui et le souci de l'ordre pour enseigner

Il faut suivre la nature mais la nature est comme une horloge.

Comenius (1592-1670)

Selon Vincent (2008), la forme scolaire apparaît dans tout l'Occident moderne, entre le XVIe et le XVIIIe siècle. Cet espace, séparé du monde, loge les écoliers et le maître. Mais la forme scolaire fait beaucoup plus que cela puisqu'elle structure aussi le comportement des uns et des autres. En effet, la forme scolaire privilégie certaines modalités de transmission des savoirs axées principalement autour de l'écrit. De même, elle oblige les élèves à obéir aux règles de conduite et à se soumettre à l'autorité. On s'attend également à ce que le maître transmette des savoirs, dirige les activités et surveille les élèves. Bref, il convient de mettre au jour toute l'histoire humaine qui se joue dans cette enceinte.

Dans ce chapitre, nous allons dans un premier temps raconter, à grands traits, en quoi a consisté la pédagogie d'autrefois, quelles ont été ses sources d'inspiration et ses modalités de fonctionnement, comment des transformations au fil des siècles n'ont pas altéré sa dynamique profonde constamment en quête d'ordre. La pédagogie du XVIIe siècle est le terreau sur lequel a poussé la pédagogie contemporaine. Nous verrons ensuite que les comportements des acteurs, élèves et enseignants, sont encore déterminés de nos jours, du moins en grande partie, par cette forme scolaire qui leur préexiste. Ils ne créeront pas le monde scolaire dans lequel ils vivront ; ils s'y inséreront, leurs comportements étant des conséquences de cette forme.

1.1 La pédagogie d'autrefois[1]

Le XVIIe siècle a apporté quelque chose de nouveau en ce qui concerne l'enseignement : la méthode, autrement dit, la pédagogie. Par **pédagogie**, on entend ici la codification de certains savoirs et savoir-faire propres à l'enseignant en vue de l'aider à bien faire la classe. Elle comprend un ensemble de règles, de conseils méthodiques portant à la fois sur l'enseignement des contenus, mais aussi sur l'organisation de la classe en vue de l'aider à *enseigner aux élèves afin qu'ils apprennent plus, plus vite et mieux.*

L'effet combiné de plusieurs facteurs tels que la réforme protestante, la contre-réforme catholique, une nouvelle conception de l'enfance et un problème de délinquance causé par les jeunes dans les villes a entraîné une augmentation notable du nombre d'élèves dans les classes de l'époque. Désormais, l'école du XVIIe siècle n'est plus réservée aux fils de riches familles ni aux futurs membres du clergé. On fait dorénavant une place aux enfants du peuple, aux enfants qui errent, aux enfants plus jeunes. Plus d'enfants fréquentent l'école et partant, on observe une augmentation du nombre d'écoles. Cette marche vers la scolarisation du peuple[2] au début du XVIIe siècle s'étend à tout l'espace européen.

Cependant, le fait que plus d'enfants fréquentent l'école durant des périodes de temps plus longues et continues n'est pas un phénomène qui va se réaliser sans créer de problèmes d'enseignement. En effet, la pédagogie utilisée jusqu'alors est encore une « pédagogie au singulier », c'est-à-dire une façon d'enseigner où le maître reçoit à sa table à tour de rôle les quelques élèves qui fréquentent sa classe et où le seul savoir pédagogique véritablement établi consiste à connaître sa matière et à la transmettre. À l'époque, quiconque sait lire peut, par exemple, enseigner la lecture. Or, l'arrivée d'un plus grand nombre d'enfants à l'école et leur fréquentation plus assidue ont tôt fait de révéler l'insuffisance des méthodes d'enseignement en vigueur jusque-là. Enseigner à des groupes d'enfants n'est pas facile et le maître du temps a à faire face à des problèmes nouveaux de discipline, de motivation, de bruit, d'hygiène, d'organisation de sa classe, etc. Aussi, avec l'apparition de collectifs d'élèves, cette tâche plus simple lorsqu'elle s'inscrit dans un rapport étroit entre un maître et un seul élève nécessite désormais bien plus que la seule maîtrise du contenu à transmettre : elle exige également la mise en place de tout un système de règles, de procédures, de dispositifs disciplinaires, qui englobe la totalité de la vie de la classe.

C'est donc en vue de régler ces problèmes d'enseignement dans leurs classes que les maîtres d'école de l'époque ont entrepris la recherche de solutions. Celle-ci a consisté à mettre en place ce que nous appelons ici la *pédagogie*, c'est-à-dire à créer une *méthode pour faire la classe* qui implique nécessairement la prise en compte de l'organisation du temps, de l'espace, des contenus à voir,

---

1. Ce chapitre s'inspire de certains de nos écrits antérieurs notamment « Le XVIIe siècle et la naissance de la pédagogie », dans *La pédagogie. Théories et pratiques de l'Antiquité à nos jours* (2012), 3e éd., Montréal, Gaëtan Morin ; du chapitre 6 de *Pour une théorie de la pédagogie* (1997), Québec, Presses de l'Université Laval ; de même que du chapitre 1 de *Enseigner et instruire* (1999), Québec, Presses de l'Université Laval. Voir aussi D. Jeffrey et C. Gauthier (2003). *L'éthique des enseignants. Rapport de recherche portant sur les orientations et les recommandations visant la création d'un code d'éthique en enseignement,* document de travail non publié soumis au COFPE.
2. Sans que l'on parle encore d'enseignement de masse toutefois.

de la gestion des conduites, bref, une méthode qui va régir la totalité de la vie scolaire, des microévénements jusqu'aux aspects plus généraux, de l'arrivée des élèves le matin à leur sortie le soir, du premier jour de l'année scolaire au dernier. Qui dit méthode, dit chemin ordonné. La pédagogie naissante est un discours et une pratique d'ordre qui vise à contrer toute forme de désordre dans la classe. La question pédagogique devient alors : comment enseigner à des groupes d'enfants (du peuple) durant une période continue dans un local donné et en faisant en sorte qu'ils apprennent plus, plus vite et mieux?

Tant qu'enseigner n'était qu'une affaire de contenus à transmettre à un ou à quelques élèves, cette activité ne nécessitait du maître que la maîtrise de sa matière et ne l'obligeait pas à une quelconque réflexion sur la manière d'enseigner à un collectif plus imposant d'élèves. L'enseignant apprenait son métier d'un plus ancien ou bien, et c'était le plus généralement le cas, laissé seul à lui-même, il se formait au gré de ses essais et de ses erreurs. Mais, à partir du moment où les groupes d'élèves sont devenus plus nombreux, des problèmes d'enseignement sont apparus et certains enseignants se sont mis à réfléchir sur leurs façons de faire et à formaliser les bonnes pratiques. Ils se sont rendu compte que la seule maîtrise du contenu ne suffisait plus et que l'apprentissage du métier nécessitait une formation particulière et plus élaborée. Par exemple, les Frères des écoles chrétiennes, une communauté exclusivement vouée à l'enseignement, ont mis sur pied une formation rigoureuse et identique pour tous leurs novices. Les Jésuites se sont rendus célèbres également par l'excellente formation qu'ils donnaient aux jeunes membres de leur communauté en vue de les préparer à l'exercice de leur métier.

1.1.1 Une méthode inspirée de la nature

La transformation qui s'opère au XVIIᵉ siècle révèle qu'enseigner est plus qu'ordonner en séquence des contenus et les transmettre, c'est aussi *se soucier d'autrui*. Dans l'enseignement se déploie tout un rapport à l'autre, aux élèves, pour les comprendre, les soutenir, leur donner ce dont ils ont besoin. Cette préoccupation implique donc une perspective qui dépasse les seules considérations touchant la matière, mais qui s'intéresse aussi à ceux à qui l'enseignant s'adresse, les élèves. Tant que l'enseignement s'applique à quelques enfants seulement, et de façon épisodique, il n'y a pas à proprement parler véritablement de problèmes de discipline puisque le maître est suffisamment près d'eux pour s'ajuster et gérer les écarts de conduite qui peuvent se poser. Mais à partir du moment où l'autre n'est plus conjugué au singulier, et devient une classe d'élèves, dont la présence est permanente, alors tout change et c'est là qu'apparaît la nécessité de mettre en place une méthode, c'est-à-dire un dispositif d'ordre soigneusement élaboré pour gérer ce collectif.

Pour les pédagogues du XVIIᵉ siècle, la nature leur livre la méthode. Mais il faut bien comprendre que la nature qu'ils se représentent est une nature « surnaturelle ». Elle est créée à l'image de Dieu et dépeint l'ordre parfait dans tout. Il faut donc organiser l'école comme l'est la nature dira le philosophe et pédagogue Comenius, et la nature dont il parle est aussi précise qu'une horloge. Bref, la méthode en pédagogie s'inspirera de la nature et cette dernière est entièrement ordonnée et sans hasard. La pédagogie naissante au

XVIIe siècle en tant que méthode s'inspirant de la nature s'efforcera donc de conjurer le désordre sous toutes ses formes. Tous les aspects de cette méthode seront décrits minutieusement dans des traités de pédagogie de l'époque[3].

1.1.2 Les caractéristiques de la méthode

La pédagogie du XVIIe siècle est donc essentiellement méthode, c'est-à-dire ordre. Elle se caractérise par un contrôle minutieux de tous les éléments de la classe, tant en ce qui concerne les apprentissages des contenus qu'en ce qui touche à la conduite des élèves, ce que nous appelons aujourd'hui la **gestion des apprentissages** et la **gestion de classe**.

Il faut bien comprendre que certains dispositifs ont pu apparaître auparavant dans l'histoire et exister isolément. Toutefois, ce qui semble particulièrement important, c'est la mise en place *systématique* et *coordonnée* de ces diverses formes de contrôle et leur effet conjugué qui a donné naissance à ce que nous avons appelé la pédagogie. Examinons maintenant dans le détail la nature de ces diverses formes de contrôle.

Le contrôle du groupe : l'enseignement simultané

L'enseignement simultané implique que le maître englobe l'ensemble du groupe des élèves d'un seul regard afin de mieux le contrôler. En se plaçant en avant de la classe, face aux élèves, souvent sur un petit plancher surélevé appelé tribune, il peut livrer sa leçon et donner ses consignes pour l'exécution par tous ses élèves d'un même travail en même temps. Même si cette forme d'enseignement existe déjà auparavant, par exemple au Moyen Âge dans les universités, elle ne se rencontre pas vraiment dans les petites écoles, et ce, sans doute parce que le nombre d'élèves ne le justifie pas encore.

Le contrôle du temps

À l'école, l'emploi du temps est soigneusement calculé de sorte que, de l'arrivée des élèves à leur sortie, il n'y a aucun temps mort dans la journée ; chaque activité terminée s'enchaîne rapidement à une autre : entrée, prière, déjeuner, leçons, messe, catéchisme, sortie, etc. L'oisiveté, « mère de tous les vices », est perçue comme une source de désordre. Il convient dès lors d'éliminer tout vide temporel et d'occuper les enfants à tout moment. On assiste donc à une obsession du remplissage du temps ; il faut éliminer tout temps mort. Le temps n'est pas laissé au hasard, il est prévu, minuté, rempli. Cette obsession de l'emploi du temps est, selon Durkheim, ce qui explique, en partie du moins, l'énorme succès remporté par la pédagogie des Jésuites, qui ont toujours tenu à ce que les élèves soient sans cesse occupés. Pour ce faire, pour ne pas que les élèves restent inactifs, ils ont inventé notamment les devoirs écrits dont ils ont fait grand usage (Durkheim, 1969).

---

3. Voir à titre d'exemple les ouvrages suivants : Comenius, J. A. (1952). *La grande didactique. Traité de l'art universel d'enseigner tout à tous*, traduit par J.-B. Piobetta, Paris, PUF. De Batencour, J. (1669). *Instruction méthodique pour l'école paroissiale dressée en faveur des petites écoles*, Paris, Pierre Trichard. De La Salle, J.-B. (1951). *Conduite des écoles chrétiennes*, manuscrit 11.759, Paris, Bibliothèque nationale. Démia, C. *Règlements pour les écoles de la ville et diocèse de Lyon* (référence incomplète), Paris, Bibliothèque nationale. Jouvency, J. (1892). *De ratione discendi et docendi*, traduit par H. Ferté, sous le titre *De la manière d'apprendre et d'enseigner*, Paris, Hachette. Rioux, G. (1963). *L'œuvre pédagogique de Wolfgangus Ratichius (1571-1635)*, Paris, Vrin.

Le contrôle de l'espace

Le maître doit aussi contrôler l'espace dans sa classe. Là également, les directives dans les traités de pédagogie abondent. L'espace de la classe est soigneusement quadrillé selon une série de critères. Par exemple, chaque élève se voit attribuer une place selon des critères précis : les places à l'avant de la classe vont aux élèves les plus avancés ; d'autres places sont prévues pour ceux qui apprennent à écrire ; finalement, de chaque côté, on assoit ceux qui lisent sans écrire. À ces grandes catégories s'ajoutent des subdivisions, des places assignées selon les capacités, selon la richesse (pour des motifs hygiéniques), ou encore des places particulières pour les nouveaux. Finalement, les élèves punis méritent le banc d'infamie. On donne également des précisions sur le ratio idéal espace/nombre d'écoliers, sur les images à afficher, sur la dimension des bancs, etc. (Chartier, Compère et Julia, 1976).

Le contrôle de l'enfant

Le maître doit contrôler l'enfant : sa posture, ses déplacements, sa conduite. Le XVIIe siècle a institué un véritable code des postures. On dit qu'une mauvaise posture est un signe de relâchement, de désordre intérieur. Un corps bien tenu est l'expression d'une âme forte, donc ordonnée et dirigée vers le bien. Les élèves doivent adopter telle posture pendant les leçons, telle autre pendant les prières, une troisième pour les exercices d'écriture, une autre pour la lecture (le doigt placé près du mot à lire), etc. En ce qui concerne l'écriture, les précisions vont même jusqu'à décrire la position de la main et des doigts pour tenir la plume.

Non seulement la posture fait-elle l'objet d'un contrôle minutieux, mais également les déplacements. Les allées et venues des élèves à l'extérieur de la classe ou de l'école s'exécutent dans le plus grand soin, en rang, où chaque élève a une place assignée selon des critères précis (par exemple, selon la taille, du plus petit au plus grand). Le rang devient la méthode par excellence pour gérer les déplacements du collectif. Même le retour à la maison se fait sous la responsabilité de « dizainiers », officiers de la classe, qui s'occupent de la surveillance de la conduite des élèves dans les rues.

À l'intérieur de la classe, les déplacements des élèves se font aussi avec discrétion et en silence. On a même pris bien soin de préciser comment les élèves doivent procéder pour aller aux « nécessités » ; à cet effet, l'élève doit prendre une petite baguette accrochée au mur à sa sortie et la remettre en place à son retour. Cela évite au maître d'interrompre sa leçon pour donner la permission et de briser ainsi le rythme de la classe. Aucun élève ne peut aller aux toilettes s'il ne voit pas la petite baguette accrochée à sa place. Également, pour diminuer le va-et-vient dans la classe, on fait appel à des officiers distributeurs et collecteurs de papier qui se chargent, comme leur nom l'indique, de l'exécution de ces tâches (De La Salle, 1951).

De plus, on a instauré une série de signaux qui permettent l'exécution de tâches tout en maintenant le silence. Ces signaux permettent un enchaînement ordonné entre les activités ou les déplacements. Un coup, deux coups, avec le « signal » (appelé aussi claquoir[4]) signifie commencer à lire, cesser de lire, etc.

---

4. Deux planchettes reliées par une penture que l'on frappe l'une contre l'autre pour donner un signal.

La cloche, pour l'extérieur, pour les corridors ou la clochette pour la classe ont aussi la même fonction. Ces instruments assurent l'ordre en maintenant le silence et l'enchaînement des activités sans briser la fluidité des activités ni occasionner de pertes de temps.

Au-delà de la posture et des déplacements de l'enfant, les écoles du XVIIe siècle ont mis en place un véritable système de surveillance. La base de ce système consiste à ne jamais laisser l'élève seul et à faire en sorte qu'il soit toujours vu. La surveillance est facilitée par l'enseignement simultané. De sa tribune, le maître peut balayer d'un seul regard tous les enfants. La surveillance est assurée aussi par les officiers de la classe, c'est-à-dire par des élèves spécialement désignés pour prendre note des contrevenants et en faire rapport au maître. Ce sont les rapporteurs officiels, extension de ses yeux, qui servent en quelque sorte de relais au maître en son absence.

Pour mieux contrôler la conduite des élèves, et parallèlement à l'établissement du système de surveillance, on a également modifié la structure des peines et des récompenses, l'idée de base étant d'introduire la rationalité dans ces pratiques et d'éviter ainsi de soumettre les élèves aux humeurs parfois intempestives du maître. En ce qui concerne les punitions, les fautifs sont punis, mais les châtiments sont à cette époque gradués selon la gravité du délit et prennent un caractère d'humiliation. Il est recommandé au maître de ne pas se laisser emporter par ses émotions, mais de punir sans colère ni passion, avec distance et gravité. La correction corporelle n'est pas abolie, mais elle n'est que la dernière mesure d'une longue série graduée de peines. On préfère remplacer les châtiments corporels par des pénitences qui visent à humilier l'élève telles que le bonnet d'âne, le banc des ignorants ou encore par des pensums (copie).

De la même façon, les récompenses changent de forme. Le maître récompense plutôt avec rationalité; il maintient une certaine distance dans son enthousiasme pour souligner le bon comportement de ses élèves. Les récompenses sont graduées. Par exemple, il y a un ordre de «dignité» dans les places des élèves qui sont attribuées tous les quinze jours à ceux qui les ont méritées (De Batencour, 1669). Le maître peut attribuer aussi des points de «diligence» dont il tient le registre dans un grand livre (De Batencour, 1669, p. 235). Il peut ainsi distribuer en récompense des livres (récompense extraordinaire), des images pieuses ou des figurines de plâtre et finalement, le plus souvent, des sentences imprimées en gros caractères (De La Salle, 1951). Donc, aux pratiques largement répandues de récompenses et de punitions impulsives prenant la forme de caresses ou de châtiments corporels se substitue un système rationnel qui contrôle les débordements affectifs par la mise en place de gratifications et de sanctions graduées.

Au-delà de l'établissement du système de surveillance et d'une nouvelle structuration des peines et des récompenses, les pédagogues du XVIIe siècle ont élaboré tout un système d'émulation. Ce système s'exerce d'abord par l'établissement de responsabilités assumées par des élèves officiers, recrutés parmi les plus méritants. La liste des officiers est assez longue et peut comprendre des intendants, des répétiteurs, des observateurs, des lecteurs, des récitateurs de prières, des officiers d'écriture, des receveurs pour l'encre et la poudre, des balayeurs, des porteurs d'eau, des portiers, des aumôniers, des visiteurs, des porte-chapelet, des porte-aspersoir (pour l'eau bénite), des sonneurs, des inspecteurs, des surveillants, des distributeurs et collecteurs de papier.

Le système d'émulation s'exerce aussi par la compétition entre les élèves. Celle-ci peut se faire à l'intérieur d'un même banc où la première place est réservée au meilleur élève et ainsi de suite jusqu'à la fin. Mais elle a été portée à sa plus haute expression par les Jésuites qui ont introduit systématiquement la compétition entre les élèves dans leurs classes.

Finalement, les pédagogues du XVIIᵉ siècle mettent également en place une série de registres (ou catalogues) pour consigner les noms de tous les élèves admis à l'école, le progrès de chacun en écriture, en arithmétique, leur comportement, les retards et les raisons des absences.

Le contrôle des savoirs

Cette forme de contrôle est évidemment la plus traditionnelle et la plus répandue. En effet, puisque l'école a toujours été organisée autour des savoirs à transmettre, l'organisation de ces savoirs a fait l'objet de précisions depuis plusieurs siècles. Le territoire des savoirs à transmettre a été décortiqué avec minutie. Pour les petites écoles, trois ordres de savoirs (formation chrétienne, maîtrise des rudiments, civilités) ont ainsi été délimités et sont enseignés selon une séquence bien déterminée en commençant par les notions les plus simples pour passer ensuite aux plus complexes.

D'abord, la formation chrétienne renvoie à cette idée que l'école, dès ses débuts, est un lieu de transmission de valeurs.

Ensuite, la maîtrise des rudiments (lire, écrire, compter) occupe une large part du temps dont l'enseignement est subdivisé en microétapes soigneusement distribuées dans le temps. Enfin, les civilités visent l'affinement des mœurs. Il faut dire qu'à l'époque, le visible est considéré comme l'expression de l'invisible, c'est-à-dire de l'âme. Ainsi, on donne plusieurs conseils et préceptes sur la bonne tenue, sur la propreté des vêtements, sur l'hygiène à privilégier, sur le rire contenu, sur la façon de se comporter à table, de se moucher, etc. Tout le langage non verbal fait également l'objet d'un « redressement ». Par exemple, l'enseignant ne tolère pas qu'un élève se croise les bras puisque ce geste est interprété comme un signe de paresse. Aussi, un élève aux yeux fixes doit être réprimandé, car il s'agit d'un signe d'effronterie. Bref, l'enseignant doit être sensible aux gestes posés par ses élèves et intervenir pour civiliser le peuple et policer sa conduite.

1.1.3 L'enseignement mutuel

Le système de l'enseignement mutuel mérite d'être examiné brièvement parce qu'il constitue une sorte de prolongement excessif de la pédagogie qui s'est mise en place au XVIIᵉ siècle. Si l'on situe l'enseignement mutuel sur un axe ayant à l'un de ses pôles « l'ordre » et à l'autre « le hasard », il serait logé à l'extrême limite, du côté de « l'ordre ». En effet, l'enseignement mutuel emploie un discours et une pratique de contrôle à peu près inégalés dans l'histoire de l'éducation. Il constitue à ce titre un exemple absolu de contrôle pédagogique. L'ordre pédagogique naissant, qui quadrille toute la vie scolaire au XVIIᵉ siècle, semble presque mitigé lorsqu'on le compare à celui qui se met en place avec l'enseignement mutuel au XIXe siècle.

Le premier principe : l'enseignement par les pairs

Le système d'enseignement mutuel apparaît en Angleterre dans les écoles primaires à la fin du XVIIIe siècle. Il vise à alphabétiser le plus grand nombre d'élèves possible au meilleur coût et dans les meilleurs délais (Lesage, 1981). Cette méthode, systématisée par les Anglais Bell et Lancaster, a connu par la suite un succès important en France et fut en usage un peu partout dans le monde. Contrairement au mode simultané, où le maître est l'agent d'enseignement, le principe de base de l'enseignement mutuel est que l'enfant lui-même se charge d'enseigner à ses pairs. Comme le mot « mutuel » l'indique en français, ou *monitorial system* en anglais, les enfants s'enseignent les uns aux autres. Plus précisément, les plus avancés ou doués deviennent les moniteurs de leurs camarades plus faibles ou moins talentueux.

On estime qu'une classe de 200 à 250 élèves nécessite une quarantaine de moniteurs. Ces derniers sont choisis parmi les élèves les plus avancés et démontrant la meilleure conduite ; ils sont l'élément essentiel de la méthode (Lesage, 1981, p. 243). Un ordre hiérarchique détermine le niveau des moniteurs, qui sont classés selon leurs responsabilités et leurs tâches. Les plus « haut placés », les moniteurs généraux, vérifient la discipline des élèves au moment des changements d'activité et des entrées et sorties de l'école ; ils dirigent les prières et interviennent également auprès des moniteurs ordinaires. Ces derniers, choisis parmi les plus avancés des différentes disciplines à enseigner, sont responsables d'un groupe d'une dizaine d'enfants de même niveau. On donne aussi des responsabilités à d'autres enfants : par exemple, l'un est portier, l'autre est moniteur de quartier et veille à conduire les élèves en bon ordre le matin à l'école et à les reconduire chez eux en fin de journée.

Le deuxième principe : l'économie

À ce premier principe d'enseignement par les pairs s'en greffe un deuxième : l'économie. Il faut en effet instruire une multitude d'enfants aux mêmes coûts qu'un petit nombre (Bally, 1819). Il y a une volonté d'éduquer le peuple, mais on sait bien que cette éducation coûte cher et, comme la scolarité n'est pas gratuite, on a tout intérêt à stimuler l'enseignement mutuel, car cette formule est beaucoup plus économique que toute autre. Dans cet esprit, De Lasteyrie (1819) vante l'école de Lancaster (1811), qui n'utilise qu'un seul livre pour 1000 enfants !

Le troisième principe : l'efficacité

Enfin, on adopte un principe d'efficacité qui vise à appliquer à l'école les méthodes de division du travail en vigueur dans l'industrie naissante afin de réduire les coûts de l'instruction (Léon, 1971). Concrètement, dans les écoles régies par le système d'enseignement mutuel, il n'y a qu'un seul maître pour enseigner à un groupe pouvant aller jusqu'à 1000 élèves, et même au-delà dans les grandes villes, la moyenne se situant le plus souvent autour de 250 élèves. Un tel système ne peut exister et fonctionner efficacement que s'il est basé sur l'application d'un *ordre absolu*. C'est pourquoi nous soutenons qu'il participe du même souci de l'ordre qui était en vigueur 200 ans plus tôt, et qu'il est le prolongement de la **tradition pédagogique** du XVIIᵉ siècle.

> «Le maître doit donc porter son attention spéciale sur tous les objets de détail, et établir un règlement tellement fixe, que son exécution marche d'elle-même, et pour ainsi dire à son insu. Ici l'ordre règne partout, même dans les plus petits objets: le panier, les plumes, les livres, les tableaux; tout a sa place, tout y a été classé, mis à son rang; rien n'est arbitraire: c'est dans ce sens qu'on interprète le tableau qu'on voit dans nos institutions, avec ces mots: "Une place pour chaque chose et chaque chose à sa place."» (Bally, 1819, p. 195)

En outre, De Lasteyrie (1819, p. 6), dans son manuel d'enseignement mutuel, va jusqu'à utiliser la métaphore de l'armée pour décrire le système. Il écrit: «Chaque classe est commandée, enseignée, inspectée et maintenue dans l'ordre par un commandant et par un inspecteur de classe, qui sont aidés par des sous-commandants.» Tous sont sous la juridiction d'un commandant général qui vérifie si les ordres donnés aux niveaux inférieurs s'exécutent.

Le quatrième principe: le contrôle de l'espace, du temps et des contenus

Ainsi, non seulement l'enseignement mutuel reprend-il des procédés de contrôle déjà mis en pratique au XVIIᵉ siècle, mais il les raffine. Par exemple, à la suite d'un calcul précis de l'espace de la classe, il est établi qu'une salle de 45 mètres sur 9 doit contenir 1000 élèves et qu'une salle de 9 mètres sur 5 doit en accueillir 70, ce qui accorde 0,4 mètre carré à chaque élève. Le manuel de Bally (1819) contient de multiples consignes à propos de l'espace nécessaire au maître, de l'élévation du plafond, des dimensions de la tribune, etc. De même, les détails entourant le matériel et le mobilier y sont décrits sur une quarantaine de pages. Tout est précisé dans le menu détail: la table du maître, la boîte à billets de récompense, les ardoises, la hauteur et la longueur des bancs des élèves, etc.

Avec l'enseignement mutuel, l'emploi du temps fait également l'objet d'une planification minutieuse. La journée de six heures de classe est divisée en de multiples petits moments de cinq minutes environ. On comprend donc la nécessité de mettre en place un système codé de transmission des ordres par divers moyens (la voix, une sonnette, un sifflet ou un signe) et de voir à leur exécution. Une soixantaine de consignes codées sont ainsi décrites minutieusement (Bally, 1819).

Le contenu de chaque matière est soigneusement précisé et hiérarchisé dans un programme comportant huit niveaux, un moniteur étant responsable de chaque niveau. Changement important par rapport au XVIIᵉ siècle, on enseigne désormais les matières simultanément et non successivement. Ainsi, on apprend à la fois la lecture, l'écriture, le calcul, le dessin et la religion. De plus, comme les programmes sont évalués de façon très précise, un enfant peut être affecté à un sous-groupe pour la lecture et à un autre pour l'écriture ou le calcul, par exemple. Par souci d'économie, on utilise, pour la lecture, l'écriture, le dessin et le calcul, des tableaux (148 au total) imprimés d'un seul côté, montés sur des cartons et minutieusement gradués. Ces tableaux remplacent les livres.

Le cinquième principe : la gestion de classe basée sur les récompenses et les sanctions

Comme par le passé, la discipline est basée sur un système de récompenses et de sanctions. Chaque matière étant hiérarchisée en huit niveaux, les enfants savent où ils se situent et ils connaissent le niveau supérieur qu'ils peuvent atteindre ; l'émulation s'entretient donc aisément. Les récompenses sont souvent des billets échangeables contre de l'argent ou un prix à la fin de la semaine. On écrit aux parents pour les informer des progrès de leur enfant ou ce dernier apporte chez lui une médaille de mérite. Les présences, les absences, le progrès scolaire et la conduite sont minutieusement consignés dans des registres qui permettent de noter l'évolution du comportement des élèves.

Quant aux punitions, elles sont soigneusement décrites en 18 catégories et ce sont les enfants qui s'infligent eux-mêmes des sanctions pour leurs délits par l'entremise d'un jury. De façon générale, l'humiliation est encore présente, mais les procédés sont plus sophistiqués. Par exemple, on trouve en première place : «L'enfant qui lit le moins bien cède sa place à celui qui lit mieux» et en quinzième place : «On les attache à un poteau lorsqu'ils sont trop indociles, ou qu'ils désobéissent formellement au maître» (Bally, 1819, p. 189). On signale qu'en Angleterre, on attache au cou de l'enfant récalcitrant un morceau de bois de deux à trois kilogrammes. Il arrive aussi qu'on fixe une pièce de bois entre ses jambes et qu'on l'oblige à faire le tour de la classe. Parfois, on place même les délinquants dans un panier ou un grand sac que l'on suspend au plafond de la classe, à la vue de tous, et les enfants paresseux sont balancés dans un berceau par un camarade (Bally, 1819).

En conclusion, l'enseignement mutuel mérite d'être considéré comme le prolongement des modalités d'enseignement basées sur le contrôle mises en place au XVIIe siècle[5]. Il importe de se rappeler que ce type d'enseignement vise à maintenir un ordre minutieux dans toutes les facettes de la vie de la classe, et ce, tant sur le plan des contenus à transmettre que sur celui des conduites à privilégier. Toutefois, cette façon de faire la classe n'a pas survécu.

1.1.4 La tradition pédagogique

Comme on l'a vu précédemment, l'effet conjugué de plusieurs facteurs a conduit à l'école un plus grand nombre d'enfants pour y être scolarisés. Le maître fut alors appelé à régler de nouveaux problèmes qui étaient jusqu'alors absents. On a donc assisté, au XVIIe siècle, à la publication de plusieurs traités de pédagogie dont la perspective, l'originalité et le retentissement nous font dire que la pédagogie est l'œuvre de ce siècle. En effet, si on prend alors la peine de donner tant de directives aux maîtres, c'est que l'enseignement devient désormais un souci, un problème, et qu'il appelle un savoir méthodique particulier pour y faire face. C'est à cette époque que l'on trouve le plus d'indications précises à l'intention des enseignants sur l'organisation de l'enseignement dans la classe et que s'élaborent les premiers énoncés d'un savoir pédagogique qui se situe à un niveau différent de la doctrine formelle,

---

5. Il est important de noter que cette continuité se situe d'abord et avant tout sur le plan des moyens utilisés. En ce qui concerne la légitimation de l'approche, l'enseignement mutuel procède d'une idéologie davantage marquée par l'économie de fonctionnement que par le souci de l'enfant.

mais plutôt à celui de la pratique de la classe. Les traités de pédagogie ne sont pas l'œuvre d'une élite intellectuelle qui n'enseigne pas elle-même comme ce fut le cas avec les penseurs de la Renaissance (Rabelais, Érasme, Montaigne). Au contraire, ce sont plutôt des discours pédagogiques élaborés par des enseignants de métier pour aider d'autres enseignants à faire la classe.

Fondamentalement, on l'a vu, ce nouveau savoir pédagogique mis en place, tant du côté catholique que protestant, a pour objectif de conjurer le hasard, d'éliminer le désordre, source de péché, en régulant chaque aspect de l'enseignement. Tout est prévu, calculé, minuté.

C'est en cela que les traités de pédagogie du XVIIe nous semblent fondateurs. Ils inaugurent la méthode pour enseigner dans les écoles et sont ainsi le signe manifeste d'une nouvelle préoccupation. Ils sont conçus pour définir les comportements du maître lorsqu'il enseigne à des groupes d'enfants du peuple. Ils systématisent des procédés d'enseignement, ils encadrent complètement le rapport à l'autre (au groupe) afin de mieux assurer sa conversion.

La méthode qui se met en place au XVIIe siècle s'est répandue assez fidèlement au cours des siècles qui ont suivi. La pédagogie ainsi instituée se constituera peu à peu en tradition. De la sorte se cristallisera progressivement un code uniforme des savoir-faire pour enseigner, une tradition pédagogique composée d'un ensemble de réponses, de prescriptions, de rites quasi sacrés à reproduire. Cette tradition pédagogique, caractérisée comme nous l'avons vu par un contrôle minutieux de tous les éléments de la classe, tant en ce qui concerne les apprentissages que la conduite des élèves, constitue l'héritage et le creuset à partir duquel nous définissons depuis lors l'enseignement[6].

1.2 La pédagogie contemporaine

Jetons maintenant un regard sur la forme scolaire contemporaine. Certes, à plusieurs égards il y a eu bien des changements depuis les pédagogues du XVIIe. Mais, à d'autres points de vue, la forme scolaire détermine les comportements des acteurs (élèves et enseignant) de manière relativement similaire. Pour mieux comprendre ce phénomène, examinons ce que nous appelons la situation pédagogique contemporaine, la nature du travail enseignant et les éléments constitutifs de la relation pédagogique.

1.2.1 La situation pédagogique, entre stabilité et contingence

Sous plusieurs aspects, la situation pédagogique actuelle ne diffère pas trop de celle d'autrefois que nous venons de décrire. Elle comprend à la fois des caractéristiques de stabilité et de contingence, d'ordre et de désordre, qui conditionnent le travail de l'enseignant et le comportement des élèves.

Le travail de l'enseignant est soumis à la complexité, à l'incertitude, à la singularité. Il est en effet impossible pour un enseignant de prévoir tout ce qui va se passer dans sa leçon : un élève demande à sortir de la classe, un autre

---

6. Il ne faut pas oublier que cette tradition pédagogique a été exportée également chez nous en Amérique.

dérange sa voisine, certains comprennent la matière très rapidement, d'autres, plus lents, ont besoin de plus d'explications. On comprend certains auteurs (Perrenoud, 1993) de dépeindre ce travail comme un « métier impossible » au sens où on ne peut prédire à coup sûr, donc contrôler, le cours des événements qui se produisent dans la classe. Doyle (1986), dans ses travaux sur l'écologie de la classe, a bien mis en évidence la complexité de la situation pédagogique dans laquelle plusieurs dimensions entrent en jeu simultanément et où l'enseignant doit prendre des décisions en situation d'urgence sans qu'il soit assuré du résultat auprès de ses élèves.

Par contre, d'autres auteurs ont plutôt fait ressortir le côté stable de la situation pédagogique (Gallagher, 1992). Le maître ne se retrouve jamais dans une situation totalement inconnue. La structure même de la classe où l'on retrouve un maître, responsable d'un collectif d'élèves, dans une relation prolongée dans un local pour leur apprendre des savoirs et leur inculquer des valeurs au cours d'une année scolaire est en place depuis des siècles. L'enseignant n'est donc jamais jeté dans le pur chaos et n'a pas à tout inventer à partir de rien. Il est toujours situé dans un milieu qui lui est relativement familier, ne serait-ce que celui qu'il a fréquenté durant de nombreuses années en tant qu'élève. Par ailleurs, Durand (1996), dans son analyse ergonomique du travail enseignant, a fait ressortir que les contraintes de la situation pédagogique imposaient une certaine organisation du travail. Ces contraintes, assez semblables d'une classe à l'autre, structurent le comportement des élèves et des enseignants. Par exemple, les programmes, le temps imparti à chacune des matières, la durée de l'année scolaire, le côté obligatoire de l'école, les regroupements par degrés, dans un local contenant pupitres, tables, tableaux, etc., pour recevoir une trentaine d'élèves, tout cela détermine le comportement des acteurs (enseignant et élèves) qui évoluent dans le monde scolaire. Ainsi le contingent et la complexité de la situation pédagogique côtoient la stabilité de la structure, la forme scolaire héritée du XVIIe siècle dans laquelle les acteurs évoluent. Bien que la situation éducative soit complexe et multiforme, l'enseignant n'a donc pas à tout réinventer. Il existe certaines stratégies qui lui permettent de faire face au contingent et au risque potentiel de désordre.

1.2.2 L'enseignement comme travail interactif

Poussons plus loin l'analyse pour faire ressortir des caractéristiques du travail enseignant. Pour ce faire, le concept de **travail interactif** est particulièrement intéressant pour caractériser le travail de l'enseignant, car il met en scène la dynamique des acteurs.

Le travail interactif est différent du travail sur la matière, propre aux sciences dites exactes. Le travail interactif recourt plutôt aux savoirs produits par les sciences humaines et sociales. Ici, l'objet (l'humain, le social) est plus difficile à examiner et le contrôle des variables est particulièrement malaisé. Le travailleur interactif ne peut donc pas s'appuyer sur un savoir scientifique aussi précis que le travailleur dont l'objet est la matière, comme cela se fait dans de nombreux autres domaines (génie, informatique, mécanique automobile, etc.). C'est en réalité la nature même de son objet qui pose au travailleur interactif des problèmes particuliers. Le travail interactif apparaît comme ayant ce trait central :

il met en relation des individus-travailleurs ou des groupes de travailleurs avec un objet de travail qui n'est pas de la matière, mais plutôt d'autres individus-usagers ou d'autres groupes humains (Cherradi, 1990). La particularité du travail interactif réside donc dans le fait d'agir directement sur l'humain sans toutefois parvenir à un haut degré de certitude sur les effets engendrés et leur prévisibilité.

On distingue trois catégories de travailleurs interactifs, selon le type d'interactions.

Les interactions de soutien

La première renvoie aux travailleurs qui mettent en œuvre des interactions de soutien. Dans ce type d'interactions, l'usager n'a guère la possibilité d'améliorer sa situation ; il est donc particulièrement dépendant du travailleur et l'interaction est réduite au minimum. Dans ce cas, la coopération est minimale, car l'interaction vise à prévenir, stopper ou retarder la détérioration du bien-être d'une personne. Qu'on songe, à titre d'exemple, au patient qui subit une opération chirurgicale dans un hôpital. L'autonomie de l'usager, anesthésié pour l'opération, est particulièrement réduite.

Les interactions d'attribution

Le deuxième type d'interactions se rapporte aux travailleurs qui font appel à des interactions d'attribution. Dans ce cas, la relation entre le travailleur et l'usager concerne plus particulièrement un dossier à traiter. Dans les interactions d'attribution, la législation et la réglementation (par exemple, la Loi sur l'assurance-emploi, la Loi sur les jeunes contrevenants, etc.) apparaissent le plus souvent comme des cadres organisationnels qui simplifient la tâche du travailleur interactif en lui conférant une autorité légale dans son interaction avec l'usager. Les caissiers des banques et les fonctionnaires qui répondent au public appartiennent à cette catégorie de travailleurs interactifs.

Les interactions de transformation

Le troisième type d'interactions concerne les travailleurs dont la tâche consiste à établir des interactions visant à « changer l'état biophysique, psychologique, et même d'agir sur les attributs sociaux d'un client ou d'un usager, et ceci en vue d'améliorer son bien-être et son fonctionnement social » (Cherradi, 1990, p. 13). En visant à instruire et à éduquer les élèves, l'enseignement correspond tout à fait à ce type de travail. Alors que dans les deux premières catégories, l'interaction est minimale, il en va tout autrement en ce qui concerne les interactions de transformation, qui nécessitent absolument la collaboration de l'usager. En effet, les élèves ne sont pas des récepteurs passifs. Au contraire, ils réagissent aux interventions de l'enseignant dans un processus dynamique et continu. Ce sont les composantes de ce processus qu'il convient d'examiner ici.

1.2.3 Les éléments constitutifs de la situation pédagogique

Dans cette section, nous allons examiner plusieurs caractéristiques de la situation pédagogique qui en déterminent le contenu et en structurent le fonctionnement.

Un métier qui vise à changer autrui

En tant que métier interactif, l'enseignement est un travail dont *la finalité consiste à changer autrui,* c'est-à-dire à faire passer les élèves d'un état initial jugé incomplet ou insatisfaisant à un état désiré. On confère traditionnellement à l'enseignant la responsabilité de deux grandes finalités: instruire et éduquer les élèves. Instruire, c'est-à-dire faire apprendre aux élèves un certain nombre de contenus culturels consignés dans des programmes scolaires. Ces contenus représentent les savoirs essentiels qu'une société estime nécessaires à la formation des adultes de demain. Éduquer, ou socialiser, au sens où l'enseignant initie les jeunes à certaines valeurs jugées fondamentales dans une société donnée et essaie de mouler leur conduite en conséquence.

Un métier qui se pratique face à un collectif d'élèves

L'enseignant fait partie des rares travailleurs interactifs à *œuvrer auprès d'un collectif de sujets.* Les autres travailleurs interactifs (médecins, psychologues, travailleurs sociaux ou infirmières) travaillent dans une relation clinique auprès d'une seule personne à la fois ou auprès d'un très petit groupe d'acteurs. L'enseignant, par contre, doit faire face aux nombreuses demandes simultanées et aux besoins diversifiés d'un collectif d'élèves. Il doit constamment doser l'énergie à consacrer à chacun des individus en particulier et au groupe dans son ensemble.

Un métier qui se heurte à des résistances et à de l'incertitude

Si l'élève peut être transformé par un travail interactif, il possède cependant «des habiletés et des capacités pour contrer, fausser, retarder et déplacer l'effet de la technologie interactive (des stratégies) qui a pour but de le transformer ou de transformer certains de ses attributs» (Cherradi, 1990, p. 58). Le processus de changement que met en place l'enseignant se heurte donc inévitablement à des *résistances* de la part des élèves. Ces résistances peuvent être multiples et produisent de l'*incertitude* dans le déroulement du processus d'instruction et d'éducation. Elles possèdent même la capacité de renverser l'ordre établi par l'enseignant dans la classe.

L'existence de résistances n'est pas un fait surprenant quand on considère que, dans nos sociétés contemporaines, bien d'autres secteurs d'activité font concurrence à l'école et captent les désirs et les intérêts des enfants. Que l'on songe un instant à l'importance que prennent Internet et les divers jeux vidéo. C'est pourquoi, même si elle se faisait la plus intéressante possible, l'école resterait en concurrence avec des objets souvent plus attrayants qu'elle pour les élèves. Bien des jeunes ne désirent pas aller à l'école, mais ils n'ont pas le choix d'y être puisque dans nos sociétés, la fréquentation scolaire est *obligatoire*.

Un métier qui fait usage de stratégies de persuasion

Pour s'assurer de la collaboration de l'élève, le maître doit mobiliser toutes sortes de *stratégies* pour vaincre les résistances de ce dernier afin d'atteindre les finalités d'éducation et d'instruction. Ces stratégies ne s'apparentent aucunement à celles utilisées dans les métiers non interactifs basés sur l'application d'un savoir technoscientifique permettant de contrôler directement et totalement un objet. Au contraire, le travailleur interactif a besoin d'obtenir la collaboration du sujet humain puisqu'il ne pourra jamais totalement le contrôler.

Un métier qui construit son autorité par une bonne gestion de classe

Si la coercition physique et symbolique a pu fonctionner jusqu'à un certain point dans l'école d'autrefois, on ne peut plus, pour des raisons évidentes, y recourir de la même manière de nos jours. L'image du maître despote en contrôle absolu de sa classe appartient à un passé révolu et l'enseignant ne peut exercer son *autorité* par la coercition. Il ne peut non plus abandonner le pouvoir à ses élèves. S'il le faisait, il aurait tôt fait de perdre toute crédibilité auprès d'eux et auprès de ceux qui lui ont confié cette responsabilité. Que peut-il faire? C'est par la mise en place d'une bonne *gestion de classe* qu'il réussira à faire en sorte que les élèves entretiennent cette motivation nécessaire aux apprentissages scolaires.

Un métier qui joue de ruses et de feintes

La classe est donc un espace où se déroule un subtil et infini chassé-croisé de stratégies, *de ruses et de feintes* entre l'enseignant et ses élèves. En réalité, la stratégie est inscrite dans la nature même de toute interaction sociale. L'enseignant ne peut jamais savoir ce que pensent exactement ses élèves... C'est ainsi qu'en contexte d'enseignement, les élèves rusent constamment avec les dispositifs de surveillance, avec l'autorité que représente l'enseignant. À ce propos, l'ouvrage de Perrenoud, *Métier d'élève et sens du travail scolaire* (1994), fourmille d'exemples sur les ruses des élèves qui deviennent parfois des maîtres dans l'art de savoir perdre du temps, de faire semblant, de faire comme si. Ils sont experts également dans l'art d'attirer l'attention ou de se défiler pour laisser croire que le problème est ailleurs, ou encore qu'ils sont blancs comme neige, sans fautes et sans reproches, victimes d'un bourreau qui les accable.

Un métier qui se déploie dans le temps

Contrairement à d'autres travailleurs interactifs (psychologues, travailleurs sociaux) qui rencontrent leurs sujets de manière épisodique, l'enseignant agit dans le cadre d'un rapport particulier au *temps*. Il intervient sur une base régulière (souvent quotidienne), continue (souvent plusieurs heures par jour) et prolongée (une année scolaire). Cette cohabitation dans le quotidien rapproche l'enseignant de ses élèves au point où se développent une proximité, une complicité, voire une familiarité. L'élève est bien souvent plus en contact avec son enseignant qu'avec ses propres parents.

Le rapport au temps pour l'enseignant se manifeste aussi d'une autre manière. La classe est un lieu où se déroulent plusieurs événements simultanément, et l'enseignant, face à son collectif d'élèves, doit souvent prendre des décisions dans l'immédiat, en situation d'urgence. Il ne peut pas toujours remettre à plus tard une décision pour mieux analyser son contexte et en anticiper les effets. La plupart du temps, il doit décider sur-le-champ sans avoir eu le temps de délibérer.

Un métier qui repose sur une relation asymétrique

Dans l'enseignement, la relation à autrui est d'autant plus complexe qu'elle se déploie entre un adulte et des enfants. En ce sens, les relations entre l'enseignant et les élèves sont *asymétriques* (Jeffrey, 2002). S'ils sont des êtres humains égaux en droit, l'enseignant et ses élèves ne le sont pas relativement aux responsabilités qu'ils assument. L'enseignant est un adulte qui exerce un travail d'éducation auprès d'enfants. Il en sait plus qu'eux; il a plus de vécu qu'eux. La relation que l'enseignant entretient avec ses élèves prend appui sur la responsabilité qui lui est confiée par la société de les instruire et de les éduquer. L'enseignant n'a donc pas à jouer un rôle d'enfant, à parler comme un enfant, à être un enfant. Il occupe une autre posture dans la relation, celle d'un adulte devant accepter, refuser ou différer une demande. Il n'est pas l'ami de ses élèves même s'il est empreint de sollicitude à leur endroit.

Un métier qui s'inscrit dans un projet éducatif

Le travail de l'enseignant déborde le cadre étroit de sa classe. Il est lié à celui de ses collègues du même établissement. Il participe à la réalisation du *projet éducatif* de l'école. L'enseignant est mandaté par la société pour instruire et éduquer les élèves qui lui sont confiés. L'enseignant, présumé compétent, possède une exclusivité de pratique que lui confère la société. Même si les relations entre les enseignants et les élèves s'inscrivent dans la quotidienneté, l'école n'est pas la famille, et le rôle de l'enseignant ne se confond pas avec celui du parent. Sa posture professionnelle à l'égard des élèves se distingue de la proximité parentale.

Un métier qui se doit d'être investi

L'enseignant ne peut exercer son travail que s'il s'appuie sur une croyance fondamentale, un postulat incontournable pour exercer adéquatement sa profession: *l'éducabilité de ses élèves* (Meirieu, 1991). C'est cette croyance qui lui permet de surmonter la résistance de ses élèves dans le quotidien, qui lui permet également de s'engager véritablement dans son travail afin de pouvoir transformer ses élèves qui affichent parfois des comportements inacceptables. Au-delà du nombre de minutes spécifié dans la convention collective, le postulat d'**éducabilité** présuppose une qualité de l'investissement du professionnel. Pour réussir à transformer un élève, l'enseignant doit s'investir dans la relation pédagogique. Enseigner, c'est donc mettre sa propre personne en jeu en tant que partie prenante des interactions avec les élèves. «À notre connaissance, il n'y a pas vraiment de mot ou de concept pour nommer un travail de ce type; nous l'appellerons par conséquent un "*travail investi*", voulant signifier par cette expression qu'un enseignant ne peut pas que "faire son travail", il doit aussi engager et investir ce qu'il est lui-même en tant que "personne" dans ce travail» (Tardif et Lessard, 1999, p. 352).

Bien sûr, les enseignants peuvent se soustraire à cette exigence et vivre leur propre travail sur le mode de l'indifférence ou du détachement. Là aussi, ils rencontreront la résistance de leurs élèves qui peuvent réagir à la dépersonnalisation trop poussée des rapports avec leurs enseignants et le leur faire payer par des blagues, des quolibets ou encore en se coupant à leur tour de la relation, ce qui constitue un échec de la mission éducative.

Un enseignant peut difficilement se contenter de se limiter aux exigences minimales de son contrat de travail. Le caractère particulièrement prenant de ce type de métier l'empêche la plupart du temps de s'en détacher complètement et d'y mettre une limite précise. Mais cette limite est nécessaire afin que l'enseignant ne sombre pas dans l'épuisement professionnel. On sait que les enseignants sont particulièrement vulnérables à l'épuisement justement à cause du caractère inévitablement flou du degré d'investissement personnel que chacun doit mettre dans sa tâche. Nombre de travailleurs n'ont pas ce problème : une fois les dix-sept heures arrivées, on ferme les livres jusqu'au lendemain. En enseignement, une fois la cloche sonnée et les élèves partis, le maître continue de penser à sa journée, il cherche à voir comment il pourra le lendemain aborder tel élève au sujet d'un problème de discipline, etc. Bref, c'est un métier où le tracas trotte dans la tête de celui qui l'exerce et où ce dernier n'a jamais l'impression d'avoir terminé ce qu'il y aurait à faire.

C'est dans ce théâtre contemporain que la pièce de l'enseignement est appelée à se jouer. Les mêmes paramètres qu'autrefois (temps, espace, déplacements, conduite, récompenses, punitions, savoirs à transmettre, etc.) sont tout aussi présents et pressants. L'enseignant d'aujourd'hui, tout comme celui d'autrefois, aura besoin d'être outillé en stratégies pour gérer son collectif d'élèves. Une gestion de classe efficace répond à cette exigence du contexte contemporain.

CHAPITRE 2

L'évolution des recherches sur la gestion de classe

Tout voir, beaucoup prévenir et peu punir!

(*Éléments de pédagogie pratique*,
Frères des écoles chrétiennes, 1901)

Les préoccupations au sujet de la gestion de classe sont apparues à partir du moment où les écoliers ont été suffisamment nombreux dans les classes pour causer des soucis aux enseignants qui peinaient à remplir adéquatement leur mission d'instruction et d'éducation. Ces derniers ont alors réfléchi aux meilleures stratégies à promouvoir et mis leurs trucs du métier en commun pour faire face aux problèmes de conduite des élèves. Tout au long du XXe siècle, nous pouvons suivre à la trace un discours, tant chez les Anglo-Saxons que dans le monde francophone, qui manifeste cette préoccupation et formalise des façons de gérer la conduite de la classe. Du côté francophone, on remarque des préoccupations liées à la gestion de classe sans que l'expression soit cependant formellement utilisée. Chez les Anglo-Saxons, l'appellation «gestion de classe» (*classroom management*) est présente dès le début du XXe siècle. Les auteurs étaient déjà animés du désir d'en faire un objet de science.

Métissés et imprégnés des cultures francophone et anglophone, nous allons donc examiner, en premier lieu, ce qui correspond à ce que nous pouvons appeler la période préscientifique chez les premiers et les seconds. Nous étudierons ainsi la gestion de classe avant la lettre, c'est-à-dire la pédagogie pratique des Frères des écoles chrétiennes au début du XXe siècle. Ensuite, nous aborderons la gestion de classe proprement dite chez les chercheurs anglo-saxons qui ont tenté d'en faire un objet de science. En troisième lieu, nous parcourrons brièvement l'évolution du discours dans le contexte québécois.

Nous jetterons également un coup d'œil sur les travaux, principalement américains, concernant la gestion de classe menés depuis les années 1970. Pour finir, nous traiterons de la question de la formation des enseignants en gestion de classe et proposerons une définition précise et concrète de ce qu'est la gestion de classe.

2.1 La gestion de classe avant la lettre : la pédagogie pratique des Frères des écoles chrétiennes au début du XXᵉ siècle

On l'a vu, il est possible de retrouver des préoccupations au sujet de la gestion de classe dans les traités de pédagogie du XVIIᵉ siècle, c'est-à-dire à partir du moment où les maîtres ont eu des nombres suffisamment imposants d'élèves pour devoir penser à des stratégies pour maintenir un ordre dans leur classe. Par exemple, on trouve dans la *Conduite des écoles chrétiennes,* toute une série de conseils destinés aux maîtres pour les aider à contrôler leur classe. Ces conseils pratiques sont basés sur l'expérience et le savoir pratique d'enseignants chevronnés de l'époque : « Avec les principaux Frères de l'institut et les plus expérimentés, il [Jean-Baptiste de la Salle] rechercha les moyens d'entretenir l'uniformité dans la manière d'instruire la jeunesse » (Frères des écoles chrétiennes, 1901, p. vi). Les Frères ont donc mis en commun leur expertise pédagogique et ils ont identifié les meilleures pratiques pour faire la classe dans l'esprit de la transmission de la doctrine chrétienne (*voir l'encadré 2.1, p. 20*). On ne peut évidemment parler de recherche scientifique au sens contemporain du terme, car la foi chrétienne colore et oriente de manière importante les directives à l'intention des enseignants de cette époque, mais on ne peut nier tout autant leur effort de recherche remarquable pour proposer des stratégies concrètes et précises qui permettent de contrôler la classe en vue d'assurer l'instruction et l'éducation des enfants.

Cet effort de formalisation des bonnes pratiques par les Frères au XVIIᵉ siècle s'est avéré un travail de recherche d'une si grande qualité qu'il a été repris et adapté par la suite par d'autres Frères éducateurs au début du XXᵉ siècle.

En contexte francophone, l'appellation « gestion de classe » est somme toute assez récente et elle est une transposition directe des travaux américains. Cependant, ce n'est pas parce que l'expression n'était pas utilisée que la « gestion de classe » n'était pas une vive préoccupation chez les éducateurs francophones. En fait, on trouve des ouvrages qui se situent dans la continuité des travaux des pères fondateurs du XVIIᵉ siècle. L'exemple le plus éloquent sans doute renvoie aux *Éléments de pédagogie pratique à l'usage des Frères des écoles chrétiennes,* ouvrage publié en 1901.

Hormis l'odeur de la doctrine catholique respirée à chaque page, la façon de concevoir la gestion de classe dans cet ouvrage est à bien des égards semblable à celle préconisée de nos jours. La discipline est, selon les auteurs, nécessaire

> ### Encadré 2.1 La congrégation des Frères des écoles chrétiennes
>
> Cette communauté enseignante se destinait à l'éducation des enfants pauvres, plus particulièrement des classes primaires pour les garçons. Elle s'est développée par la suite dans de nombreuses régions du globe et s'est implantée au Canada en 1837. Selon le site Web de l'institut, les Frères seraient aujourd'hui 4110 dans le monde et leurs institutions sont réparties dans 76 pays, sur les cinq continents (statistiques au 31 décembre 2014)*.
>
> Chez nous, le plus célèbre des frères de la communauté est sans contredit Marie-Victorin, fondateur du Jardin botanique de Montréal et auteur de *Flore laurentienne*, ouvrage mondialement reconnu. Pour mieux connaître l'histoire des Frères des écoles chrétiennes au Canada, on consultera avec profit les trois tomes des *Frères des Écoles chrétiennes au Canada*, de Nive Voisine, aux Éditions Anne Sigier.

* *Source :* http://www.delasalle.qc.ca/fr/a_propos_de_nous.asp?pageID=357.

pour assurer la régularité et le travail et prévenir le désordre (1901, p. 183). De plus, dans les chapitres sur la discipline, on distingue la discipline *préventive* de la discipline dite *répressive*[1], deux catégories d'interventions qui ont encore leur pertinence de nos jours.

2.1.1 La discipline préventive

Selon les auteurs des *Éléments de pédagogie pratique,* la discipline préventive permet d'éviter aux enfants d'acquérir de mauvais comportements. Elle s'appuie sur quatre leviers : l'autorité morale du maître, les règles, l'émulation et la surveillance.

1. Le premier, l'autorité morale du maître, se manifeste dans les relations avec les élèves. L'ouvrage décrit *a contrario* diverses manières pour un maître de perdre son autorité (p. 177-184). D'abord, un maître qui donnerait le mauvais exemple aurait bien peu de chances d'être respecté. Ensuite, un maître peut agir de manière maladroite ; il peut être indécis, inconstant, léger ou superficiel, impatient, irritable, moqueur, tyrannique, soupçonneux, mesquin, négligent, familier, etc. Tous ces défauts nuisent à son autorité et à l'établissement d'une bonne relation avec les élèves, dimension fondamentale en gestion de classe[2].

---

1. Dans cet ouvrage, nous parlons d'interventions préventives et d'interventions correctives.
2. Les auteurs des *Éléments de pédagogie pratique* réfèrent à l'ouvrage *Les douze vertus d'un bon maître* rédigé par le frère Agathon en 1834. La prudence, du tact, du jugement y sont identifiés comme des attributs essentiels de l'enseignant. Cet ouvrage, très intéressant, s'efforce de dépeindre les vertus (qualités) d'un bon maître : gravité, silence, humilité, prudence, sagesse, patience, retenue, douceur, zèle, vigilance, piété, générosité. Il s'agit de portraits ou de tableaux définissant de manière très concrète et pleine de finesse l'importance de chacune de ces qualités pour assurer un bon fonctionnement de la classe. On est à des années-lumière de l'image de l'enseignant tortionnaire que plusieurs ont faussement donnée à ces représentants de la « pédagogie traditionnelle ».

2. Le deuxième levier de la discipline préventive s'appuie sur des règles qui précisent la conduite à tenir dans les circonstances ordinaires de la vie scolaire. Il comprend d'abord un règlement journalier, appelé aussi « emploi du temps » : un temps précis est assigné pour chaque exercice. Cela permet d'éviter les temps morts, d'assurer une régularité et d'éviter les hésitations. Le règlement comprend aussi un code disciplinaire qui indique notamment la conduite que les élèves doivent adopter à l'école, dans les exercices en classe, à l'endroit du maître et de leurs camarades. Pour les auteurs, « une fois établi, le règlement devient comme l'âme de la maison ; il doit y diriger les élèves et les maîtres : les élèves, qui, sans lui, seraient abandonnés à l'indiscipline et au désordre ; les maîtres qui, s'ils ne le respectaient pas, ne seraient plus guère autorisés à l'invoquer, ou du moins, se trouveraient impuissants à le maintenir dans sa vigueur » (p. 189). Il va sans dire que le règlement ne doit pas seulement être pensé, il doit aussi être écrit. Il doit également être connu et expliqué à tous ceux qu'il oblige. On recommande que cet enseignement soit fait dès le début de l'année scolaire, puis qu'il soit réenseigné occasionnellement par la suite.

3. Le troisième levier concernant la prévention des comportements inadéquats est l'émulation. Ce dispositif s'est avéré fort populaire chez les maîtres d'autrefois. Particulièrement prisée des Jésuites, l'émulation est aussi utilisée par les Frères des écoles chrétiennes. Ils la définissent comme « l'excitation de notre volonté à imiter, égaler ou surpasser nos semblables en des actes louables » (p. 191). L'émulation doit cependant être encadrée : le maître doit récompenser l'effort, amener les élèves à se comparer entre eux. Parmi les procédés utilisés, l'encouragement et l'éloge sont recommandés. De même, tout un système de notation a été élaboré. On parle des notes de récitation, des notes de devoirs, des notes de composition, des notes de travail quotidien, des notes de conduite quotidienne, des notes hebdomadaires, mensuelles. En complément, un système de récompenses graduées a été mis sur pied. Il est composé de « bons points », sorte de monnaie d'échange[3] pour acheter des objets de récompense (images, crucifix, articles de bureau, etc.), de billets ou mentions hebdomadaires, de billets d'honneur ou de mentions mensuelles, de distinctions honorifiques (croix d'honneur, inscription au tableau d'honneur).

4. Le quatrième levier de la discipline préventive est la surveillance. « Dans l'école, la surveillance est l'exercice actif et continu de la sollicitude d'un maître qui ne perd pas de vue ses élèves afin de les préserver de tout danger physique et moral, et de former leur conscience par la pensée du devoir » (p. 207). Dans l'exercice de la surveillance, on compare l'enseignant à l'ange gardien qui aide l'enfant à vouloir le bien plutôt qu'au policier qui sanctionne le criminel ! Mais, selon les auteurs, il ne faut pas se faire d'illusions, car l'expérience atteste que là où il y a groupe d'élèves, on « se rapproche des foyers de concupiscence : et sans la surveillance, une classe deviendrait un de ces groupements dont parle Joseph de Maistre, "où les vertus sont isolées et les vices mis en commun" » (p. 209). Rien de moins !

---

3. Cela ressemble à ce que plusieurs ont connu : l'argent scolaire.

Le maître doit donc surveiller efficacement ses élèves. Les qualités d'une surveillance efficace sont les suivantes : la **vigilance** du maître s'étend à tous les élèves, elle est constante et active, c'est-à-dire sans relâchement. Elle est aussi exacte : le maître doit se trouver à son poste au moment où les élèves arrivent. Elle est prévoyante des occasions où les élèves peuvent échapper à l'autorité de l'enseignant. Elle est ferme et l'enseignant ne doit pas être le témoin résigné de l'indiscipline des élèves. Elle est calme, car trop défiante, elle serait blessante pour les élèves. Elle est loyale plutôt que soupçonneuse et n'encourage pas la délation. Elle est aussi discrète et ne rend pas public ce qui doit être conservé à l'état privé. La surveillance s'exerce évidemment dans la classe, mais aussi dans les allées et venues des élèves, les récréations, les périodes d'étude et les prières. Dans la classe, l'attribution des places est planifiée en fonction de la surveillance : les élèves dissipés sont placés plus près du maître. Sans doute, ce qui résume le mieux l'esprit de la discipline est la devise du surveillant : «Tout voir, beaucoup prévenir et peu punir!» (p. 215).

2.1.2 La discipline répressive

Par ailleurs, les Frères discutent abondamment de la discipline répressive dans leur ouvrage. Cet usage particulier de la discipline est défini comme un acte d'autorité par lequel l'enseignant punit les infractions à la discipline afin d'en empêcher le retour et d'obtenir l'amendement des coupables (p. 228). Les auteurs formulent plusieurs arguments favorables à la discipline répressive :

1. Elle est non seulement un droit, mais c'est aussi un devoir du maître dans le cadre de sa fonction ;

2. Les parents lui délèguent leur autorité, dont celle de ramener dans le droit chemin leur enfant s'il s'en écarte ;

3. La volonté de ce dernier n'est pas sans défaillance, c'est pourquoi les manquements exigent réparation ;

4. La crainte ne peut faire entendre raison que si elle est accompagnée du droit de répression ;

5. Un rappel des Écritures dans les Proverbes : «Celui qui épargne la correction à son fils le hait […] celui qui l'aime s'applique à le corriger» (p. 228).

C'est ainsi que la correction des élèves est considérée comme un signe du souci que se font les maîtres à leur égard. Mais, rappelle-t-on, «[l]e moyen de délivrer du mal l'âme d'un enfant, c'est de se servir avec <u>prudence</u>[4] du remède de la correction qui lui procurera la sagesse» (p. 229). Si le maître ne corrigeait pas l'élève, les manquements de ce dernier se transformeraient éventuellement en habitudes dont il aurait par la suite bien de la peine à se débarrasser.

Même si l'expression «discipline répressive» connote une charge de violence assez forte, il reste que son application obéit à trois modalités qui en pondèrent l'exercice : l'avertissement, la menace et la punition comme telle. L'avertissement est un simple rappel de la règle enfreinte. Elle est rapprochée du manquement afin que l'élève ne pense pas que l'infraction à la règle est

---

4. Nous soulignons.

sans importance. Pour sa part, la menace est l'annonce de la punition qui suivrait une faute si cette dernière était commise de nouveau. Elle doit être faite à bon escient, car elle engage le maître à décerner la punition, le cas échéant. Enfin, la punition est la pénalité infligée à l'élève. La punition est une peine qui doit être administrée pour un manquement émanant de la volonté de l'enfant et non pour une action dont il ne serait pas responsable. C'est pourquoi le jugement du maître est essentiel dans l'évaluation de la situation. Par exemple, il ne peut punir une infraction chez un nouvel élève qui serait ignorant d'un règlement, ni l'échec des enfants moins doués en dépit de leurs efforts soutenus, ni un élève dont l'absence serait due à ses parents, etc. Dans bien des cas, l'avertissement est suffisant et il n'est pas nécessaire d'intervenir sur tout :

« Il est habile et opportun de tenir une juste mesure entre la trop grande indulgence qui ferme les yeux sur toutes les fautes légères, et le rigorisme qui n'en laisse passer aucune si minime soit-elle, sans la relever de suite par une observation. La répression sage et très modérée des petits manquements maintient la vigueur de la discipline ; elle prévient les fautes graves et empêche les enfants de prendre l'habitude d'un continuel laisser-aller » (p. 232).

2.1.3 Les conditions nécessaires

Toutefois, le simple avertissement ne suffit pas toujours et le maître doit parfois punir une faute dont la gravité l'exige ou celle qui devient une habitude. On mentionne notamment des cas tels que la dissipation persistante, le manque d'application, la désobéissance, le mensonge, les murmures, l'indiscipline, les fautes contre le respect du maître ou la pudeur (p. 232).

Mais les auteurs des *Éléments de pédagogie pratique* insistent beaucoup sur les conditions nécessaires pour encadrer l'usage des punitions qu'ils divisent en trois catégories : premièrement, les conditions relatives à la punition elle-même, deuxièmement, celles liées à l'éducateur qui l'inflige et, troisièmement, celles en relation avec l'enfant qui la reçoit.

1. Les conditions relatives à la punition elle-même sont énumérées ainsi : la punition doit être rare, juste, courte, sérieuse et non afflictive (p. 234). Les Frères insistent d'abord pour mentionner que l'accent doit d'abord être mis sur la prévention, car cette dernière permet de faire diminuer le nombre de punitions. Les moins bons enseignants abusent des punitions, les élèves s'y habituent ; c'est pourquoi la rareté est importante pour assurer le bon ordre dans la classe. De plus, quand elle est exécutée, la punition doit être juste, c'est-à-dire proportionnée à la gravité de l'offense, et le maître doit infliger le même châtiment à tous les élèves coupables de la même infraction et au même degré. Les enfants sont sensibles à l'injustice et une punition qui ne leur semble pas méritée ou trop sévère produit chez eux un effet contraire à celui désiré. La punition doit être courte ; on pense notamment à l'inefficacité d'infliger des copies durant des heures. Enfin, la punition doit être sérieuse au sens où le maître ne demande pas de baiser la terre, de se mettre à genoux, de faire étudier l'élève debout sur un banc, de marquer l'élève d'un signe extérieur de mépris comme cela

pouvait se faire autrefois (p. 235). Enfin, les punitions afflictives (c'est-à-dire, les châtiments corporels tels que les coups donnés avec la main, les pieds, une baguette) sont interdites, car elles contribuent à aiguiser la colère ou à inspirer une crainte hypocrite.

2. Les conditions relatives au maître qui l'inflige impliquent que la punition soit «pure dans son motif, personnelle, modérée, digne, imposée avec bonté, précédée de prière surtout s'il s'agit d'une répression grave» (p. 236). La punition est pure dans son motif quand le maître désire d'abord, sans ressentiment, l'amélioration du comportement de l'enfant et non satisfaire sa mauvaise humeur, son aversion ou son antipathie pour l'élève. De même, il n'est pas approprié que le maître délègue à un collègue la punition consécutive à une faute commise sous sa surveillance; cela serait perçu comme un signe de faiblesse et d'impuissance de sa part. Dans certains cas graves, cependant, il peut la référer à une autorité supérieure. Le maître doit aussi être modéré dans ses punitions et ne doit pas outrepasser ses droits. Il maintient sa dignité en punissant, il ne se laisse pas aller à la colère, à l'ironie, car autrement, il exciterait des sentiments d'animosité et de vengeance. C'est pourquoi il est recommandé, lorsque le maître est de très mauvaise humeur, de laisser passer du temps, voire de demander l'aide de Dieu, avant de punir. C'est en ce sens qu'il est dit que la punition doit être tempérée par la bonté; le maître souligne à l'élève qu'il intervient pour que ce dernier amende sa conduite et compte sur sa volonté pour qu'il répare son égarement. La punition exécutée, elle ne doit pas être suivie de rancune à l'endroit de l'élève, car ce dernier, pouvant éprouver une certaine peine morale, a plutôt besoin de sentir l'intérêt et la bienveillance du maître. Enfin, on ne manque pas de signaler d'accompagner la punition de prières pour maintenir présente l'idée qu'elle est donnée conformément à l'esprit de Dieu.

3. Les conditions de la punition en fonction de celui qui la reçoit nécessitent que la punition soit «sans inconvénient d'aucune sorte, proportionnée à l'âge et aux dispositions du coupable, spéciale à la nature de la faute commise, respectueusement acceptée par l'élève, utile à son instruction, enfin variée, si on la réitère» (p. 239). Sans inconvénient signifie que la punition ne cause pas de préjudice à l'enfant ni corporellement ni psychologiquement. On ne demandera pas à un élève de rester immobile à l'extérieur par des températures extrêmes, on ne le privera pas de nourriture, on ne l'isolera pas complètement, on ne le renverra pas seul le soir à la maison, ni pendant la journée. La punition doit aussi être proportionnée à l'âge des élèves, à leurs dispositions morales et à leur développement intellectuel. Il faut que la punition du maître soit en rapport avec la nature de la faute commise. Un élève paresseux doit être privé d'une partie de la récréation pour terminer son travail, un élève étourdi recommence son travail bâclé, un «babillard» est condamné au silence (p. 240). Pour avoir son effet, la punition doit également être acceptée respectueusement par l'élève. Il faut que l'élève comprenne que la punition lui est imposée pour son bien. S'il est en colère, il faut attendre avant de le punir qu'il se tranquillise et puisse réfléchir. Enfin, il faut varier les punitions lors de rechutes fréquentes, un peu à l'image du médecin qui change de médication lorsque le mal ne disparaît pas (p. 242).

2.1.4 Les punitions

Les punitions en usage dans les écoles de la communauté sont déclinées en trois grands types : les réprimandes, les réparations et les expiations.

1. La réprimande est un blâme adressé en privé ou en public à un élève ou à un groupe d'élèves coupables d'un manquement. La gravité de la réprimande est proportionnée à la faute. De même, elle est prodiguée avec calme, dignité et bonté. Elle indique clairement au coupable ses torts et leurs conséquences. Elle peut être suivie d'une punition. Il n'est pas recommandé de blâmer tous les élèves d'une classe, car cela peut engendrer du mauvais esprit.

2. La réparation se divise en deux catégories. La première consiste à reprendre en tout ou en partie un devoir négligé, ou encore à étudier de nouveau une leçon mal maîtrisée. Il est préférable que cette reprise soit faite à la maison et non durant la récréation ou en retenue. La seconde catégorie de réparation prend la forme d'excuses imposées pour une infraction grave et publique au règlement. La manière dépend de l'âge, des dispositions de l'élève et de la faute commise. Trop humilier des élèves plus vieux risque de se retourner contre le maître (p. 243).

3. L'expiation est une peine liée à une faute pour en diminuer la fréquence ou en empêcher le retour. Les principales peines sont : le retrait de bons points, l'attribution de mauvais points et de mauvaises notes, les arrêts (privation de jeu pendant la récréation), la consigne pendant la classe (placer l'élève fautif debout face au mur), l'isolement relatif (occuper un bureau réservé aux élèves indisciplinés et se promener seul en silence durant la récréation), les pensums faits à la maison ou en retenue (texte à apprendre par cœur, copie, problèmes à résoudre, devoir de réflexion), le retrait des croix d'honneur ou des charges de confiance, l'avis aux parents, l'exclusion de la congrégation ou de l'académie, le renvoi temporaire et l'exclusion de l'école (p. 243).

En conclusion, comme on vient de le voir, la discipline en classe, préventive ou répressive, n'est pas un épiphénomène pour les Frères des écoles chrétiennes du début du XXe siècle. Il s'agit d'une dimension cruciale pour assurer le fonctionnement adéquat de la classe sur laquelle ces enseignants de métier ont longuement réfléchi et pour laquelle ils ont perfectionné, dans la continuité de leur fondateur, saint Jean-Baptiste de La Salle, des stratégies concrètes pour œuvrer plus aisément dans leur quotidien.

Le tableau 2.1 (*voir la page 26*) présente les différentes modalités disciplinaires élaborées par les Frères des écoles chrétiennes.

Tableau 2.1 | La discipline

La discipline dans les *Éléments de pédagogie pratique* des Frères des écoles chrétiennes	
Discipline préventive	**Discipline répressive**
Vise à éviter l'adoption de comportements inadéquats.	Vise à punir les infractions afin d'en empêcher le retour et d'obtenir l'amendement des coupables.

Discipline préventive

Vise à éviter l'adoption de comportements inadéquats.

Basée sur 4 piliers

- L'autorité morale du maître.
- Les règles.
- L'émulation.
- La surveillance.

1. L'autorité morale du maître

L'enseignant, modèle en tout pour tous, doit :

- donner le bon exemple pour obtenir le respect ;
- ne pas agir de manière maladroite (inconstance, impatience, moquerie, négligence, etc.).

2. Les règles

L'enseignant doit préciser la conduite à tenir dans les circonstances ordinaires de la vie scolaire :

- écrire le règlement afin qu'il soit connu et expliqué à tous ceux qu'il oblige ;
- prévoir cet enseignement dès le début de l'année scolaire, puis l'enseigner à nouveau au besoin par la suite.

3. L'émulation

L'enseignant amène l'élève à se surpasser et/ou à surpasser autrui par divers moyens :

- Système de notation hebdomadaire et mensuel :
  - des récitations ;
  - des devoirs ;
  - des compositions ;
  - du travail quotidien ;
  - de la conduite quotidienne.
- Système de récompenses graduées :
  - « bons points » ou usage de monnaie d'échange pour acheter des objets de récompense.

4. La surveillance

L'enseignant, au courant de ce que les élèves font en toutes circonstances, doit :

- se comporter comme l'« ange gardien » qui aide l'enfant à vouloir le bien et non comme un policier qui sanctionne le criminel ;
- garder en tête que les classes peuvent être des lieux où les vertus sont isolées et les vices mis en commun.

Discipline répressive

Vise à punir les infractions afin d'en empêcher le retour et d'obtenir l'amendement des coupables.

Trois modalités

- L'avertissement : simple rappel de la règle enfreinte.
- La menace : annonce stipulant qu'une punition suivra faute si cette dernière était commise de nouveau.
- La punition : peine qui doit être infligée pour un manquement dépendant de la volonté de l'enfant et non pour une action dont il ne serait pas responsable.

Conditions nécessaires pour encadrer les punitions

- *relatives à la punition elle-même :* rare, juste, courte, sérieuse et non afflictive ;
- *liées à l'éducateur qui l'inflige :* sans ressentiment, non déléguée, modérée, digne, imposée avec bonté, sans rancune ni emportement, précédée de prières ;
- *qui tiennent compte de l'enfant qui la reçoit :* proportionnée, variée, sans préjudice.

Trois types de punitions

- la *réprimande :* blâme privé ou public
- la *réparation :* reprise ou excuses
- l'*expiation :* retrait de points, mauvaise note, privation de récréation, pensum, etc.

Punir est nécessaire, mais il est préférable de prévenir : les Frères insistent pour mentionner que *l'accent doit d'abord être mis sur la prévention*, car cette dernière permet de faire diminuer le nombre de punitions.

Nous avons jugé important de décrire assez longuement les stratégies utilisées à l'époque afin de mieux illustrer leur proximité avec celles que nous décrirons dans les chapitres suivants et qui relèvent de recherches scientifiques. Avant de poursuivre plus loin dans cette voie, examinons maintenant le discours de la gestion de classe chez des auteurs anglo-saxons du début du XXe siècle.

2.2 Une période préscientifique chez les Anglo-Saxons

Au tournant du XXe siècle, dans le milieu anglo-saxon, on trouve de nombreux livres qui portent nommément sur la gestion de classe. Dans son ouvrage intitulé *Classroom Management. Its Principles and Technique*, publié en 1908, W. C. Bagley en mentionne plusieurs dont il s'est inspiré[5]. Il ne s'agit pas encore d'un travail de recherche scientifique mené de façon rigoureuse, mais on peut le considérer comme un exemple intéressant des débuts de la recherche en matière de gestion de classe qui ne s'appuie pas *a priori* sur un fondement théologique comme nous venons de le voir avec la pédagogie pratique des Frères des écoles chrétiennes, et qui constitue une première tentative de fonder sur la science les prescriptions relatives à la gestion de classe.

> « Il est possible de développer des principes d'enseignement valables simplement en observant des pratiques pédagogiques efficaces et en procédant par induction. À travers un processus sélectif d'essais et erreurs, l'enseignant compétent découvre comment s'occuper le plus efficacement possible des élèves dont il a la charge. Si une pratique pédagogique donnée est efficace, elle doit certainement s'appuyer sur un principe fiable. L'auteur a tenté d'abord de trouver une pratique efficace, puis de découvrir le principe qui la régit. » (Bagley, 1908, p. vi)

Bagley indique s'être basé sur plusieurs sources pour rédiger son œuvre : l'observation d'enseignants qu'il considérait comme efficaces, l'analyse des ouvrages en usage traitant de la gestion de classe, le compte rendu de sa propre expérience en tant qu'enseignant, et enfin, des principes psychologiques qu'il dit avoir testés avant de les inclure dans son ouvrage. En raison des silences méthodologiques qui ne permettent pas de vérifier les résultats, on pourrait qualifier de préscientifique cette période illustrée par Bagley.

Les chapitres de son livre portent sur l'importance des **routines**, la ponctualité, l'hygiène, le curriculum, la discipline, les punitions, l'attention, les méthodes d'enseignement concernant la gestion de classe, etc. Tous ces thèmes avaient leur importance au XVIIe siècle ; ils étaient encore pertinents au début du XXe siècle et le demeurent même de nos jours.

Dès l'introduction de son ouvrage, Bagley formule une remarque intéressante : l'« unité de travail » à considérer dans ses analyses est la classe, c'est-à-dire non pas l'individu, mais le groupe d'élèves. La perspective qu'il déploie est le collectif d'élèves que l'enseignant a sous sa responsabilité. Se référant même à Jean-Baptiste de La Salle, il indique que « son centre d'intérêt principal est le traitement de "l'ensemble des élèves" » (p. 2). Il applique la métaphore de la manufacture pour décrire le travail à effectuer : pour lui, l'école ressemble à une manufacture qui transforme une matière première brute en un produit fini.

---

5. Landon, J. (1884). *School Management*, Boston ; Baldwin, J. (1887). *Art of School Management*, New York ; Tompkins, A. (1898). *Philosophy of School Management*, Boston ; White, E. E. (1893). *School Management*, New York ; Dutton, S. T. (1904). *School Management*, New York ; Kellogg, A. M. (1884). *School Management*, New York ; Seeley, L. (1903). *A New School Management*, New York ; Taylor, J. S. (1903). *Art of Class Management and Discipline*, New York. C'est donc dire que la gestion de classe n'est pas une préoccupation apparue au cours des années 1970 comme plusieurs sont portés à le croire. Elle est bien ancrée depuis longtemps dans le métier d'enseignant. En fait, elle n'a jamais cessé depuis que les classes existent.

L'école doit prendre en compte toutes les composantes externes et internes qui peuvent prévenir ou éliminer les pertes dans le processus de transformation du produit: l'environnement physique, les tâches demandées aux élèves, les déplacements, etc. Un ingrédient fondamental pour éviter ce gaspillage est de travailler de manière organisée. C'est pourquoi l'établissement de routines jusqu'à l'automatisation est un des piliers de son approche en gestion de classe.

« Nous avons tenté dans les chapitres précédents de mettre en lumière les diverses situations où l'application du principe de l'acquisition d'habitudes peut corriger les lacunes du processus éducatif lorsqu'il est appliqué à l'ensemble des élèves. Dans une classe bien organisée, les questions déjà abordées se résoudront d'elles-mêmes; et l'objectif premier de l'enseignant devrait être d'intégrer dans une routine ou une habitude collective tous les détails utiles susceptibles d'être ainsi résolus d'une manière bénéfique. » (p. 137)

Bagley insiste particulièrement sur l'importance stratégique pour l'enseignant des premiers jours de l'année scolaire, d'être prêt, d'avoir tout bien préparé: les déplacements, les rangs, les signaux verbaux et visuels, l'utilisation du tableau noir, la distribution du matériel, le rangement, l'aiguisage des crayons, les entrées et sorties de la classe, la posture, la ponctualité, les récompenses et punitions, etc. Pour lui, une classe bien gérée est celle où toutes les distractions potentielles dues à un manque de contrôle des individus ont été éliminées (p. 106). C'est par apprentissage que l'enfant contrôlera, c'est-à-dire inhibera progressivement ses instincts qui le portent à bouger.

Le chapitre le plus long de son ouvrage porte sur les punitions et la discipline. Il signale que la punition devrait toujours être administrée en dernier recours quand les autres stratégies ont failli. La répression efficace des comportements indésirables dépend, selon lui, de trois facteurs:

1. Le degré de douleur ou d'inconfort engendré par la punition; une pénalité sans aucun « mordant » perd de son essence pénalisante;

2. La proximité de la punition avec l'acte indésirable qui l'a engendrée;

3. La proportionnalité de la punition avec l'offense.

Bagley est en faveur de la punition corporelle, mais il reconnaît que plusieurs sont contre. L'extrait suivant leur donne sans doute un peu raison:

« Dans son article sur l'"éducation morale et l'entraînement de la volonté", Stanley Hall cite le cas mentionné par Richter d'un instituteur souabe (allemand) nommé Haberle comme étant un exemple de la sévérité qui prévalait autrefois dans les classes allemandes – une fiche remarquable au terme de 51 ans et 7 mois d'enseignement: 911 527 coups de canne; 124 010 coups de verge; 20 989 coups de règle; 136 715 coups de la main; 10 295 gifles sur la bouche; 7905 coups de poing sur les oreilles; 1 115 800 claques sur la tête; 22 763 *nota bene* de la Bible, du catéchisme, de l'hymnaire et de la grammaire; 777 agenouillements sur des petits pois secs; 613 agenouillements sur des triangles de bois; 5001 garçons durent transporter une jument de bois et 1701 durent tenir un bâton au-dessus de leur tête – ces deux dernières punitions ayant été inventées par lui. Sur les coups de canne, 800 000 concernaient des voyelles latines et 76 000 punitions avec la verge étaient liées à des versets de la Bible et des hymnes. Haberle employait plus de 3000 mots de réprimande, dont un tiers de son cru. » (Bagley, 1908, p. 125)

Cependant, en faisant une revue d'ouvrages sur la question, il signale que « presque tous les experts en gestion scolaire reconnaissent l'efficacité des châtiments corporels, mais limiteraient leur utilisation à des situations très spécifiques » (p. 123). Il termine le chapitre sur la punition en énumérant une série de stratégies à propos de la punition qui faisait possiblement consensus parmi une centaine de bons enseignants du Rhode Island :

« 1. L'enseignant doit punir les écarts de conduite commis en classe.

2. La punition doit suivre l'écart de conduite de près.

3. Les élèves ne doivent pas être punis en présence d'autres élèves.

4. Les élèves ne doivent pas être punis par une personne agissant sous le coup de la colère.

5. Les incartades intentionnelles, volontaires et préméditées doivent être punies.

6. Les écarts de conduite récurrents doivent être punis.

7. Les écarts de conduite qui ne risquent pas de se reproduire ne doivent pas être punis.

8. Tous les élèves ne méritent pas la même punition pour des fautes similaires.

9. Les élèves doivent toujours comprendre clairement le motif de leur punition.

10. Les punitions ont tendance à corriger le comportement d'un élève s'il en discerne le bien-fondé.

11. La suspension ne doit être utilisée qu'en dernier recours.

12. L'enseignant ne doit pas châtier les élèves pour l'exemple.

13. Les sarcasmes, les railleries et l'ironie ne doivent pas être utilisés comme punitions.

14. La majorité des parents consultés sont en faveur des châtiments corporels.

15. Les corvées ne devraient pas être utilisées comme punitions. » (Bagley, 1908, p. 136)

La seconde partie de l'ouvrage porte sur ce qu'il appelle les dimensions non routinières du travail de l'enseignant qui peuvent également occasionner des pertes de rendement, mais qui relèvent davantage du jugement que de la routine.

« Toutefois, l'intégration de ces détails dans une routine ne règle pas tous les problèmes de gestion. Même dans la classe la mieux organisée, l'enseignant est constamment confronté à de nouvelles questions liées au principal problème que nous abordons ici. Autrement dit, le traitement efficace de l'ensemble des élèves doit toujours être soumis au jugement de l'enseignant ; il ne peut jamais être entièrement automatisé. » (p. 137)

C'est ainsi qu'il discute en détail du problème de l'inattention, des manières de motiver les élèves, d'enseigner les contenus, de l'évaluation de l'enseignement, de l'individualisation, des relations avec la direction, etc.

Même si on ne peut départager ce qui relève de ses propres *a priori* de ce qu'il a tiré des entretiens qu'il a menés auprès d'enseignants réputés efficaces, sa tentative de faire une œuvre « scientifique » en gestion de classe en fait un pionnier et, à ce titre, son entreprise mérite notre attention.

2.3 La discipline, sa négation et le retour du refoulé : le cas québécois

Du côté des francophones québécois, on ne peut pas dire que l'approche scientifique selon la manière anglo-saxonne ait été en usage, du moins d'après les documents que nous avons pu consulter.

2.3.1 L'influence de la morale catholique

La morale catholique donne constamment le ton en ce qui a trait à la discipline, c'est-à-dire à la gestion de classe, jusqu'au-delà de la première moitié du XXe siècle, en fait jusqu'à la Révolution tranquille.

Plusieurs auteurs, la plupart membres du clergé, ont écrit des ouvrages sur la pédagogie. L'abbé Jean Langevin publie en 1865 son *Cours de pédagogie ou principes d'éducation* pour les élèves des écoles normales. Il est le fruit de son expérience d'enseignant à presque tous les degrés. Il définit la pédagogie comme un art, c'est-à-dire en tant que méthode qui s'appuie sur des règles pour conduire les élèves. Il la définit aussi comme une science, c'est-à-dire, selon lui, comme un ensemble de principes sur lesquels s'appuie la direction de l'enfance. Comme au XVIIe siècle, ces principes et règles reposent sur la religion catholique et les observations des meilleurs maîtres.

L'ouvrage de Rouleau, Magnan et Ahern (1904), intitulé *Pédagogie pratique et théorique,* est également un livre destiné à la formation des normaliens. Leurs sources d'inspiration pédagogiques sont à la fois la doctrine catholique et saint Jean-Baptiste de La Salle, qui est considéré comme le véritable créateur de la pédagogie moderne (p. 330).

Monseigneur Ross a été un acteur important pour la formation des maîtres. Son ouvrage intitulé *Pédagogie théorique et pratique,* publié en 1916, a été réédité jusqu'en 1952 (7e édition). Dans la préface de la première édition, il mentionne qu'il a introduit des notions de psychologie de l'enfant pour « donner les raisons des principes pédagogiques que l'élève-maîtresse doit assimiler dans chaque cours » (p. 5). Cependant, la psychologie de l'enfant qu'il décrit renvoie aux catégories des théologiens scolastiques comme saint Thomas d'Aquin.

2.3.2 L'essor de la pédagogie moderne

On aurait pu penser que l'ouvrage de R. Vinette intitulé *Pédagogie générale*, publié en 1948, marquerait une rupture avec les auteurs précédents puisqu'il n'est pas membre du clergé, mais ce n'est pas tout à fait le cas. Dès l'avant-propos, l'auteur affirme que « la doctrine catholique est notre doctrine ; nous nous en réclamons sans restriction » (p. 5). Cependant, selon l'auteur, si la théologie est la première source de toute pédagogie, elle n'est pas la seule, car la philosophie, la sociologie, la psychologie, la biologie, l'histoire contribuent également à la nourrir. On assiste donc ici à l'entrée, encore timide, mais une entrée tout de même, des disciplines scientifiques dans le domaine de la pédagogie générale. Vinette fait la part belle à la psychologie, à la centration sur l'activité de l'enfant dont les besoins et les intérêts deviendront les pièces maîtresses du discours pédagogique. Il est sensible au discours de la pédagogie nouvelle en émergence depuis le début du XXᵉ siècle en Europe et aux États-Unis (par exemple : partir du milieu, exploiter l'amour du jeu, favoriser l'expression, utiliser la méthode des projets et la méthode des centres d'intérêt), même s'il le recentre à l'intérieur d'un cadre catholique. Ainsi, dans ses propos sur la discipline qu'il définit comme « l'ensemble des mesures d'ordre qui assurent à l'école la réalisation de sa fin » (1948, p. 329), il critique deux fausses conceptions de la discipline : la discipline autoritaire, qui produit des révoltés ou des hypocrites (p. 332), et la discipline libérale (ou laisser-faire), qui nie l'importance de l'éducateur pour aider l'enfant à discerner le bien et le mal. C'est, selon lui, l'approche de l'école active qui permet la réalisation d'une école catholique authentique :

> « Comme l'école libérale, l'école active reconnaît que l'enfant possède les tendances nécessaires à sa formation morale ; mais, contrairement à l'école libérale, l'école active prétend que ces tendances ne sont pas toutes essentiellement bonnes et que, par conséquent, elles doivent être dirigées.
>
> « Comme l'école autoritaire, l'école active reconnaît qu'il faut protéger l'enfant et lui faire accomplir des actes vertueux, mais, contrairement à l'école autoritaire, elle prétend que cette protection et cet exercice ne sont efficaces que si l'enfant leur apporte son concours.
>
> « En d'autres termes, selon l'école active, la formation morale ne s'impose pas plus que l'instruction ou la formation de l'esprit et pas plus que celles-ci, l'enfant ne peut l'acquérir seul. » (1948, p. 333)

Dans cet esprit de l'école active, Vinette ne voit pas la surveillance des élèves comme un acte d'espionnage, mais il l'inscrit plutôt dans une visée de prévention (p. 353), car les élèves ne sont ni anges ni démons, l'élève moyen est moyennement bon et moyennement sage et il faut le traiter comme tel.

Tout se passe comme si, au Québec, Vinette avait joué un rôle de charnière entre l'ancien et le moderne et annonçait ce qui allait advenir par la suite : le saut de plain-pied dans la pédagogie nouvelle. Ce saut s'est accompli résolument à partir de la Révolution tranquille. « Avec le rapport de la commission Parent (1964), il sera question de l'enfant dans son individualité puisque ce dernier, selon les données de la psychologie et du mouvement pour les pédagogies nouvelles, est unique, différent, authentique » (Bélanger, 1993, p. 53).

Cela ne sera pas sans avoir d'effet sur le discours à propos de la discipline. Le rapport du Conseil supérieur de l'éducation (1971) sur l'activité éducative marque bien l'arrivée de ce nouveau discours pédagogique où l'enfant, c'est-à-dire le «s'éduquant[6]», est un être créateur qui «apprendrait presque de lui-même à l'intérieur d'un cadre souple, d'une ambiance de classe où <u>la discipline serait acceptée joyeusement</u>[7]» (Bélanger, 1993, p. 54).

En fait, quand l'enfant est défini par sa bonté originelle et qu'il apprend par lui-même, il n'y a plus vraiment besoin de discipline ni d'enseignant. Par conséquent, cela marque aussi la fin des traités de pédagogie. De fait, il ne s'est plus publié par la suite de nouvelles éditions des traités de Vinette ou de Mgr Ross. La formation des enseignants allait quitter les écoles normales pour aboutir à l'université.

Le rapport Parent avait donné le ton en 1964 :

> « [...] les cours de psychologie, de didactique et de philosophie de l'éducation doivent être dispensés dans une perspective réellement scientifique ; <u>ils doivent donc éviter tout ce qui les apparenterait à des cours de technique, ou à la simple transmission de recettes éprouvées, tout ce qui les rattacherait trop étroitement aux programmes en usage dans les écoles</u>[8], aux directives pédagogiques officielles. La formation de l'enseignant ne doit donc pas viser à faire de ce dernier l'exécutant aveugle de directives et de programmes statiques intangibles, mais une personne assez libre pour prendre des initiatives et pour assumer des responsabilités. » (Commission royale d'enquête sur l'enseignement dans la province de Québec [Rapport Parent], 1964, tome 2, p. 304-305)

Ce passage illustre bien le fossé qui ira grandissant entre les facultés d'éducation chargées de la formation des enseignants et les milieux de pratique. Ainsi, on ne reverra plus pendant plusieurs années d'ouvrages discutant de stratégies pour assurer la discipline scolaire, la surveillance, les récompenses, les punitions, etc. Les programmes de formation des enseignants ne contiendront plus de telles préoccupations pratico-pratiques.

Mais ce n'est pas parce qu'une réalité est niée dans le discours qu'elle n'exerce pas ses effets dans la réalité. Comme un retour du refoulé, les préoccupations concernant la discipline, qui n'avaient sans doute jamais cessé, sont revenues en masse dans les écrits au cours des années 1990. Par exemple, les écoles polyvalentes ont fait l'objet de plusieurs critiques au regard de l'encadrement des élèves[9]. Plusieurs titres (thèses, livres, articles) ont été publiés en français au Québec au cours de cette décennie sur le thème de la gestion de classe[10] et

---

6. Le terme *s'éduquant* employé comme nom commun a été en vogue au Québec, dans les années 1970, principalement à la faveur d'un mouvement pédagogique prônant une autonomie accrue du «s'éduquant», c'est-à-dire du sujet, de l'enfant, dans son propre apprentissage. Voir à cet effet, Angers, P. *et al.* (1969-1970). *L'activité éducative : Rapport annuel*, Québec, Conseil supérieur de l'éducation.

7. Nous soulignons.

8. Nous soulignons.

9. En 1989, le ministère de l'Éducation publie *Les services d'encadrement et de surveillance à l'école : Guide d'orientation*, Québec, Bibliothèque nationale du Québec.

10. Côté, C. (1992). *La discipline en classe et à l'école*, Montréal, Guérin ; Côté, R. (1989). *La discipline scolaire une réalité à affirmer*, Montréal, Agence d'Arc ; Legault, J. (1993). *La gestion disciplinaire de la classe*, Montréal, Les Éditions Logiques ; Nault, T. (1993). *Étude exploratoire de l'insertion professionnelle des enseignants débutants au niveau secondaire*, thèse de doctorat, Montréal, Université de Montréal ; Goulet, J.-P. (1993). «De la discipline... à la discipline», *Pédagogie collégiale*, vol. 6, n° 3, mars 1993, p. 8-9 ; Desgagné, S. (1994). *À propos de la «discipline*

sont la manifestation concrète d'un besoin urgent et important de savoirs et surtout de savoir-faire à ce sujet.

Alors que ce thème était pratiquement disparu chez nous, la recherche en gestion de classe a néanmoins connu un essor remarquable au cours des années 1970 chez nos voisins du sud. Les travaux importants en gestion de classe qui nous influencent directement de nos jours remontent à ce passé plus récent.

2.4 Les travaux américains depuis les années 1970

Ce sont principalement les chercheurs américains qui ont relancé l'intérêt pour la gestion de classe à partir des années 1970. Plusieurs auteurs ont publié des recherches devenues célèbres qui ont jeté les bases d'une réflexion renouvelée sur ce phénomène ô combien important, mais négligé pendant de trop nombreuses années.

Dans un premier temps, les recherches de Kounin, de Brophy et d'Evertson feront l'objet de notre propos. Par la suite, nous continuerons avec les recherches menées dans une perspective d'écologie de la classe. Dans un troisième temps, nous enchaînerons avec les études sur le **béhaviorisme** et la gestion de classe. Nous aborderons ensuite les recherches de type processus-produit et nous achèverons notre survol avec les travaux menés aujourd'hui en gestion de classe.

2.4.1 Les recherches de Kounin, ainsi que celles de Brophy, Evertson et leurs collaborateurs

Les enseignants qui ont une bonne gestion de classe mobilisent des stratégies efficaces qui ne paraissent pas à première vue. Tout se passe comme s'ils réussissaient à bien gérer leur classe de manière « naturelle », sans qu'ils aient à déployer de comportements précis.

C'est ce qui transparaît dans l'ouvrage de Kounin paru en 1970, considéré comme la première étude examinant de manière systématique les caractéristiques des bons gestionnaires de classe (Marzano, 2003). En effet, Kounin y a mis en évidence ce qui était « invisible » mais déterminant pour assurer un fonctionnement efficace de la classe. À partir de l'observation systématique de vidéos de 49 enseignants de première et de deuxième année du primaire, il a codifié de manière fine les comportements des enseignants et des élèves en classe. Ce faisant, il a pu établir une comparaison entre des enseignants efficaces et inefficaces sur le plan de la gestion de classe. De manière plus précise, Kounin a observé les éléments suivants :

---

de classe » : analyse du savoir professionnel d'enseignantes et enseignants expérimentés du secondaire en situation de parrainer des débutants, thèse de doctorat, Québec, Université Laval ; Nault, T. (1994, 1998). L'enseignant et la gestion de classe, Montréal, Les Éditions Logiques ; Caron. J. (1994). Quand revient septembre. Guide sur la gestion de classe participative, Montréal, Chenelière ; Conseil supérieur de l'éducation (1995). Avis au ministre de l'Éducation du Québec. Pour une gestion de classe plus dynamique au secondaire, 50-0402, Sainte-Foy, Service des communications du Conseil supérieur de l'éducation ; Archambault, J. et Chouinard, R. (1996). Vers une gestion éducative de la classe, Boucherville, Gaëtan Morin ; Gauthier, C., Desbiens, J.-F., Martineau, S., Malo, A. et Simard, D. (1997). Pour une théorie de la pédagogie. Recherches contemporaines sur le savoir des enseignants, Sainte-Foy, Presses de l'Université Laval. Un numéro spécial de la Revue des sciences de l'éducation a été publié en 1999 sur le thème de la gestion de classe (volume 25, numéro 3).

- Il y a peu de différences entre les enseignants des deux groupes à l'étape de la gestion d'un problème de comportement, c'est-à-dire une fois qu'il s'est manifesté. La différence importante réside surtout dans ce que les enseignants efficaces font pour prévenir les problèmes avant qu'ils n'émergent. Cette distinction prévention/traitement est encore essentielle de nos jours.

- Les enseignants efficaces savent maintenir un certain rythme dans leur classe. Kounin a formalisé une série de concepts pour décrire les actions des enseignants efficaces qui leur permettent de garder les étudiants concentrés sur la tâche et de prévenir ainsi les ruptures du rythme de la classe.

- Les enseignants efficaces repèrent vite l'élève qui est la cause d'un problème de comportement et y répondent rapidement. Pour ce faire, ils observent sans cesse le comportement de leurs élèves dans la classe et gardent le contact visuel à tout moment. Ce faisant, ils peuvent repérer immédiatement l'élève provocateur et perturbateur, en vue d'intervenir à temps, sans se tromper de cible, ce qui aurait évidemment des conséquences néfastes. Kounin appelle le *withitness* cette habileté de l'enseignant à avoir conscience de tout ce qui se passe dans sa classe à tout moment, autrement dit à «avoir des yeux tout autour de la tête». De cette manière, ces enseignants empêchent que des perturbations mineures prennent de l'ampleur et deviennent de véritables problèmes plus complexes à résoudre par la suite. À cette escalade des comportements, Kounin a donné le nom de *ripple effect* (traduit en français par **effet d'entraînement**) pour désigner les cercles concentriques qui apparaissent sur une eau calme lorsqu'on y jette des pierres et qui deviennent de plus en plus grands.

- Les enseignants efficaces sont habiles pour superviser plusieurs activités qui se déroulent en même temps (*overlapping*). C'est l'habileté de veiller au bon déroulement de tout ce qui se passe en tout moment. Par exemple, aider une équipe d'élèves en train de faire un projet tout en jetant un coup d'œil sur le travail de ceux qui complètent des exercices à leur bureau et se rapprocher discrètement de celui qui n'est pas assis à sa place. Dans le langage numérique d'aujourd'hui, on qualifierait de «multitâche» cette capacité de l'enseignant.

- L'enseignant efficace maintient un rythme soutenu d'activités, sans qu'il y ait de rupture comme on le voit souvent dans les **transitions** chez les enseignants moins efficaces. C'est ce que Kounin appelle la *fluidité* de la leçon (*smoothness*). Cette habileté implique l'envoi de signaux constants comme celui de s'asseoir près des élèves qui ne sont pas attentifs ou encore de poser des questions à ceux qui sont potentiellement prêts à manifester un comportement indésirable.

- L'enseignant efficace juge quand il faut ralentir ou accélérer le rythme, soit sa capacité à prendre conscience du *momentum*. L'enseignant doit décoder le niveau de fatigue des élèves et prendre la décision de varier la tâche, de proposer un nouveau défi ou encore d'arrêter l'activité.

- Les enseignants efficaces savent proposer aux élèves du travail stimulant (comme les défis et l'utilisation d'une variété d'activités), ce qui permet de conserver le groupe en éveil et motivé à la tâche. Kounin relève ainsi l'importance de l'**attention**, cette capacité de maintenir le groupe en éveil (*group alerting*), de capter l'attention de ceux qui n'écoutent pas et de garder tous les élèves au travail.

Quelques années plus tard, en 1976, Brophy et Evertson ont publié les résultats d'une autre étude importante sur la gestion de classe qui comparait 30 enseignants efficaces du primaire (c'est-à-dire dont les élèves obtenaient de manière continue de meilleurs résultats scolaires) à un groupe de 38 enseignants plutôt moyens (à savoir dont les élèves réussissaient dans la moyenne). Même si leur étude mettait au départ l'accent sur un large spectre de comportements d'enseignement, les résultats obtenus indiquent que la composante « gestion de classe » s'impose comme l'élément le plus critique de l'efficacité de l'enseignement, et ce, comme l'avait souligné auparavant Kounin dans ses travaux.

Par la suite, une série de quatre études a été conduite au Texas aux niveaux primaire et secondaire par Emmer, Evertson et Anderson (1980). Ces études descriptives et corrélationnelles visaient à identifier les actions des enseignants associées aux comportements d'engagement à la tâche des élèves ainsi qu'à leurs comportements inappropriés. Là encore, les conclusions de Kounin (1970) ont été confirmées. Par exemple, ces travaux ont insisté sur l'importance primordiale et critique du début de l'année scolaire pour instaurer les modalités de gestion de classe qui permettront d'assurer un fonctionnement efficace tout au long de l'année.

D'autres études conduites aux niveaux primaire et secondaire (Emmer, Sanford, Clements et Martin, 1982 ; Emmer, Sanford, Evertson, Clements et Martin, 1981 ; Evertson, Emmer, Sanford et Clements, 1983) cherchaient à préciser les effets d'une formation en gestion de classe basée sur les résultats de recherches. Ces études indiquent que les interventions de plusieurs enseignants ont été bonifiées à la suite de la formation, ce qui a abouti à des comportements des élèves plus appropriés dans les groupes expérimentaux comparativement aux classes des groupes contrôle. Ces études ont ouvert la voie à deux importants ouvrages qui sont encore les références obligées en gestion de classe pour l'enseignement primaire (Evertson, Emmer et Worsham, 2003) et pour l'enseignement secondaire (Emmer, Evertson et Worsham, 2003).

Par ailleurs, dans son étude *Classroom Strategy Study*, Brophy a procédé à des observations et à des entretiens en profondeur auprès de 98 enseignants à propos des stratégies qu'ils emploient pour régler divers problèmes de comportement dans leur classe (enfants agressifs, hyperactifs, etc.). Il a pu constater que les enseignants les plus efficaces en matière de gestion de classe étaient ceux qui étaient capables d'adapter leurs stratégies aux différents types d'élèves, alors que les enseignants les moins efficaces avaient tendance à toujours recourir aux mêmes stratégies, quelle que soit la situation.

2.4.2 Les recherches sur l'écologie de la classe

Dans le prolongement des travaux de Kounin, W. Doyle et d'autres auteurs (Ross, 1984 ; Weinstein, 1991) ont étudié la gestion de classe à partir d'une perspective écologique. Le concept central d'une approche écologique est celui d'habitat, c'est-à-dire du contexte dans lequel se déroule l'action. Ce contexte contient des dimensions et des caractéristiques qui influent sur tous les acteurs qui s'y trouvent. Dans cette perspective, la classe est un creuset réunissant une trentaine d'élèves sous la responsabilité d'un enseignant qui organise des activités orientées vers l'instruction et l'éducation de ses élèves. Les recherches menées dans une perspective écologique ont permis de préciser que six dimensions caractérisent ce contexte.

Les six dimensions caractéristiques de ce contexte

1. La ***multidimensionnalité*** renvoie au fait qu'une classe est toujours le lieu d'émergence de plusieurs événements dont la nature peut être diverse. Elle accueille des acteurs aux rôles (enseignant et élèves) et besoins (cognitifs, affectifs, sociaux) fort différents.

2. La ***simultanéité*** signifie que les phénomènes en classe n'attendent pas sagement leur tour pour se produire l'un après l'autre. Bien au contraire, ils apparaissent souvent en même temps. Un enseignant donne une explication à un élève tout en jetant un coup d'œil au reste de la classe pour éviter que d'autres dérangent leurs camarades.

3. L'***immédiateté*** renvoie au rythme rapide des événements qui se déroulent dans une classe. On estime qu'un enseignant du primaire a plus de 500 échanges avec ses élèves au cours d'une seule journée (Gump, 1967, cité dans Doyle, 2006). L'immédiateté nous rappelle que l'intervention pédagogique ne bénéficie pas de délais de réflexion très longs: enseigner, comme le souligne Perrenoud (1996), c'est agir dans l'urgence.

4. L'***imprévisibilité*** souligne l'impossibilité de tout anticiper dans une classe. Les meilleures planifications ne pourront jamais éliminer totalement la nécessité de s'adapter, d'improviser (Tochon, 1993) et de décider dans l'incertitude (Perrenoud, 1996).

5. La ***visibilité*** met tout particulièrement en lumière le caractère public de l'enseignement auprès des élèves. Les faits et gestes de l'enseignant ne passent pas inaperçus dans la classe. De la même manière, les interactions, qu'elles soient verticales (entre l'enseignant et les élèves) ou horizontales (entre les élèves eux-mêmes) sont visibles, toujours susceptibles de se produire devant un auditoire (Vasquez-Bronfman et Martinez, 1996).

6. Enfin, l'***historicité*** inscrit le contexte d'enseignement dans la durée (5 jours par semaine durant 10 mois environ). Les acteurs, élèves et enseignant, vivent au fil des jours un ensemble d'expériences, lesquelles faisant «jurisprudence», définissent la culture et le fonctionnement de la classe.

L'effet conjugué de ces dimensions rend très complexe le contexte d'enseignement où l'enseignant risque à maintes reprises de perdre le contrôle de la situation. C'est pourquoi le défi pour ce dernier consiste à établir et à maintenir l'ordre dans sa classe. Non pas l'ordre au sens abusif du terme, mais plutôt une certaine forme d'ordre fonctionnel, préventif et correctif, pour que, dans le cadre d'un travail en collectif comme celui de la classe, des apprentissages (au sens d'instruction et d'éducation) puissent se réaliser.

« L'ordre n'est pas nécessairement synonyme de passivité, de silence absolu ou de stricte conformité aux règles, même si ces conditions sont parfois jugées nécessaires dans certains cas (lors d'un examen important, par exemple). L'ordre dans la classe signifie simplement que les élèves, dans des limites acceptables, suivent la ligne d'action nécessaire pour qu'une activité pédagogique donnée puisse avoir lieu[11]. » (Doyle, 1986, p. 396)

Dans cette perspective, l'ordre dans la classe est lié au contexte, de sorte que, selon les activités en cours, le niveau et le type d'élèves, etc., les caractéristiques de l'ordre à mettre en place varieront. Ainsi, un projet en coopération n'obéira pas aux mêmes exigences d'ordre que l'écoute d'une explication de l'enseignant.

Les comportements indésirables et les interventions

Il est important de prendre conscience que le temps de la classe n'est pas une entité qui s'écoule passivement ; au contraire, le temps de la classe est rythmé en vue de la réalisation des apprentissages visés. C'est pourquoi certains auteurs définissent le contexte comme un programme d'action (Gump, cité dans Doyle, 1986) ou encore comme un *vecteur d'action* (Merritt, cité dans Doyle, 1986). Or, le vecteur d'action principal dans lequel est engagé l'enseignant peut entrer en conflit avec d'autres vecteurs d'action. L'enseignant devra alors intervenir tout en interférant le moins possible avec le rythme du vecteur principal.

Par exemple, en plein milieu des explications d'une leçon (vecteur d'action principal), un enseignant peut être interrompu par un élève qui lui dit avoir oublié son cahier de notes et lui demande d'aller le chercher (autre vecteur). Cet « autre vecteur » interfère avec le vecteur d'action principal prévu par l'enseignant, c'est-à-dire avec ses explications, sa concentration ainsi que celle des autres élèves. Il doit gérer cette interruption de manière à ne pas nuire à la fluidité de la leçon et éviter tous les risques de dérive associés. Il peut donc donner rapidement une feuille blanche à l'élève étourdi en lui disant de prendre les notes sur celle-ci qu'il collera dans son cahier ultérieurement pour ne pas l'égarer. L'enseignant enchaîne immédiatement avec la suite des explications, sans accorder davantage d'attention à l'élève.

Pendant ces mêmes explications, un autre élève parle à son voisin (autre vecteur). Plutôt que de cesser ses explications pour demander à l'élève ce qui se passe, l'enseignant continue sur sa lancée en se déplaçant vers cet élève (ce qui peut mettre un terme au comportement indésirable). Si tel n'est pas le cas, l'enseignant, par un regard ou un bref commentaire, demande à l'élève de cesser de parler. Il attend d'avoir fini ses explications pour rencontrer l'élève et agir de manière plus complète, si nécessaire. De cette façon, il est intervenu pour gérer les « autres vecteurs », mais en interférant le moins possible avec son vecteur principal, à savoir les explications.

En effet, il vient un temps où la prévention ne suffit pas ; l'enseignant doit intervenir de manière corrective, car les comportements indésirables apparaissent et menacent de rompre sérieusement l'ordre de la classe. En ce sens, un comportement indésirable peut être défini comme toute action entreprise par un ou

---

11. Nous soulignons.

plusieurs élèves qui menace de perturber le flux des activités ou ce que certains appellent le cours de l'action. Ce comportement peut menacer la sécurité du groupe ou violer les normes d'un comportement reconnu comme acceptable.

Bref, le comportement indésirable peut être de divers ordres. Ainsi, de façon générale, même s'ils sont fortement médiatisés, les comportements extrêmes comme les vols, la violence, le trafic de drogue sont plutôt rares à l'école. Les comportements indésirables les plus fréquents sont plutôt les retards, le placotage, les petites agressions verbales ou physiques, l'oubli du matériel pour effectuer le travail, etc. La plupart du temps, ces comportements sont liés au manque d'attention, à la perte de contrôle du groupe et au travail à compléter en classe (Doyle, 2006, p. 112).

Quelle qu'en soit la nature, dans le cadre de ses fonctions, l'enseignant doit faire cesser le comportement inapproprié pour restaurer l'ordre de la classe qui a été bousculé. Menées efficacement, ces interventions ne sont pas inutiles. En effet, des études conduites par Marzano (2003) indiquent que les actions de l'enseignant pour faire cesser et **rediriger** les comportements inappropriés sont efficaces pour faire diminuer les moments de rupture dans la classe. Bien que les formes actuelles de discipline semblent mettre l'accent davantage sur des approches positives que punitives, il reste que «[d]e nombreuses preuves appuient l'idée que les efforts directs des enseignants pour faire face aux écarts de conduite et administrer des punitions mêmes légères (temps d'arrêt, perte de privilèges, réparation, etc.) sont efficaces pour réprimer les comportements indésirables et les perturbations» (Marzano, 2003, cité dans *Handbook*, 2006, p. 394). Bref, il est bien de faire usage des interventions positives qui visent à établir les limites, à communiquer les règles et leurs conséquences et à aider les étudiants à prendre leurs responsabilités pour faire les bons choix de comportement. Toutefois, ces interventions ont des limites et l'enseignant doit parfois intervenir de manière corrective pour rétablir l'ordre dans la classe afin de maintenir un climat propice aux apprentissages.

Les interventions durant le cours des activités pour stopper un comportement indésirable sont basées sur trois éléments: la nature du comportement, son auteur et les circonstances. En fait, un comportement indésirable n'est pas tant un acte en soi qu'un acte en contexte qui est interprété par ceux qui le voient. Le jugement à propos de ces comportements n'est pas toujours aisé, car il dépend des circonstances entourant l'acte. Ainsi, des gestes similaires peuvent avoir des portées différentes selon celui qui les commet et le contexte entourant la faute. C'est pourquoi en gestion de classe, l'enseignant doit être très vigilant et savoir ce qui se passe constamment (*withitness*).

Il n'est pas toujours simple de savoir quand et comment rétablir l'ordre dans la classe quand il a été menacé. Des interventions qui échouent peuvent même produire l'effet contraire et attiser le désordre. Cela a d'autant plus de chance de se produire si un vecteur principal d'ordre n'existe pas ou est très fragilisé. En effet, les interventions dont on parle ici servent à réparer un ordre préexistant, mais elles ne peuvent pas créer un ordre qui n'existait pas auparavant. La décision d'intervenir se prend donc sur un fond d'incertitude relative et de pression forte pour modifier le cours de l'action.

Ainsi, il importe de comprendre qu'une intervention de l'enseignant peut rétablir le cours de l'action perturbé dans la mesure où le vecteur principal est déjà bien établi. Dans une situation où il n'y a pas d'abord de vecteur d'action principal, les vecteurs secondaires prennent progressivement de l'ampleur et l'intervention de l'enseignant n'a pratiquement pas d'effet. Par exemple, la fréquence d'utilisation de mots d'ordre par un enseignant afin de stopper des comportements indésirables n'est pas nécessairement en relation avec une bonne gestion de classe. Ainsi, Kounin (cité dans Doyle, 2006) a observé que l'enseignant qui avait le moins de succès en gestion de classe parmi ceux faisant partie d'une étude réussissait à obtenir un engagement dans la tâche de ses élèves dans environ seulement 25 % du temps, même s'il avait proscrit le comportement indésirable 986 fois dans une journée ! Cet exemple illustre bien le fait que le niveau d'ordre dépend de la force du vecteur d'action principal préexistant et aussi du moment propice (*timing*) de l'intervention avant que le vecteur secondaire n'ait gagné en puissance. Les bons gestionnaires de classe vont donc intervenir le plus possible de manière privée pour ne pas interrompre le flux des activités. Leur intervention se fera tôt, c'est-à-dire au début de l'apparition du comportement perturbateur. Elle sera brève et n'invitera pas à la discussion pour éviter à l'enseignant d'être pris dans un épisode de négociation avec l'élève. Bref, « les gestionnaires de classe efficaces font régner l'ordre en prescrivant des activités, en prévenant les comportements indésirables et en intervenant rapidement lorsque ces comportements apparaissent » (p. 114).

La clé pour comprendre le comportement indésirable est donc pour l'enseignant de bien percevoir ce que les élèves ont à faire dans la classe (autrement dit, le vecteur principal), ce qui lui permet de saisir ce qui pourrait entraver ce vecteur principal de l'activité. « Un comportement indésirable est tout comportement adopté par un ou plusieurs élèves qui, selon la perception de l'enseignant, crée un vecteur d'action qui menace le vecteur d'action principal ou entre en concurrence avec lui à un moment précis du cours » (p. 112). En réalité, le comportement indésirable est donc un autre vecteur d'activité qui est public (ou le deviendra), visible pour une bonne partie de la classe, contagieux ou capable de s'étendre rapidement auprès des autres membres de la classe et qui entre en compétition avec le vecteur principal. Le comportement indésirable crée des fractures dans le vecteur d'action principal. Évidemment, ce ne sont pas toutes les infractions à une règle qui en font des comportements indésirables qui brisent le cours de l'action. Donner la réponse avant de lever la main ne remet pas nécessairement en question le vecteur d'action, surtout si ce dernier est axé sur le rythme soutenu des questions et réponses. Cependant, si ce comportement revient constamment, il peut créer une situation d'injustice auprès des autres élèves et devenir une cause de frustration et de désordre. Il y a donc toujours une forme de risque à intervenir pour faire cesser un comportement indésirable, car une intervention de la part de l'enseignant peut détourner la classe du vecteur d'action principal et le comportement inadéquat peut alors se propager dans un vecteur secondaire qui prend de plus en plus d'ampleur au point de saper l'ordre établi.

L'ordre dépend donc de la force et de la durabilité du vecteur d'action principal. Ce vecteur d'action inclut à la fois une dimension sociale qui définit les règles d'action dans un environnement complexe et chargé, et une dimension d'apprentissage qui véhicule le contenu de ce qui doit être appris dans la leçon. Bref, pour gérer efficacement sa classe, l'enseignant met en place des stratégies pour résoudre les problèmes qui menacent l'ordre établi dans sa classe (et, par conséquent, le climat propice aux apprentissages). «Comme l'ordre est une caractéristique de tout système social, il faut appliquer le langage de la gestion aux dimensions collectives du milieu d'apprentissage et aux contextes dans lesquels l'ordre est établi et atteint» (Doyle, 2006, p. 100).

2.4.3 Les recherches sur le béhaviorisme et la gestion de classe

Les travaux des chercheurs béhavioristes sur la gestion de classe sont importants, mais également différents de ceux des chercheurs apparentés à la perspective écologique décrite plus haut. Ils ont utilisé les méthodes de recherches expérimentales et ont commencé leurs travaux en laboratoire avec des animaux. Toute une série de dispositifs a été mise de l'avant pour tenter d'augmenter ou de diminuer la fréquence d'apparitions de comportements. La fameuse boîte de Skinner sur le conditionnement opérant a été le siège de plusieurs expérimentations contrôlées. De nombreuses expérimentations ont eu lieu également en contexte réel avec des humains. Évidemment, la classe a été un endroit privilégié pour mener des tentatives de modification du comportement des élèves.

Le tableau 2.2 donne des exemples afin de représenter les principales stratégies.

Tableau 2.2 | **Les principales stratégies de modification du comportement en laboratoire**

	Stimulus	Réponse	Ajout ou retrait d'un stimulus	Comportement + ou −
Renforcement positif	Stimulus «Le rat est dans la cage.»	Réponse (comportement) «Le rat appuie sur le levier.»	Renforcement positif «Il obtient de la nourriture.» (= *ajout*)	*Augmentation* de la probabilité d'apparition du comportement
Renforcement négatif	Stimulus «Le rat est dans la cage, il reçoit une décharge électrique (plancher).»	Réponse (comportement) «Le rat appuie sur le levier.»	Renforcement négatif «Les décharges électriques s'arrêtent.» (= *retrait*)	*Augmentation* de la probabilité d'apparition du comportement
Punition positive	Stimulus «Le rat est dans la cage.»	Réponse (comportement) «Le rat appuie sur le levier.»	Punition positive «Il reçoit une décharge électrique.» (= *ajout*)	*Diminution* de la probabilité d'apparition du comportement
Punition négative	Stimulus «Le rat est dans la cage, il a de la nourriture.»	Réponse (comportement) «Le rat appuie sur le levier.»	Punition négative «La nourriture disparaît.» (= *retrait*)	*Diminution* de la probabilité d'apparition du comportement

Source : Tiré de https://fr.wikipedia.org/wiki/Béhaviorisme

Un renforcement vise à augmenter la probabilité d'apparition d'un comportement. Il peut être soit positif, auquel cas une récompense est attribuée au sujet qui exécute le comportement recherché, soit négatif, si un stimulus est retiré. Il est important de souligner que le béhaviorisme n'accorde pas une dimension morale aux termes négatif ou punition; ils qualifient simplement le retrait d'un stimulus ou la diminution d'un comportement. Lorsque l'enseignant félicite un élève pour avoir rangé ses affaires dans son pupitre, il y a renforcement positif et augmentation de la probabilité que l'enfant reproduise ce comportement. Par ailleurs, quand l'enseignant s'approche physiquement de l'enfant afin que celui-ci range son pupitre, il s'agit d'un renforcement négatif, car dès que ce dernier aura rangé ses affaires, le stimulus, en l'occurrence la proximité physique, disparaîtra puisque l'enseignant s'éloignera. Exécuter le comportement, ranger son pupitre, permettra à l'enfant de retirer le stimulus négatif.

En ce qui concerne la punition, elle vise à diminuer l'apparition d'un comportement soit en ajoutant, soit en retirant un stimulus. On peut parler d'une punition positive lorsque le comportement d'un enfant – par exemple, qui parle sans cesse à son voisin de classe – diminue à la suite de la décision de l'enseignant de lui donner un travail supplémentaire à faire chez lui. C'est une punition, car elle vise à diminuer la probabilité que le comportement se reproduise à l'avenir et on la dit «positive», car il y a addition d'une conséquence: faire un travail supplémentaire. On parlera de punition négative lorsque, par exemple, un enfant est privé de récréation à la suite d'une altercation avec un autre élève en classe. Il s'agit d'une punition, car la conséquence, le confinement en classe durant la récréation, va diminuer possiblement la fréquence future du comportement problématique chez l'enfant, sa propension à frapper ses camarades. La punition est dite négative, car l'enseignant le prive du jeu avec les autres enfants lors de la récréation.

Toutefois, les punitions, positives et négatives, sont à utiliser avec parcimonie, car elles n'enseignent rien à l'élève. En effet, dans le meilleur des cas, la punition arrête le comportement inadéquat de l'élève, mais elle ne lui apprend pas à bien comprendre et à exercer le comportement désirable qu'il doit adopter en vue de le substituer à l'autre qui est puni.

De plus, des recherches plus récentes ont montré la supériorité du renforcement positif sur la modification du comportement (Little, Akin-Little et O'Neill, 2014; Stage et Quiroz, 1997). En effet, la **méta-analyse** de Stage et Quiroz (1997) et celle de Little et ses collaborateurs (2014) ont montré que l'intervention la plus puissante pour modifier des comportements inadéquats dans les écoles publiques est le recours au renforcement positif, en particulier les systèmes d'économie de jeton et la contingence de groupe. L'ampleur des effets, selon le ***d* de Cohen**, pour ces interventions varie de 0,90 à 3,41 (*voir l'encadré 3.1, à la page 57 du chapitre 3*). Dans un système d'économie de jeton, l'élève se voit octroyer des jetons pour l'adoption de bons comportements, préalablement enseignés, jetons qu'il pourra éventuellement échanger contre un privilège. «Dans une contingence de groupe, les éléments sont aménagés de sorte que les conséquences soient délivrées par l'un des membres du groupe ou par l'ensemble du groupe en fonction des performances d'un membre du groupe ou de l'ensemble du groupe» (Rivière, 2006, p. 291).

Inversement, la méta-analyse de Stage et Quiroz a montré les effets nettement moins élevés de l'intervention de type *coût de la réponse* sur la modification de comportements inadéquats. Cette intervention consiste essentiellement à retirer à l'élève des jetons ou des points qu'il a obtenus auparavant pour ses bons comportements. Malheureusement, en milieu scolaire, la majorité des systèmes de renforcement mise sur le renforcement négatif, la punition et le coût de la réponse. Ces systèmes sont donc fortement coercitifs et peu efficaces pour modifier les comportements inadéquats des élèves. Il importe de souligner que Skinner, lui-même, rejette l'usage de la punition en tant que moyen d'éducation. Il lui préfère, et de loin, l'utilisation de renforçateurs positifs permettant l'adoption par l'enfant de comportements socialement acceptables (Godefroid, 2008). Par conséquent, une gestion efficace des comportements implique le recours prioritaire aux renforcements positifs.

Initialement, les techniques béhaviorales à l'école ont été centrées sur le façonnement des comportements et l'utilisation des renforcements. Les comportements désirés étaient renforcés par des félicitations ou du matériel de récompense (jetons) et ceux non désirés étaient éteints par l'ignorance de leur existence.

Des recherches subséquentes ont ajouté à ces techniques l'**enseignement explicite** de comportements à adopter en classe, l'apprentissage vicariant (où l'enfant apprend par imitation), des stratégies de modification du comportement à partir d'approches faisant davantage appel à la cognition. De plus, plusieurs de ces techniques béhaviorales ont été regroupées pour former un véritable système de gestion des comportements et de la classe. À cet effet, des programmes de formation en gestion de classe ont été conçus comme le *Classroom Organization and Management Program* (COMP) de Evertson (1988). De plus, des programmes de gestion des comportements au niveau de l'école, comme le *Positive Behavorial Interventions and Supports*, ou soutien au comportement positif (SCP), ont été créés. Ces programmes proposent de nombreuses techniques béhaviorales intégrées à l'intérieur d'un système afin de gérer efficacement le comportement des élèves.

Ainsi, aux notions de renforcement externe ont été ajoutées des techniques d'autorégulation qui mobilisent des stratégies de modelage à partir de verbalisations autoadministrées. Par exemple, l'enseignant illustre le comportement désiré, il exécute le geste, verbalise ses pensées en l'exécutant afin d'en guider l'exécution. Les élèves ont l'occasion d'exécuter le comportement sous la supervision de l'enseignant pour finir par réaliser l'activité par eux-mêmes.

Il est à noter que nous abordons plus longuement la question des programmes de gestion des comportements au niveau de l'école, plus particulièrement le SCP, dans le cinquième chapitre du présent ouvrage.

2.4.4 Les recherches processus-produit

Depuis les années 1970, de nombreuses recherches ont été menées en vue de définir les variables qui contribuent à un meilleur enseignement et à une meilleure gestion de classe. Les recherches processus-produit mettant en relation les comportements de l'enseignant et les résultats scolaires des élèves ont été une source importante de données probantes crédibles sur la gestion de classe. Non seulement ces recherches ont permis de mieux saisir les processus à l'œuvre facilitant des gains d'apprentissage, mais elles ont aussi permis de mettre en évidence des dimensions telles que l'engagement dans la tâche, la motivation, l'apprentissage actif et d'autres attitudes positives qui préviennent l'apparition de comportements non désirés.

Sur le plan de la gestion de classe, les recherches processus-produit ont permis de formaliser plusieurs stratégies qui contribuent à l'apprentissage des élèves. En voici cinq.

L'établissement de règles

Ces études ont montré que l'établissement de règles dans la classe est une dimension essentielle d'une gestion de classe efficace. Elle renvoie aux normes de conduite attendues de la part de l'enseignant pour tous ses étudiants. En effet, les recherches processus-produit indiquent que les enseignants efficaces abordent la question des règles de manière systématique comme tout autre élément du contenu à enseigner. Ils les expliquent, les font pratiquer, en supervisent l'application jusqu'à ce qu'elles soient maîtrisées par les élèves. Ces études ont aussi montré que les enseignants efficaces communiquent clairement aux étudiants leurs attentes comportementales. Ils formulent explicitement ce qu'ils considèrent comme un bon comportement et comment il peut être réalisé par les élèves. Ils énoncent leurs règles de manière positive (lever sa main pour poser une question) au lieu d'émettre une série d'interdits selon la formulation « ne pas ». Les enseignants efficaces affichent également leurs règles dans la classe pour qu'elles servent de pense-bête. Enfin, plusieurs travaux ont montré qu'il ne suffit pas de simplement formaliser les règles et les faire apprendre pour prévenir les problèmes de comportement. Il faut aussi que l'enseignant informe les élèves des conséquences des manquements, qu'il les supervise dans le processus d'observation de la règle et, enfin, qu'il applique les conséquences de la violation de la règle de manière cohérente.

Les transitions entre les activités

Par ailleurs, ces recherches ont également mis en lumière l'importance des transitions entre les activités. En effet, il y aurait environ une trentaine de transitions d'activités dans une classe de niveau élémentaire par jour. On le sait, les transitions peuvent être une source importante de désordre dans la classe quand elles ne sont pas bien structurées. Or, les enseignants efficaces anticipent et donnent un signal explicite aux élèves pour amorcer la transition. Ils la structurent en séquences et l'orchestrent de façon à maintenir un rythme rapide et à minimiser le plus possible la perte du *momentum*.

L'utilisation judicieuse du temps d'apprentissage

Les recherches processus-produit ont aussi souligné l'importance de l'utilisation judicieuse du temps d'apprentissage. Ces études ont mis en évidence le fait que le facteur temps est une variable très importante dans l'enseignement et les enseignants efficaces en maximisent l'utilisation. De manière plus précise, Jones et Jones (2001) mentionnent que même chez les enseignants efficaces, le « non-enseignement » représente 50 % du temps disponible d'instruction. Dans une journée, il y a plusieurs moments de non-enseignement (distribuer les feuilles, aiguiser les crayons, faire la transition des activités, etc.). Les enseignants efficaces utilisent une approche interactive d'enseignement (Gettinger, 1988) qui renvoie à des stratégies telles que se déplacer dans sa classe pour superviser la performance des élèves, minimiser le temps passé dans du non-enseignement et utiliser des stratégies pour prévenir l'apparition de comportements indésirables qui brisent le rythme et font perdre beaucoup de temps.

La supervision étroite de la performance des élèves

Les recherches processus-produit indiquent également que les enseignants efficaces supervisent étroitement la performance des élèves. Ils assurent un suivi assidu du travail des élèves. Ces enseignants gèrent l'ensemble de la classe et se préoccupent de son fonctionnement comme un tout. Ils sont attentifs aussi aux comportements individuels de leurs élèves et réagissent promptement et avec cohérence aux incidents de parcours. Ils gèrent le rythme et la durée des activités pour s'assurer de suivre l'allure de ceux en milieu de peloton. Ils suivent de près les progrès des élèves et en gardent des traces de manière régulière et fréquente; ils savent si les élèves sont capables de réaliser les tâches demandées.

La capacité à communiquer

Les études processus-produit soulignent l'importance d'*être conscient de ce qui se passe et de le communiquer aux élèves*. La capacité des enseignants à communiquer avec leurs élèves facilite également la gestion de classe. D'abord, ils mettent en évidence les buts à atteindre de différentes manières: ils tiennent leurs élèves responsables de la remise à temps de leurs devoirs; ils prévoient du temps à l'horaire pour que les élèves révisent le travail fait; ils sollicitent la participation de tous les élèves durant les activités de groupe; ils vérifient le travail autonome effectué; ils ont des procédures pour enregistrer les progrès accomplis; ils donnent de la rétroaction aux élèves à propos de leur performance. Ensuite, ils sont conscients de ce qui se passe dans la classe et rendent leurs élèves « conscients de cette conscience ». Ces « yeux tout autour de la tête » sont associés à la réussite des élèves et aux comportements positifs.

Sur le plan des *variables liées à l'enseignement des contenus* (ce que les Anglophones nomment *instruction*), Gettinger et Kohler (2006) mentionnent plusieurs dimensions et stratégies afférentes dont l'efficacité a été testée. « Un enseignement efficace est associé à une gestion efficace de la classe. Un enseignement bien planifié, dispensé à un rythme soutenu et propre à stimuler l'engagement des élèves peut améliorer la performance de ces derniers tout en prévenant l'apparition de comportements inadéquats dans la classe » (Munk et Repp, 1994, cités dans Gettinger et Kohler, 2006, p. 82).

2.4.5 La recherche en gestion de classe aujourd'hui

Il convient de souligner que les principes fondamentaux pour assurer une bonne gestion de classe sont basés sur des recherches menées dans des classes dont le modèle dominant met l'accent sur la transmission des connaissances. Cependant, les classes qui privilégient les communautés d'apprentissage dans une perspective constructiviste ou socioconstructiviste peuvent utiliser des stratégies analogues. Par une sorte de planification à rebours, l'enseignant doit alors définir les objectifs, puis ce que les élèves doivent faire pour les atteindre, déterminer ensuite le type de soutien dont les élèves pourraient avoir besoin. Mais plusieurs rôles des élèves sont les mêmes: être en classe à l'heure, avoir le matériel requis, être prêt quand la leçon commence, faire les exercices demandés, etc.

Il est également important de mentionner que la recherche en gestion de classe a surtout été conduite dans les classes du niveau primaire. Toutefois, selon Evertson et Emmer (2009), les mêmes principes s'appliquent au secondaire. Évidemment, certains principes sont plus importants au niveau primaire pour habituer les jeunes aux routines de l'école, alors que d'autres sont plus pertinents au secondaire (par exemple, remettre ses travaux à temps). L'enseignant met en place des stratégies qui conviennent au degré des élèves à qui il enseigne.

Par ailleurs, il importe de mentionner que plusieurs stratégies efficaces pour gérer les comportements des élèves définies il y plus de 45 ans, sont tout aussi efficaces de nos jours! Comme le mentionne Brophy (2006, p. 36):

> «Les recherches sur la gestion de classe menées au cours des années 1960 et 1970 ont produit une accumulation de résultats répétés et en grande partie complémentaires de sorte que, dans les années 1980, les examinateurs ont observé l'émergence d'un consensus [...]. Ces derniers et d'autres examinateurs ont reconnu que les techniques comportementales étaient étayées par des preuves solides tout en mettant en doute la pertinence et la possibilité de les mettre en œuvre dans la classe. Ils ont aussi souligné que les techniques préconisées par Kounin et par Evertson et Emmer s'appuyaient sur des résultats probants.»

Dans le même sens, Gable, Hester, Rock et Hughes (2009, p. 195) indiquent, dans une revue de recherches:

> «Les recherches amorcées dans les années 1960 ont donné aux formateurs d'enseignants l'impulsion nécessaire pour inciter les enseignants à instituer des règles dans la classe, à recourir abondamment aux éloges verbaux et non verbaux et, dans la mesure du possible, à ignorer les provocations mineures des élèves. Comme il y a eu des progrès importants dans la connaissance de ce qu'est une gestion de classe efficace, des experts ont analysé la littérature publiée jusqu'ici sur le sujet afin de déterminer s'il était temps de modifier notre point de vue sur une ou plusieurs de ces stratégies comportementales de base. Les résultats des recherches menées au fil des ans appuient les principes fondamentaux de ces stratégies.»

Toutefois, Oliver, Wehby et Reschly (2011) mentionnent dans leur étude que la recherche sur la gestion de classe a, de manière typique, mis l'accent sur l'identification de pratiques individuelles efficaces qui sont utilisées en classe. Il est postulé ensuite que le regroupement de ces stratégies est aussi efficace sinon davantage. Or, selon les auteurs, peu de travaux ont jusqu'à présent examiné des approches universelles en gestion de classe, c'est-à-dire regroupant un ensemble de stratégies utilisées par l'enseignant dans sa classe qui concourent à diminuer les problèmes de comportement. Un exemple probant d'une telle approche globale est le *Classroom Organization and Management Program* (COMP) de Evertson (1988). Le programme COMP a été élaboré dans le but de créer des environnements d'apprentissage efficaces. Il met en scène les sept composantes suivantes :

- organiser la classe ;

- planifier et enseigner les règles et procédures ;

- organiser le travail des élèves et rendre ces derniers imputables ;

- maintenir un bon comportement des élèves ;

- planifier et organiser ;

- conduire l'enseignement et maintenir le momentum ;

- bien commencer l'année scolaire.

Un autre exemple, à un niveau plus restreint cependant, est le programme *The Good Behavior Game* qui met en place une contingence de groupe pour diminuer les comportements inadéquats à partir d'un jeu selon lequel la victoire dépend du comportement de chaque membre de l'équipe lors des activités en langue ou en mathématiques. Les règles du jeu sont expliquées aux équipes ainsi que les récompenses. L'enseignant inscrit au tableau chaque infraction à la règle commise par un membre d'une équipe (par exemple, bavarder ou placoter). Toutes les équipes qui ont obtenu cinq inscriptions ou moins peuvent gagner la partie et obtenir un privilège (par exemple, 30 minutes de jeu à la fin de la journée). L'équipe qui ne gagne pas doit continuer le travail durant 30 minutes.

Ces deux exemples d'approches globales donnent d'excellents résultats (Oliver et coll., 2011). Mais la recherche doit continuer à ce niveau.

> « Étant donné l'absence d'études sur la gestion de classe vue comme un ensemble de pratiques efficaces, notre base de connaissance actuelle comporte encore de sérieuses lacunes. Pour combler certaines d'entre elles, il faudrait comprendre les composantes d'un système de gestion de classe hautement efficace et déterminer les effets que les enseignants et les gestionnaires peuvent escompter de la mise en œuvre de stratégies de gestion de classe efficaces. » (Oliver et coll., 2011, p. 14)

2.5 La formation des enseignants

Un autre domaine de la recherche en gestion de classe concerne la formation des enseignants. Tant la formation initiale que la formation continue méritent un examen soutenu. En effet, non seulement les étudiants en formation initiale se butent à des difficultés importantes en gestion de classe lors de leur insertion professionnelle, mais les enseignants de carrière côtoient également des groupes de plus en plus difficiles et doivent être outillés pour y faire face.

Comme le souligne Tardif (2013, p. 9), au fil du temps, le métier d'enseignant

> « s'est complexifié et alourdi, non pas en termes de durée ou de nombre d'élèves par classe, mais de charge mentale et émotionnelle, ainsi qu'en fonction du spectre beaucoup plus large de compétences, de rôles et de responsabilités professionnelles qu'ils doivent assumer. L'enseignant est devenu un caméléon professionnel. »

Ainsi, depuis quelques décennies déjà, les enseignants de l'école publique québécoise semblent vivre une période particulièrement difficile de l'histoire de leur profession :

« Par exemple, depuis les années 1980, le taux de précarité qui règne dans l'enseignement se maintient entre 40 % et 45 %. On peut estimer que près de 20 % des nouveaux enseignants et enseignantes quittent un métier qui les laisse profondément insatisfaits après seulement quelques années de pratique. Dans les écoles publiques, l'intégration d'élèves en grande difficulté dans les classes ordinaires, la pauvreté des enfants, des publics d'élèves réfractaires à toute forme d'apprentissage, les relations difficiles avec certains parents, l'enseignement à des élèves provenant de plusieurs milieux culturels et linguistiques sans bagage minimal commun, la rotation fréquente du personnel en place, sans parler de l'insalubrité des bâtiments, tout cela dessine les pourtours d'un travail enseignant devenu de plus en plus pénible à réaliser [...] À ces difficultés s'ajoutent les nombreuses réformes scolaires et les nouvelles politiques éducatives mises en œuvre depuis les années 1990 : réforme chaotique des programmes scolaires depuis 2000, fausse décentralisation du système scolaire qui reste profondément lourd et bureaucratique, contrat de performance, obligation de résultat, etc. Or, peu importe le gouvernement en place, libéral ou péquiste, toutes ces réformes ont été régulièrement assorties de compressions budgétaires et de surcharges administratives qui les ont rendues difficilement réalisables avant même qu'elles soient implantées. » (Tardif, 2013, citation Web)

Par conséquent, le contexte d'enseignement est difficile et, nous l'avons vu, nombreux sont les facteurs souvent cités qui représentent des défis importants ou des contraintes dans la carrière en enseignement. Ce sont notamment la précarité d'emploi, la complexité des tâches attribuées, la défavorisation des écoles, l'intégration d'élèves en difficulté, des élèves réfractaires à toute forme d'apprentissage, les relations difficiles avec certains parents, l'enseignement à des élèves provenant de plusieurs milieux culturels et linguistiques sans bagage minimal commun (Tardif, 2013). Mais au-delà de tous ces facteurs, c'est la compétence qui consiste à gérer la classe efficacement, particulièrement *la gestion des comportements, qui représente le défi le plus important à relever en enseignement* (Dufour, 2010 ; Gaudreau, 2011). Cette compétence conditionnerait même la réussite en enseignement, car « elle est partie prenante d'un enseignement efficace, puisqu'on ne peut prétendre atteindre un enseignement efficace en se préoccupant exclusivement du contenu » (Dufour, 2010, p. 46).

Comme le mentionne Dufour (2010, p. 18) :

« Même si les contextes changent d'un enseignant à l'autre, la difficulté à gérer la classe est reconnue comme étant un dénominateur commun aux enseignants[12]. En effet, les écrits scientifiques des dernières décennies et de toute origine ont mis en évidence la gestion de classe, plus précisément la gestion des comportements, comme l'une des principales difficultés des enseignants expérimentés, mais surtout des enseignants débutants. »

---

12. Nous soulignons.

Par ailleurs, la gestion de classe constitue l'une des 12 compétences mentionnées dans le référentiel de compétences professionnelles de la profession enseignante du Québec (Martinet, Raymond et Gauthier, 2001). Dans ce document, la gestion de classe est définie comme la compétence à « planifier, organiser et superviser le mode de fonctionnement du groupe-classe en vue de favoriser l'apprentissage et la socialisation des élèves » (p. 97).

Les auteurs du référentiel expliquent :

> « [U]ne enseignante ou un enseignant qui n'arrive pas à "tenir sa classe" perd rapidement de la crédibilité aux yeux de ses collègues, de ses supérieurs, des parents et des élèves eux-mêmes. En outre, selon plusieurs synthèses de recherches sur l'efficacité de l'enseignement, le fonctionnement ordonné et harmonieux d'une classe s'est imposé "comme la variable individuelle qui détermine le plus fortement l'apprentissage des élèves". » (p. 97)

Savoir gérer efficacement une classe et le comportement des élèves s'avère *la* compétence des compétences professionnelles en enseignement. Cet aspect de la tâche de l'enseignant est crucial puisque, comme le soulignent Wang, Haertel et Walberg (1993) dans leur méta-analyse des facteurs qui influent sur l'apprentissage en contexte scolaire, la gestion de classe et des comportements est la variable qui agit le plus sur la réussite scolaire des élèves. Toutefois, « seulement un enseignant sur cinq possède, lors de son entrée sur le marché du travail, une connaissance suffisante des différentes stratégies d'intervention adaptées aux élèves présentant des difficultés de comportement » (Gaudreau, Royer, Beaumont et Frenette, 2012, p. 89). À ce sujet, une étude québécoise (Mukamurera, 2008), réalisée auprès d'environ 70 enseignants ayant commencé leur carrière en enseignement entre 2000 et 2005, a révélé que 37 % d'entre eux ont souvent le sentiment de ne pas avoir été suffisamment préparés à faire face à la réalité de l'enseignement. Cette étude a également montré que sur un corpus de 265 enseignants ayant commencé leur carrière entre 1980 et 1999, plus de 50 % éprouvent ce même sentiment.

Pourtant, cette situation n'est pas nouvelle, puisqu'une enquête effectuée par Rousseau et ses collaborateurs (2004), auprès de futurs enseignants et d'enseignants en exercice a démontré que la gestion de classe et la gestion des comportements étaient considérées comme des priorités absolues. Cette enquête a également montré que les enseignants débutants et expérimentés ont une méconnaissance de la clientèle ayant des difficultés d'ordre comportemental, ne connaissent pas suffisamment de stratégies pour assurer une gestion de classe efficace et ne connaissent pas les pratiques éducatives exemplaires à utiliser auprès des élèves difficiles.

> « De plus, selon le Conseil supérieur de l'éducation (2001), la formation continue des enseignants doit porter sur la gestion de la classe, l'intervention en situation de crise, l'intervention auprès d'élèves présentant des troubles de la conduite et du comportement et la gestion des problèmes disciplinaires susceptibles de survenir au sein de groupes d'enfants. » (Gaudreau et coll., 2012, p. 99)

Par conséquent, peu importe le niveau d'expérience des enseignants, c'est la gestion des comportements des élèves qui représente pour eux la plus grande source de stress (Royer, Loiselle, Dussault, Cossette et Daudelin, 2001). Selon les données de la Régie des rentes du Québec, la profession d'enseignant présente le plus haut taux d'invalidité causée par le stress, comparativement aux autres professions libérales. Les trois principales causes de stress sont les suivantes :

1. le comportement des élèves ;

2. la charge de travail ;

3. le manque de ressources matérielles (Royer et coll., 2001).

Dans ce contexte, le soutien offert aux futurs maîtres, aux enseignants débutants, ainsi qu'à ceux qui sont plus expérimentés semble être un réel besoin pour bon nombre d'entre eux. Ce besoin semble attribuable à la piètre qualité des formations offertes en éducation. D'une part, l'étude de Begeny et Martens (2006) révèle que la formation universitaire offerte aux futurs enseignants du primaire, du secondaire, voire du champ de l'adaptation scolaire, présente peu de stratégies d'enseignement efficace fondées sur des données probantes. D'autre part, le Comité d'orientation de la formation du personnel enseignant (COFPE) indique que les directions d'écoles et leurs collègues enseignants estiment que la formation initiale des enseignants au Québec est à parfaire :

« [I]ls éprouvent souvent un sentiment d'insécurité devant certaines composantes de leur tâche et, notamment, la gestion de classe, l'intégration d'approches pédagogiques ou des technologies de l'information et de la communication dans leur pratique en classe, ou encore, l'adaptation de leur enseignement aux élèves en difficulté intégrés en classe ordinaire. » (COFPE, 2002, p. 29)

Présentement, les universités québécoises offrent des cours de 2 à 6 crédits portant sur la gestion comportementale en classe dans leur programme de formation initiale des enseignants au préscolaire et au primaire. À cet égard, Gaudreau (2011, p. 25) indique :

« La majeure partie du temps alloué à cette formation porte sur des contenus descriptifs visant surtout le développement de connaissances. C'est ainsi que sont proposées des façons d'intervenir souvent simplistes qui ne tiennent pas compte de la complexité des problématiques comportementales et des milieux où elles prennent forme. »

Trop souvent, parce qu'ils sont mal formés, mal outillés et insuffisamment soutenus, les enseignants peuvent même contribuer malgré eux à l'adoption de comportements difficiles par les élèves (Dishion et Patterson, 2006). Lorsqu'ils ont recours au rejet, au blâme ou à des punitions excessives et lorsqu'ils collaborent et communiquent peu avec les parents, les enseignants risquent d'aggraver la situation de l'élève en difficulté (Gaudreau, 2011). La formation des enseignants demeure ainsi nettement insuffisante pour faire face à la réalité des classes d'aujourd'hui, principalement en matière de gestion des comportements difficiles (Begeny et Martens, 2006 ; Gaudreau, 2011 ; Gaudreau et coll., 2012).

Comme le mentionne Gaudreau (2011), force est de constater que le niveau de compétence attendu en gestion de classe, particulièrement en gestion des comportements, au terme de la formation initiale ne semble pas atteint, puisqu'il constitue toujours le premier motif d'abandon de la profession. Les écrits scientifiques des dernières décennies, de toutes origines, et les enquêtes plus récentes l'ont démontré. En effet, environ 20 % des enseignants québécois abandonnent durant leurs cinq premières années d'enseignement (Gaudreau, 2011). Dans le cadre d'une étude dont l'objectif principal était de découvrir les facteurs qui influent sur l'attrition des enseignants québécois, Sauvé (2012) a rencontré 26 individus (16 femmes et 10 hommes) ayant récemment quitté l'enseignement. Les résultats de cette recherche indiquent que les difficultés liées à la gestion de classe, en particulier le maintien de la discipline, constituent le facteur le plus souvent mentionné qui influence l'attrition des enseignants.

À l'instar de plusieurs chercheurs en éducation, nous croyons qu'il faut augmenter les connaissances procédurales des enseignants en matière de gestion des comportements (Gaudreau, 2011). Or, de telles formations correspondent exactement aux demandes formulées par ceux qui ont malheureusement quitté la profession. Voici un exemple extrait de l'étude de Sauvé (2012, p. 116) qui illustre bien cette situation :

> « Quand tu poses la question : qu'est-ce que je fais quand j'arrive dans une classe et qu'il y a 10 jeunes qui foutent rien et qui foutent le bordel et que ça déteint sur les 25 autres ? Qu'est-ce que je fais ? Il n'y a aucun prof à l'université qui te répond à ça, tu vas l'apprendre sur le tas. »

Étant donné la situation, une formation sur la gestion efficace des comportements nous semble nécessaire, voire urgente, tant pour les futurs maîtres que pour les enseignants en exercice.

Avant de présenter des stratégies concrètes pour assurer une meilleure gestion de classe, nous nous attardons dans les lignes qui suivent à définir plus précisément ce concept. Nous le définissons, d'une part, à partir des dimensions de prévention et de correction et, d'autre part, dans une visée de faciliter l'apprentissage et l'éducation des élèves.

2.6 Une définition de la gestion de classe

Plusieurs auteurs ont proposé des définitions de la gestion de classe. À les examiner, il est possible de constater qu'elles varient dans leur formulation, mais participent globalement du même esprit.

Evertson et Weinstein (2006, p. 4) définissent la gestion de classe de la manière suivante :

> « Les actions des enseignants qui contribuent à créer un environnement propre à soutenir et à faciliter l'apprentissage scolaire, social et émotionnel. Autrement dit, la gestion de classe répond à deux objectifs distincts : elle vise non seulement à créer et à maintenir un environnement ordonné qui soutient un apprentissage scolaire rigoureux, mais aussi à favoriser la croissance sociale et morale des élèves. »

La gestion de classe entretient donc un rapport étroit avec ce que nous avons appelé la gestion des apprentissages, car sans un environnement approprié, l'apprentissage scolaire dans la classe ne peut être facilité. De même, la gestion de classe concourt également à l'apprentissage et à la consolidation de valeurs sociales et morales. La gestion de classe demande d'établir des relations de soutien psychologique auprès des élèves, de gérer le groupe afin de venir en appui aux apprentissages, de favoriser le développement d'habiletés sociales et d'autorégulation, mais aussi d'utiliser les interventions correctives appropriées auprès des élèves aux prises avec des problèmes de comportement.

Pour sa part, Brophy (2006, p. 17) définit la gestion de classe comme suit :

> « Le terme gestion de classe englobe l'ensemble des mesures prises pour créer et maintenir un milieu d'apprentissage propre à soutenir un enseignement efficace (aménager la classe, instaurer des règles et des procédures, soutenir l'attention des élèves à l'égard des leçons et leur engagement dans les activités). »

La gestion de classe n'est donc pas une fin en soi, mais elle joue un rôle de soutien à l'apprentissage des contenus. Par ailleurs, la gestion de classe met aussi l'accent sur la socialisation des élèves, c'est-à-dire sur les actions visant à inculquer des attitudes morales ou civiques, des croyances et des comportements. La socialisation renvoie à la communication des attentes, au modelage, à l'enseignement et au renforcement des comportements désirables à manifester dans la classe par le groupe, de même qu'à la fonction de conseil, à la modification de comportements des étudiants qui présentent des difficultés scolaires ou d'adaptation sociale (Brophy, 2006, p. 17).

Oliver et ses collaborateurs (2011) proposent une définition de la gestion de classe qui la distingue de la gestion des apprentissages. Elle concerne l'enseignement de comportements sociaux afin de prévenir et de diminuer les comportements inappropriés chez les élèves, et la gestion de classe se situe au niveau des *stratégies universelles* à mettre de l'avant dans la classe :

> « La gestion de classe se définit comme un ensemble de procédures non pédagogiques que l'enseignant instaure pour tous les élèves dans le but de leur inculquer un comportement prosocial et de prévenir et de diminuer les comportements inadéquats. Ces procédures sont considérées comme universelles parce qu'elles sont utilisées avec l'ensemble des élèves plutôt qu'avec des individus ou des groupes restreints qui exigent un soutien comportemental additionnel. » (Oliver et coll., 2011, p. 16)

L'enseignant ne peut contrôler tous les comportements inadéquats dans sa classe, mais il peut créer un environnement d'apprentissage lui permettant de contrôler (au sens d'influencer) ce qui s'y passe.

Pour notre part, gérer efficacement la classe et le comportement des élèves, c'est *utiliser un ensemble de pratiques et de stratégies éducatives afin, d'une part, de prévenir et de gérer efficacement les écarts de conduite des élèves et, d'autre part, de créer et de maintenir un environnement favorisant l'enseignement et l'apprentissage.*

Bref, quelles que soient les définitions, la gestion de classe entretient un lien étroit avec les apprentissages scolaires que l'enseignant veut faire acquérir à ses élèves et les valeurs que l'école doit transmettre. Pour ce faire, la gestion de classe comprend deux grandes dimensions : l'une axée sur la *prévention* et l'autre sur la *correction*. Sans négliger l'intervention corrective, la première préoccupation de l'enseignant en gestion de classe doit d'abord être la prévention. Knoster (2008) parle de la règle du 80/20 pour illustrer le fait que les efforts consistent en 80 % d'**interventions préventives** et 20 % d'**interventions correctives** en vue d'amener les élèves qui ne satisfont pas les attentes concernant l'amélioration de leur comportement, et ce, particulièrement si ces comportements se reproduisent souvent et nuisent au fonctionnement de la classe.

Conclusion

La gestion de classe est sans doute la compétence pédagogique la plus complexe à acquérir pour les enseignants. En effet, les débutants perçoivent les problèmes de comportement et de discipline comme le défi le plus sérieux à relever (Evertson et Weinstein, 2006). Comme le mentionne Charles (2002, p. 1) :

> « Nos écoles sont aux prises avec un grave problème qui perturbe l'enseignement et l'apprentissage. Je parle du comportement des élèves. Si vous êtes un enseignant chevronné, vous en avez fait amplement l'expérience. Si vous êtes débutant, soyez prévenus : il constitue le principal obstacle à votre réussite et a le pouvoir de détruire votre carrière (Evertson et Weinstein, 2006, p. 3). »

Il ne sert à rien de faire comme si le problème de la gestion de classe n'existait pas. Le nier ne fera pas disparaître les difficultés qu'éprouvent les enseignants. Il faut donc y faire face, analyser les recherches qui peuvent nous informer, répertorier les stratégies qui semblent avoir montré leur efficacité et les regrouper en un modèle intégré.

Nous allons décrire dans les chapitres suivants des stratégies concrètes pour rendre cette compétence complexe plus facile à maîtriser. Étant donné que la prévention est la dimension la plus importante en gestion de classe, nous commencerons par présenter, au chapitre 3, des stratégies à cet effet. Au chapitre 4, nous proposons des interventions correctives. Elles sont utiles pour assurer la gestion des conduites quand les interventions préventives ne suffisent pas. Enfin, au chapitre 5, nous examinons le modèle soutien au comportement positif (SCP) qui contribue à donner une valeur ajoutée aux stratégies proposées en élargissant à l'école tout entière la problématique de la gestion explicite des comportements.

CHAPITRE 3

Les interventions préventives

Les élèves n'apprennent pas ce qu'on leur dit,
ils apprennent ce qu'on leur enseigne!

(Boynton et Boynton, 2012)

Comme nous l'avons expliqué au chapitre précédent, les enseignants qui gèrent efficacement leur classe effectuent plus d'interventions préventives que leurs collègues (Kounin, 1970 ; Knoster, 2008). Ainsi, les enseignants efficaces interviennent *avant* que se manifestent les problèmes. Ils effectuent des interventions qui favorisent chez les élèves l'adoption de bons comportements. Inversement, les enseignants qui éprouvent des difficultés à gérer efficacement les comportements des élèves ont plutôt tendance à intervenir trop tardivement ou à ne pas intervenir du tout. Ils interviennent plus en réaction aux comportements problématiques des élèves qu'en prévention.

Comme l'illustre la figure 3.1, il est possible de considérer la gestion de classe et des comportements comme un système composé d'engrenages : les interventions préventives (ou proactives) et les interventions correctives (ou curatives[1]). Ainsi, l'enseignant doit d'abord effectuer des interventions préventives qui incitent les élèves à adopter de bons comportements, mais par la suite, il doit mener des interventions correctives afin de réagir aux écarts de conduite. Ces deux types d'interventions sont nécessaires et complémentaires : si l'un des engrenages ne tourne pas dans le bon sens, alors c'est la mécanique de gestion de classe dans son entier qui en sera affectée.

---

1. Le regroupement des interventions en deux catégories, préventives et correctives, s'inspire des recherches réalisées sur le système *Positive Behavioral Interventions and Supports* (PBIS).

Au total, cinq éléments permettent de prévenir les difficultés liées à la gestion de classe alors que quatre interventions permettent d'agir en cas de problème. Ainsi, afin de gérer les comportements de manière préventive, l'enseignant doit :

1. Établir une relation positive avec ses élèves ;

2. Créer un environnement sécurisant, ordonné, prévisible et positif ;

3. Encadrer et superviser de façon constante ses élèves ;

4. Organiser physiquement sa classe ;

5. Faire usage de stratégies liées à l'enseignement efficace.

Par ailleurs, lorsqu'il fait face à un problème et qu'il doit intervenir de manière corrective, l'enseignant peut :

1. Utiliser les stratégies d'intervention indirectes ;

2. Utiliser les stratégies d'intervention directes ;

3. Accumuler des données comportementales ;

4. Préciser la **fonction du comportement** de l'élève ;

5. Recourir à de l'aide spécialisée.

Figure 3.1 | La gestion de classe et des comportements : comment prévenir et intervenir ?

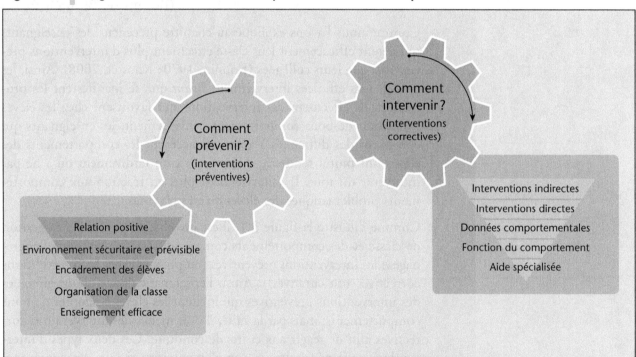

Source : S. Bissonnette et M. Richard, 2001, *Comment construire des compétences en classe*, Montréal : Chenelière.

Comme le dit le vieil adage : «Mieux vaut prévenir que guérir !» Ainsi, dans le présent ouvrage, nous abordons dans un premier temps la question des interventions préventives, c'est-à-dire celles qui visent à prévenir les écarts de conduite des élèves. En effet, les interventions préventives sont nettement plus efficaces et moins coûteuses en temps et en énergie que les interventions visant à gérer une situation difficile ou à régler un problème de comportement. Elles représentent la base d'une gestion efficace de la classe et des comportements des élèves : 80 % des interventions réalisées par l'enseignant qui gère sa classe efficacement sont de nature préventive, et les 20 % restants sont de nature corrective (Knoster, 2008). Loin d'être éclipsée, cette question des interventions correctives fera l'objet du chapitre suivant.

Comme l'illustre la loi du 80/20, de bonnes procédures de gestion de classe dépendent d'une planification minutieuse des interventions préventives. Bien que cette planification exige du temps, l'enseignant réalisera rapidement qu'il récupère les dividendes de cet investissement dans sa préparation lorsque les élèves arriveront en classe. Il est à noter que le début de l'année scolaire représente un moment fondamental pour la gestion de classe (Evertson, Emmer et Worsham, 2005). En effet, c'est lors des premières semaines d'école que les élèves apprennent les attitudes, les comportements et les habitudes de travail qui leur serviront toute l'année. La planification des premiers moments avec les élèves s'avère donc cruciale pour tout le reste de l'année.

Toutefois, être prêt ne suffit pas. Pour maintenir les comportements appropriés toute l'année, l'enseignant doit intervenir activement afin de s'assurer que les élèves coopèrent et agissent en accord avec les normes, les règles, les procédures et les routines de la vie en classe (Knoster, 2008 ; Missouri Schoolwide Positive Behavior Support, 2012). Au primaire, les élèves en sont à leurs premiers apprentissages des habiletés nécessaires à l'école. L'enseignant doit donc accorder une attention constante au renforcement des comportements appropriés. Même aux niveaux scolaires ultérieurs, les comportements des élèves doivent être maintenus par des interventions préventives appliquées avec constance.

Bref, ce qui rend une gestion de classe efficace, ce n'est pas l'énoncé seul d'une règle ou d'une procédure, mais bien le fait que celles-ci soient planifiées, enseignées explicitement et constamment renforcées (Missouri Schoolwide Positive Behavior Support, 2012).

Quelles sont, plus spécifiquement, ces interventions préventives efficaces ? En voici cinq, relevées par les recherches favorisant la prévention des comportements indésirables dans la classe (Evertson et coll., 2005 ; Knoster, 2008 ; Kounin, 1970 ; Missouri Schoolwide Positive Behavior Support, 2012). Ces interventions sont, en ordre d'importance :

1. L'établissement de relations positives avec les élèves ;

2. La création d'un environnement sécurisant, ordonné, prévisible et positif ;

3. L'encadrement et la supervision constante des élèves ;

4. Une organisation de la classe qui maximise le temps d'enseignement et d'apprentissage des élèves ;

5. Un enseignement efficace qui favorise la réussite du plus grand nombre.

Comme nous le verrons dans les lignes suivantes, à chacune de ces interventions préventives correspond un ensemble de stratégies et de moyens. Ces derniers représentent les gestes et les actions concrètes que l'enseignant doit accomplir au quotidien pour prévenir les écarts de conduite des élèves et favoriser l'adoption de comportements positifs. Le tableau 3.1 en offre un aperçu.

Tableau 3.1 | Les interventions préventives

Interventions préventives	1. Établissement de relations positives avec les élèves	1.1 Croire à la réussite des élèves et entretenir des attentes élevées à leur égard. 1.2 Interagir avec tous les élèves.
	2. Création d'un environnement sécurisant, ordonné, prévisible et positif	2.1 Enseigner explicitement les comportements désirés. 2.2 Adopter un rythme soutenu.
	3. Encadrement et supervision constante des élèves	3.1 Revoir les règles périodiquement. 3.2 Superviser de façon constante. 3.3 Marcher dans la classe, occuper tout l'espace, se diriger rapidement vers les lieux de difficultés potentielles. 3.4 Placer les élèves difficiles ou vulnérables près de l'enseignant. 3.5 Augmenter l'implication des élèves à l'égard de la tâche. 3.6 Utiliser un système de renforcement des comportements positifs.
	4. Organisation de la classe qui maximise le temps d'enseignement et d'apprentissage des élèves	4.1 Disposer les pupitres des élèves. 4.2 Disposer le bureau de l'enseignant et organiser les autres zones très fréquentées.
	5. Enseignement efficace qui favorise la réussite du plus grand nombre	5.1 Utiliser l'enseignement explicite. 5.2 Faire usage du tutorat par les pairs (enseignement réciproque).

Des exemples pour chacune des interventions se trouvent au tableau 3.6, à la page 95.

3.1 L'établissement de relations positives avec les élèves

De toutes les interventions préventives, la plus importante est celle qui consiste à établir des relations positives. À ce sujet, une synthèse de plus de 100 recherches réalisée en 2003 par Robert Marzano a révélé que *la qualité des relations maître-élèves est l'élément le plus important en matière de gestion de classe*. De façon plus précise, cette synthèse démontre que les enseignants qui cultivent *de bonnes relations avec leurs élèves ont 31 % moins de problèmes disciplinaires, de violation des règles dans la classe et de problèmes qui y sont associés au cours d'une année scolaire*, comparativement à ceux qui entretiennent des relations moins harmonieuses avec leurs élèves. De plus, la **méga-analyse** de Hattie (2009) montre un effet de 0,72 pour le facteur relation positive enseignant-élèves sur le rendement scolaire de ces derniers (*voir l'encadré 3.1, p. 57*). Autrement dit, l'enseignant qui parvient à établir une relation de qualité avec ses élèves provoque des effets positifs sur leur réussite à l'école. De toute évidence, pour un enseignant, il s'agit d'une intervention extrêmement importante à maîtriser puisqu'elle permet non seulement de gérer efficacement les comportements et la classe, mais elle favorise également de meilleurs résultats scolaires des élèves. Il s'avère donc crucial pour chaque enseignant d'entretenir des relations positives avec le groupe d'élèves.

Encadré 3.1 Méta-analyse et méga-analyse

Une méta-analyse commence par une recension d'études à l'intérieur desquelles les chercheurs ont comparé un groupe expérimental avec un groupe contrôle. Les résultats sont alors exprimés sous une forme standardisée qu'on appelle «ampleur de l'effet» et qui correspond à la différence entre la moyenne du groupe expérimental et celle du groupe contrôle, divisée par l'écart-type moyen des deux groupes. L'ampleur de l'effet de la variable étudiée est exprimée en fractions d'écart-type, mais elle peut également être exprimée en centiles. Ainsi, le recours aux méta-analyses permet de produire une synthèse quantitative des résultats provenant d'un ensemble de recherches ayant analysé l'effet d'une variable.

Les résultats de méta-analyses peuvent être regroupés au sein d'une méga-analyse pour comparer et déterminer les interventions les plus efficaces sur un sujet donné. La méga-analyse représente donc une synthèse des résultats provenant de différentes méta-analyses.

Dans sa méga-analyse, John Hattie a comparé 138 variables ayant un effet sur le rendement scolaire des élèves. Il a notamment déterminé qu'un environnement structuré a un effet de $d = 0{,}80$. Le d de Cohen permet d'obtenir une taille d'effet qui représente une mesure de la force de l'effet observé d'une variable sur une autre. Traditionnellement, un d autour de 0,2 est décrit comme un effet «faible», 0,5 «moyen» et 0,8 «fort». Un effet de 0,80 signifie plus précisément qu'un élève améliore sa performance scolaire de 29 centiles, ce qui fait passer un élève moyen du 50e au 79e centile.

Selon Dufour (2010, p. 61) :

> «[L]a qualité de la relation entre les enseignants et leurs élèves est un prédicteur de l'épuisement professionnel. Moins l'enseignant a le contrôle de sa classe, plus son sens du leadership baisse. Quand le climat de classe se détériore, l'enseignant en est affecté et son attitude a tendance à devenir négative. Lorsque les élèves sont peu motivés, apathiques et n'écoutent pas, l'enseignant ne se sent ni satisfait ni efficace. Finalement, quand un enseignant ne se sent pas en contrôle dans sa classe, il ressent un sentiment d'échec qui peut le mener à l'épuisement professionnel.»

Comment faire pour établir des relations harmonieuses avec ses élèves? La première stratégie à utiliser est d'entretenir des attentes élevées envers tous les élèves.

3.1.1 Croire à la réussite des élèves et entretenir des attentes élevées à leur égard

Porter un jugement hâtif sur les capacités d'un élève est une attitude qu'il faut absolument éviter puisque le rendement d'un élève est influencé par diverses variables, dont l'enseignant (Hattie, 2009). En effet, l'enseignant qui établit de bonnes relations avec ses élèves et qui a la conviction qu'ils peuvent réussir adoptera une attitude et des comportements favorisant leur réussite (Bressoux et Pansu, 2003).

Inversement, le fait de croire qu'un élève est incapable de réussir engendre chez l'enseignant une attitude et des comportements favorisant l'échec de l'élève en question (Morency et Bordeleau, 1992). Ce phénomène a été mis en lumière par de nombreuses recherches empiriques (Bressoux et Pansu, 2003 ; Morency et Bordeleau, 1992 ; Rosenthal et Jacobson, 1968). C'est pourquoi il importe d'entretenir des attentes élevées envers tous les élèves, et ce, même envers un groupe d'élèves difficiles. À ce propos, l'histoire suivante est éloquente :

> « Un jeune enseignant fut appelé à occuper un poste au secondaire avec le groupe le plus difficile. Comme à l'habitude, le directeur lui remit tous les papiers d'usage concernant sa classe. Les semaines passèrent et on n'entendit pas parler de cette classe, ce qui fut surprenant compte tenu du peu d'expérience de l'enseignant et de la composition du groupe. Au mois de novembre, lors de la remise du bulletin, la direction fut surprise de constater que la moyenne du groupe était excellente. Les commentaires sur les problèmes disciplinaires étaient très rares. La direction rencontra l'enseignant pour le féliciter et connaître son secret. L'enseignant lui répondit qu'il n'avait aucun mérite compte tenu du fort quotient intellectuel de ses élèves et qu'au contraire, il travaillerait à ce que les résultats soient encore plus forts. La direction demanda alors à l'enseignant comment il avait pris connaissance des quotients intellectuels de ces élèves. Ce dernier répondit que parmi les documents reçus en début d'année, un d'entre eux indiquait le niveau d'intelligence de ses élèves. Il ajouta qu'il leur répétait souvent qu'ils étaient brillants et qu'il était choyé de commencer sa carrière avec des élèves aussi doués. Le directeur demanda à voir ce document. Cette liste n'indiquait pas les quotients intellectuels, mais bien les numéros de casier des élèves ! Les attentes de l'enseignant, basées sur une fausse information, avaient créé une situation, une prophétie positive qui s'était réalisée d'elle-même. » (Royer, 2005, p. 112-114)

> Entretenir des attentes élevées envers tous les élèves consiste essentiellement à croire à l'éducabilité des enfants et à le leur manifester au quotidien en gestes et en paroles.

Comment entretenir des attentes élevées ?

Les expériences menées par Dweck (2006) ont montré qu'un enseignant peut influencer considérablement la façon dont l'élève conçoit son intelligence par l'entremise de la rétroaction fournie dans la réalisation des tâches (Blackwell, Trzesniewski et Dweck, 2007). Plus précisément, Dweck a constaté qu'en situation d'apprentissage, les élèves ont deux manières de concevoir leur intelligence : l'une statique et l'autre dynamique. Par exemple, l'enseignant qui indique par ses commentaires à l'élève performant en mathématiques qu'il réussit grâce à son talent, renforce, chez ce dernier, une conception statique de son intelligence. Inversement, l'enseignant qui souligne à l'élève que sa réussite en mathématiques relève des efforts qu'il investit et des stratégies qu'il utilise, manifeste une conception dynamique de l'intelligence. En favorisant ainsi chez leurs élèves le développement d'une telle conception de leurs capacités intellectuelles, l'enseignant agit directement sur les attentes qui les guident en situation d'apprentissage. Mais ce type d'intervention pédagogique nécessite que l'enseignant lui-même véhicule d'abord et avant tout une conception dynamique de l'intelligence qui se traduit dans le propre langage qu'il utilise et qui montre aux élèves qu'il entretient des attentes élevées à leur endroit. Inversement :

> « Il ressort également que les croyances des enseignants à propos de la nature de l'intelligence humaine influencent considérablement leurs comportements à l'égard des élèves (Good, 1990). En effet, les maîtres qui perçoivent l'intelligence comme une entité stable ont tendance à classer les élèves de façon hiérarchique selon la performance attendue de ceux-ci. Cette organisation n'est pas sans conséquence puisqu'un traitement différencié sera accordé en regard des perceptions et attentes forgées à l'endroit des élèves. Pour leur part, les enseignants qui véhiculent une vision dynamique de l'intelligence humaine transmettent l'idée selon laquelle tous les élèves peuvent s'améliorer, que les différences entre les modes d'apprentissage et les résultats sont inévitables et que les élèves peuvent apprendre de ceux qui font preuve d'une certaine habileté. » (Martineau et Gauthier, 1999, p. 477)

Le langage est un puissant vecteur des attentes de l'enseignant. Dès la planification de sa présentation d'une tâche scolaire aux élèves, l'enseignant veille donc à utiliser un vocabulaire approprié pour favoriser leur motivation. Il doit s'assurer que les mots utilisés en cours d'action atteignent vraiment leur but. Les mots choisis doivent être bien compris des élèves afin de parvenir effectivement à favoriser leur sentiment d'efficacité. Par exemple, plutôt que de qualifier une tâche de « facile » ou de « difficile », il s'assure que les mots choisis reflètent bien qu'il est possible pour tous les élèves de réussir cette tâche (*voir la figure 3.2, p. 60*). Ainsi, l'enseignant dit aux élèves qu'*en fournissant les efforts nécessaires et en utilisant une bonne façon de s'y prendre ou des stratégies appropriées, la réussite est possible* (Bissonnette et Richard, 2001). Par conséquent, ceux-ci comprennent que la réussite (R) est tributaire des efforts déployés (E) et des stratégies employées (S), autrement dit $R = E \times S$. La responsabilité de l'élève est de déployer les efforts nécessaires à la réalisation de la tâche, tandis que celle de l'enseignant est de lui fournir et surtout de lui enseigner les stratégies dont il a besoin. L'enseignant s'assure donc de répéter fréquemment en classe la formule ($R = E \times S$) à ses élèves (*voir la figure 3.3, p. 60*).

Les attentes de l'élève envers lui-même déterminent également les attitudes et les comportements qu'il déploie vis-à-vis de la situation d'apprentissage. À ce sujet, les travaux de Dweck (2006) ont montré les avantages indéniables de travailler sur la perception qu'entretiennent les élèves à propos de leur capacité à réaliser les activités d'apprentissage, car celle-ci influencera directement leur niveau de motivation, c'est-à-dire l'engagement et la persévérance qu'ils manifesteront lors de la réalisation de la tâche.

Figure 3.2 | Les conditions de la réussite

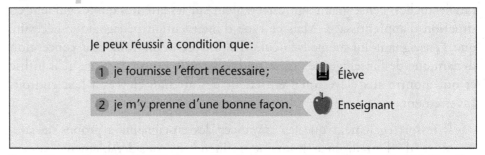

Je peux réussir à condition que:

1 je fournisse l'effort nécessaire;   Élève

2 je m'y prenne d'une bonne façon.   Enseignant

Source: Bissonnette et Richard, 2001, *Comment construire des compétences en classe*, Montréal: Chenelière.

Figure 3.3 | La formule de la réussite

Source: Steve Bissonnette

D'un côté, les élèves qui tendent à attribuer les succès ou les échecs scolaires à leur potentiel, ou à leur talent naturel, développent une conception statique de leur intelligence. Par conséquent, en attribuant les résultats qu'ils obtiennent à des facteurs extérieurs et qui échappent à leur contrôle, ils considèrent n'avoir que peu ou pas de pouvoir sur leurs apprentissages. De l'autre côté, les élèves qui croient que leurs résultats scolaires sont tributaires des efforts qu'ils déploient et des stratégies qu'ils emploient font preuve d'une conception dynamique de leur intelligence, puisqu'ils attribuent leurs réussites ou leurs difficultés à des facteurs qu'ils peuvent eux-mêmes contrôler.

De fait, la conception que l'élève possède de son intelligence influe directement sur son niveau d'engagement et d'application à l'égard de la tâche. En effet, si l'élève pense qu'il n'a pas le talent nécessaire pour réaliser ce qui est demandé en classe et qu'il anticipe un échec, les probabilités qu'il exécute et réussisse la tâche sont très faibles. Le résultat obtenu vient alors confirmer la perception qu'il a de lui-même. L'élève s'enferme alors dans un cercle vicieux à l'intérieur duquel moins il considère avoir de talent, plus il échoue et plus il échoue, moins il croit en son potentiel. En revanche, une conception dynamique de l'intelligence permet à l'élève de réaliser que toute activité scolaire réussie ou non est tributaire des efforts déployés et des stratégies utilisées. Cette représentation augmente considérablement les probabilités que ce dernier réalise la tâche, puisqu'elle vient lui confirmer qu'il a du pouvoir sur ce qu'il entreprend.

Une méga-analyse récente réalisée par Hattie (2009) souligne l'importance de la perception de sa propre efficacité de la part d'un élève. En effet, sur 138 facteurs qui influent sur le rendement des élèves, celui de l'anticipation par l'élève de sa capacité à réussir (ce que l'on nomme le sentiment d'efficacité personnelle ou SEP) arrive bon premier. Ainsi, lorsque l'enseignant utilise la formule $R = E \times S$, il indique aux élèves qu'il entretient des attentes élevées à leur égard, mais il influe également directement sur leur SEP, le facteur qui a le plus d'effet sur leur rendement et leur motivation.

Dans le même sens, comme le souligne Bouffard, bien que la motivation scolaire soit activée par la nature de l'activité et les buts recherchés, *c'est le sentiment d'efficacité personnelle de l'élève qui est le facteur le plus déterminant sur sa motivation*. Le SEP se définit comme « la croyance de la personne en sa capacité d'organiser et d'exécuter les actions qui sont requises pour atteindre les objectifs fixés et produire les résultats recherchés dans la tâche » (Bouffard, 2011, p. 3). Plus loin, en citant les travaux d'Albert Bandura, elle affirme que « la motivation d'une personne, ses états émotifs et ses actions reposent davantage sur sa représentation de soi, [son SEP], que sur ce qu'elle peut réellement » (Bouffard, 2011, p. 6). De plus, les recherches de Bouffard (2004, 2011) ont également montré l'importance, voire l'urgence d'intervenir sur le SEP des garçons.

En effet, le groupe de recherche auquel est rattachée Bouffard a mené, au cours des 20 dernières années, une série d'enquêtes auprès d'environ 5000 jeunes du primaire et du secondaire. Ces travaux établissent des liens entre l'affectivité, la motivation et l'apprentissage scolaire. Or, une analyse des données en fonction de la réussite scolaire des garçons et des filles amène l'auteure à formuler quelques constats troublants :

> « Les garçons ont une faible capacité à faire des efforts quand une activité paraît peu intéressante ou ennuyeuse, quand la gratification n'est pas immédiate mais différée dans le temps. Une des manifestations de cette réalité : filles et garçons évaluent assez négativement leurs cours de français, ce qui n'empêche pas les filles de maintenir leur effort dans cette matière. Beaucoup de garçons considèrent que le besoin de faire des efforts est inversement proportionnel à l'intelligence (quand un élève est assez intelligent, il n'a pas à travailler fort pour réussir). En même temps, les garçons ont moins que les filles l'impression d'avoir un contrôle sur

leur rendement et attribuent une part importante de ce rendement à la chance. » (Bouffard, 2004, p. 1)

La différence d'attitude et de comportement entre les garçons et les filles est un phénomène que l'on observe également en Europe. Voici les résultats d'une enquête menée en Suisse :

« Les résultats inférieurs des garçons semblent résulter d'un cumul de plusieurs facteurs : attitude plus négative envers l'école, comportements moins adaptés, influences négatives du groupe des pairs, motivation intrinsèque plus faible, <u>plus fortes tendances à se soustraire aux efforts d'apprendre</u>[2] ou à faire les devoirs à domicile. L'étude a confirmé l'existence d'un rapport hautement signifiant entre le succès scolaire et les attitudes stéréotypées en matière de sexe. » (Grünewald-Huber, Hadjar, Lupatsch, Gysin et Braun, 2012, p. 2)

Les constats présentés par Bouffard (2004) et ceux évoqués dans l'enquête suisse en ce qui concerne les garçons démontrent la pertinence de recourir à la formule R = E × S, afin, d'une part, de favoriser le développement d'une conception dynamique de leur intelligence et de soutenir également chez eux le développement d'un sentiment d'efficacité personnelle positif et, d'autre part, de leur manifester des attentes élevées.

En mettant en lumière les différences entre les garçons et les filles, ces recherches rejoignent les propos de nombreux intervenants en éducation (les enseignants, les directions d'école et les professionnels). En effet, ces derniers soulignent le peu d'efforts déployés par les élèves, particulièrement les garçons, dans la réalisation des tâches qui leur sont confiées.

Pour conclure ces propos concernant les attentes élevées, il faut se souvenir que dès la phase de préparation de son enseignement, l'enseignant doit prévoir faire usage de certains mots et de certaines interventions soigneusement planifiés afin de démontrer aux élèves qu'il entretient des attentes élevées envers chacun. Ce faisant, il transmet clairement aux élèves qu'ils sont en mesure d'accomplir les tâches demandées pourvu qu'ils fassent les efforts nécessaires et qu'ils emploient les bonnes stratégies. Les manières de concevoir et de dire les choses sont donc fondamentales, et l'enseignant doit prévoir minutieusement ses façons de faire. En prévoyant faire usage d'un vocabulaire approprié et adéquat, il favorise le sentiment d'efficacité personnelle des élèves, ce qui, par ricochet, amène ces derniers à fournir davantage d'efforts et à améliorer leur chance de réussite dans l'accomplissement de la tâche.

Bref, s'il vise à mettre en place des interventions préventives pour favoriser une gestion de classe efficace, il est primordial pour l'enseignant d'entretenir des attentes élevées envers les élèves (R = E × S) et de planifier son enseignement en conséquence. Par ailleurs, bien que les études et les recherches réalisées en éducation soulignent la nécessité d'entretenir des attentes élevées envers tous les élèves (Morency et Bordeleau, 1992), il importe de concrétiser cela au quotidien par des gestes et des actions en salle de classe. *Le langage constitue certes le véhicule le plus puissant pour montrer quotidiennement aux élèves que leur*

---

2. Nous soulignons.

enseignant entretient des attentes élevées envers eux. En effet, le langage employé par l'enseignant lors de la présentation d'une tâche à réaliser par les élèves (par exemple, les qualificatifs du type «C'est facile!» ou «C'est difficile!») fera émerger chez ceux-ci des pensées positives ou négatives. Ces pensées feront surgir des émotions positives ou négatives qui influeront à leur tour positivement ou négativement sur les comportements et les actions des élèves. Ces comportements et actions influenceront alors la perception d'une prochaine tâche semblable à réaliser. La figure 3.4 résume bien le lien entre ces divers éléments.

Figure 3.4 | L'importance du langage pour favoriser la réussite

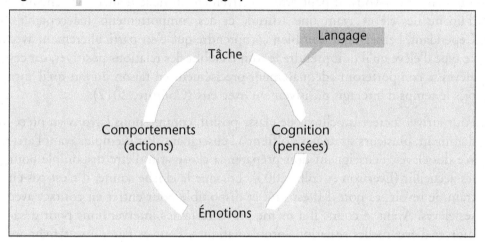

Finalement, l'enseignant s'efforce constamment de formuler des attentes élevées envers tous les élèves. Il s'assure que les effets du vocabulaire utilisé se maintiennent dans le temps. S'il constate une baisse de motivation, il ajuste le tir et trouve de nouvelles façons d'exprimer aux élèves ses attentes ainsi que leur capacité à les atteindre.

Par-delà les attentes élevées envers chaque élève, d'autres stratégies s'offrent à l'enseignant afin d'établir des relations positives avec chacun de ses protégés. Dans les lignes qui suivent, nous précisons l'importance pour l'enseignant d'interagir avec tous ses élèves.

3.1.2 Interagir avec tous les élèves

Pour établir une relation positive avec chaque élève, encore faut-il interagir avec chacun (Knoster, 2008). Une telle affirmation semble aller de soi. Toutefois, bon nombre d'enseignants interagissent peu ou pas avec leurs élèves et se plaignent du climat désagréable qui règne dans leur classe. Comment est-il possible de développer des relations positives avec les élèves et d'installer un climat propice à l'enseignement et aux apprentissages si l'enseignant interagit peu ou pas du tout avec ses protégés?

Interagir avec les élèves implique pour l'enseignant une série de petits gestes et d'actions à entreprendre au quotidien. Il est fondamental pour tout enseignant de planifier ses interactions avec les élèves et en particulier avec ceux qui éprouvent des difficultés.

Comment planifier ses interventions avec les élèves ?

Comment est-il possible de planifier ses interventions avec les élèves ? D'abord, il faut bien comprendre que, dans une classe, plusieurs élèves arrivent avec une attitude favorable à l'apprentissage, tandis que d'autres voudraient se voir ailleurs. Dans un tel contexte, le défi pour l'enseignant n'est pas d'interagir avec les élèves du premier groupe, mais avec ceux qui affichent une attitude et des comportements difficiles (Couture, 2012). En effet, il est particulièrement important d'établir des relations positives avec les élèves présentant des difficultés d'adaptation. Pour y arriver, l'enseignant doit délibérément interagir de manière planifiée avec ceux-ci, et ce, même si le désir de le faire n'est pas toujours au rendez-vous. Il peut être effectivement difficile d'aller à la rencontre d'un ou des élèves ayant une attitude et des comportements inacceptables. Cependant, l'enseignant doit bien comprendre que c'est particulièrement avec ce type d'élève qu'il doit prendre le soin d'établir des relations positives, car ces élèves se comporteront adéquatement précisément en raison du fait qu'il aura pris le temps d'interagir positivement avec eux (Couture, 2012).

Pour arriver à créer un climat de classe positif, comme nous l'avons vu précédemment, plusieurs stratégies s'offrent à l'enseignant. Par exemple, avant l'arrivée des élèves, l'enseignant doit préparer sa classe afin d'être disponible pour les accueillir (Evertson et coll., 2005). Lorsque la cloche sonne, il n'est pas en train de revoir ses notes ! Il est prêt et disponible pour entrer en contact avec ses élèves. Avant le cours, il a même prévu certaines interventions pour désamorcer d'éventuelles situations problématiques. Pour ce faire, il se remémore chaque élève dans sa classe en visualisant ceux qui ont tendance à se comporter d'une manière inappropriée. Il se rappelle les élèves qui ont manifesté des comportements inadéquats récemment et il leur porte une attention spéciale dès leur arrivée. L'enseignant leur fait un commentaire positif, s'intéresse à leurs propos afin de désamorcer toute tendance à l'adoption d'un comportement inapproprié. Ces commentaires sont des invitations à bien se comporter. L'enseignant se tient aussi au courant de tout événement survenu hors de la classe, mais qui pourrait affecter négativement les comportements des élèves (bataille à l'heure du dîner ou pendant la récréation, chicane entre élèves de la classe, etc.). Il peut alors se montrer particulièrement sensible aux élèves impliqués et intervenir en conséquence. L'encadré 3.2 donne une liste plus complète de stratégies qu'il est possible de mettre en œuvre.

Encadré 3.2 Stratégies à mettre en œuvre

L'enseignant doit planifier la mise en œuvre des stratégies suivantes (Knoster, 2008 ; Missouri Schoolwide Positive Behavior Support, 2012) :

- S'assurer que la disposition des bureaux lui permet de circuler aisément afin de s'approcher des élèves au besoin (ni trop près ni trop loin : environ un mètre).

- Regarder les élèves lors des échanges. L'enseignant veille à ce que rien n'obstrue sa vue.

- Interpeller les élèves par leur prénom. L'enseignant se donne une stratégie pour apprendre rapidement le nom de ses élèves. Au primaire, il peut inscrire le nom d'un élève sur chaque pupitre. Cette façon de faire lui permet de décider de la place de chacun de ses élèves en plus de favoriser chez ces derniers l'apprentissage des noms de leurs pairs. Au secondaire, l'enseignant prépare un plan de classe sur lequel il écrit les noms des élèves. Il laisse ce plan à la vue des élèves afin qu'ils puissent le consulter.

- Poser des questions ouvertes afin d'établir une discussion. Avant l'arrivée des élèves, l'enseignant pense à quelques questions à poser à certains élèves ciblés à l'avance avec lesquels il désire interagir davantage.

- Utiliser une expression faciale appropriée (avoir un sourire). L'enseignant prépare son cours et son matériel. Lorsque la cloche sonne, il est en classe, tout est prêt. Il prend le temps de se détendre et de sourire.

- Écouter les élèves. Il prête une attention sincère aux propos de ses élèves. Pour ce faire, son cours et son matériel doivent être prêts à leur arrivée.

- Démontrer de l'empathie. L'enseignant doit montrer qu'il se soucie vraiment de ses élèves. Encore une fois, s'il est occupé à courir à droite et à gauche pour préparer le cours qui vient, il n'est pas disponible pour ses protégés.

- Manifester de l'intérêt. L'enseignant peut observer les élèves lors de leur arrivée en classe. Il profite de ce qu'il voit pour manifester son intérêt envers eux. Il peut aussi se tenir au courant des activités pratiquées par ses élèves et les questionner à ce propos.

- Accueillir les élèves à la porte de la classe. Encore une fois, tout doit être prêt à l'arrivée des élèves. Ce faisant, l'enseignant a le temps de s'installer à la porte de la classe afin de les accueillir.

- Utiliser l'humour (et non le sarcasme).

- Utiliser un ton de voix calme et approprié (éviter de crier). L'enseignant se prépare mentalement avant l'arrivée des élèves. Il se détend et «fait le vide».

- Être un modèle en gestes et en paroles. L'enseignant veille à être crédible aux yeux de ses élèves. Il pratique lui-même ce qu'il propose aux élèves de faire. Dès la phase de planification de son cours, il s'assure que tout ce qu'il se propose de faire ou de dire est en accord avec les règles de vie en classe et celles de l'école.

- S'assurer que le nombre d'interactions positives est supérieur aux interactions négatives. *Pour chaque interaction négative ou avertissement que l'élève reçoit lorsqu'il se comporte mal, il doit recevoir au moins quatre interactions positives* (Sprick, Knight, Reinke et Kale, 2006). Avant le cours, l'enseignant pense à ses interventions. Il peut déjà prévoir avec quel(s) élève(s) il interagira et à quel moment. Il peut écrire quelques notes sur d'éventuelles interactions positives qu'il pense pouvoir effectuer.

Les interactions positives

Qu'est-ce qu'une interaction positive? Les interactions positives sont celles où l'enseignant souligne à l'élève ses bons comportements, mais également celles où il l'accueille, lui dit bonjour, discute avec lui, etc. Interagir positivement ne signifie pas pour autant qu'il faille dire bravo à tout instant. Il importe pour l'élève d'avoir plus de contacts plaisants avec son enseignant que d'interventions négatives. Il faut donc essayer d'intervenir auprès de l'élève au moment précis où il se comporte bien. Il faut porter attention aux bons comportements des élèves et pas seulement s'adresser à ces derniers lorsqu'ils manifestent des écarts de conduite.

Royer (2005) explique l'importance des interactions positives à l'aide de l'analogie du compte de banque. Commenter fréquemment et positivement les comportements adaptés de l'élève, le surprendre lorsqu'il est en train de réussir représente un «dépôt». Par la suite, il est plus facile de souligner quelque chose de négatif, de faire un «retrait», car on a «déposé» du positif dans le compte de banque de l'élève. L'élément le plus important de cette dynamique est de garder un solde positif dans le compte.

De façon générale, les enseignants accorderaient de 3 à 15 fois plus d'attention aux comportements déviants de leurs élèves qu'à leurs comportements positifs en classe (Hall et Hall, 1990, cités dans Veillet, Bacon, Massé, Levesque et Couture, 2011, module 6, p. 2). Or, il faudrait inverser cette tendance. «Les enseignants qui réussissent à porter une attention sincère aux comportements positifs de leurs élèves, qui félicitent leurs bons comportements, améliorent le climat de classe de façon considérable» (Veillet et coll., 2011, module 6, p. 2).

L'enseignant qui a planifié avec soin ses interactions avec les élèves doit, dans la phase d'interaction, parvenir à mettre effectivement en œuvre la préparation qu'il a élaborée. Il interagit de manière empathique et s'affirme de façon constructive. Il sollicite le point de vue de l'élève et lui donne de l'importance. Recourir à l'empathie ne signifie pas que les élèves récalcitrants peuvent faire comme bon leur semble sans égard aux autres. Elle permet plutôt de prendre en compte leur opinion afin qu'ils puissent s'exprimer d'une façon satisfaisante. Lorsque l'enseignant fait preuve d'ouverture envers l'élève, les chances que ce dernier s'engage dans un processus de changement augmentent. Au contraire, un enseignant qui ne démontre aucun intérêt envers les sentiments de ses élèves s'expose à davantage de comportements défiants ainsi qu'à une résistance à la coopération et à la responsabilisation.

Qui plus est, les enseignants efficaces s'intéressent à chaque élève (Couture, 2012). Ils prennent le temps de discuter avec eux personnellement afin de découvrir leurs goûts, les activités qu'ils pratiquent, etc. Tout au long de l'année, ils ont l'habitude de leur poser des questions à ce sujet et, autant que faire se peut, ils tiennent compte de ces goûts lors de la préparation des activités d'apprentissage. Par exemple, si les élèves aiment particulièrement la musique, un enseignant de français peut leur demander de rédiger une composition à ce sujet alors qu'un enseignant de mathématiques peut leur présenter un problème écrit qui porte également sur ce sujet. Une autre façon de démontrer de l'intérêt pour les élèves est de lire les journaux locaux et les autres sources locales d'information afin de rester au courant des diverses activités extrascolaires (natation, danse, théâtre, soccer, bénévolat, etc.).

Bref, l'enseignant doit interagir avec chaque élève de manière individuelle afin que ce dernier se sente apprécié pour ce qu'il est personnellement. L'enseignant prend le temps de discuter informellement avec ses élèves. Ces occasions arrivent spontanément, par exemple, lorsqu'un élève arrive plus tôt en classe, à l'occasion d'une activité organisée par l'école, etc. S'il rencontre des élèves dans un contexte autre que celui de l'école (épicerie, pharmacie, aréna, etc.), l'enseignant prend le temps de saluer par leur nom les élèves qu'il a rencontrés.

Outre les stratégies pour établir de bonnes relations avec les élèves, les enseignants efficaces savent créer un environnement propice aux apprentissages. À cet effet, ils déploient plusieurs dispositifs pour créer un milieu de vie sécurisant, ordonné, prévisible et positif.

3.2 La création d'un environnement sécurisant, ordonné, prévisible et positif

La deuxième intervention préventive à utiliser est celle qui consiste à prévoir l'environnement en classe afin qu'il soit un milieu de vie sécurisant, ordonné, prévisible et positif. La classe doit être un milieu où les élèves et l'enseignant se sentent bien, où ils sont en sécurité, sans craindre la violence et l'intimidation. La classe doit être un lieu où le climat positif favorise l'enseignement et l'apprentissage, un milieu de vie ordonné dans lequel des règles, des procédures et des routines ont été enseignées explicitement afin d'encourager l'adoption de bons comportements. Finalement, ce milieu doit être prévisible, il s'agit d'un espace de vie dans lequel les élèves savent exactement les attitudes et les comportements qui sont attendus d'eux. Bref, il s'agit d'une classe structurée où il fait bon vivre. Les avantages d'une telle classe sont clairement démontrés par les recherches. Plus précisément, les résultats obtenus par Hattie (2009) indiquent qu'un environnement structuré produit des effets bénéfiques sur le rendement scolaire des élèves ($d = 0,80$[3]). Autrement dit, lorsqu'un enseignant parvient à établir un environnement structuré dans sa classe, ses élèves obtiennent de meilleurs résultats scolaires.

Nous proposons deux stratégies afin de parvenir à un environnement structuré en classe : d'une part, nous suggérons d'enseigner explicitement aux élèves les comportements attendus en classe et, d'autre part, d'adopter un rythme soutenu dans son enseignement.

3.2.1 Enseigner explicitement les comportements attendus

Pour parvenir à créer un environnement structuré, il importe d'enseigner explicitement aux élèves les comportements attendus en classe ainsi qu'à l'extérieur de celle-ci, au même titre que le sont les contenus des disciplines scolaires comme la lecture et les mathématiques. Préciser clairement et explicitement aux élèves les attentes de ce qui est approprié constitue une première étape afin d'établir une atmosphère positive en classe (Emmer et coll., 1980 ; Leinhardt, Weidman et Hammond, 1987).

---

3. Rappelons que le d de Cohen permet d'obtenir une taille d'effet. Il représente une mesure de la force de l'effet observé d'une variable sur une autre, et 0,80 est considéré comme « fort ».

Considérer les comportements en tant qu'objet d'enseignement est une stratégie indispensable pour créer un milieu sécuritaire, ordonné et prévisible (Simonsen, Fairbanks, Briesh, Myers et Sugai, 2008). Dans un tel contexte, les élèves n'ont pas à deviner ce que l'enseignant attend d'eux, puisqu'il leur a montré explicitement les comportements et les attitudes à adopter. Cette façon de faire favorise davantage l'adoption des comportements souhaités que le recours à la punition. Ainsi, plutôt que d'intervenir en aval de manière corrective en exerçant une coercition (en donnant une punition) lors d'un écart de conduite, les enseignants efficaces agissent en amont de manière préventive en enseignant explicitement aux élèves les comportements attendus (Simonsen et coll., 2008). Prévenir plutôt que guérir les problèmes de comportement. Il ne faut pas oublier que la punition n'enseigne pas les comportements appropriés aux élèves. Au mieux, elle met fin au comportement négatif... du moins pour un certain temps!

De plus, se limiter à énoncer les règles concernant les comportements acceptables des élèves n'est pas plus suffisant que de se contenter d'énoncer les règles de mathématiques (Boynton et Boynton, 2009, p. 24). Il faut aller plus loin et les enseigner, les expliquer et les faire pratiquer. Quand un élève éprouve des difficultés en lecture ou en mathématiques, jamais il ne viendrait à l'esprit de le punir pour l'aider à comprendre. En effet, il serait illogique d'affirmer que la punition incitera l'élève à apprendre ses tables de multiplication, par exemple. Pourquoi le punit-on alors lorsqu'il éprouve des difficultés d'ordre comportemental ou manifeste des écarts de conduite? S'il n'est pas acceptable de punir un enfant en raison de ses difficultés d'apprentissage de la lecture ou des mathématiques, ce n'est pas davantage acceptable de le faire s'il présente des problèmes de comportement. Par conséquent, il s'avère nécessaire d'enseigner explicitement les comportements attendus.

Comment planifier l'enseignement explicite des comportements? Voici une démarche en cinq points proposée par le Missouri Schoolwide Positive Behavior Support (2012):

1. Choisissez deux ou trois valeurs à enseigner aux élèves. Les écoles disposent habituellement d'un projet éducatif à l'intérieur duquel des valeurs ont été précisées. Il est alors possible d'utiliser celles-ci. Au Québec, plus de 70 % des écoles ont établi une liste de valeurs telles que le respect et la responsabilité dans leur projet éducatif.

2. Préciser ensuite des contextes de vie quotidienne en classe et dans l'école dans lesquels les élèves évoluent. Il s'agit de tout contexte dans lequel ils peuvent se trouver, par exemple, le travail en équipe, le travail autonome, les présentations de l'enseignant, les transitions, les déplacements, etc.

3. Transformer chacune des valeurs en attentes comportementales, et ce, pour tous les contextes de vie en classe établis précédemment. Ainsi, l'enseignant précise: Que vais-je voir ou entendre, en matière de comportements d'un élève qui est respectueux, lors du travail d'équipe? Que vais-je voir ou entendre, sur le plan des comportements d'un élève qui est respectueux, lors des présentations? du travail autonome? des déplacements? Ensuite, il se pose les mêmes questions pour la seconde valeur identifiée, par exemple, la responsabilité: Que vais-je voir ou entendre, en matière de comportements d'un élève qui est responsable, lors du travail d'équipe? lors des présentations? pendant le travail autonome? pendant les déplacements?

En répondant à ces différentes questions, il peut construire une matrice de comportements, comme celle du tableau 3.2, qui fixe les règles à suivre ou les comportements attendus à adopter de la part des élèves.

Tableau 3.2 | Un exemple de matrice de comportements

Valeurs	Transitions et déplacements	Pratique dirigée (le travail en équipe)	Pratique autonome (le travail individuel)	Modelage (présentations de l'enseignant)
Être respectueux	• Je garde mes mains et mes pieds pour moi. • Je me déplace sans faire de bruit (en silence). • Je garde un espace entre moi et l'autre dans une file.	• J'écoute et je regarde celui qui parle. • J'accepte les questions et les réponses des autres.	• Je lève la main avant de parler ou pour demander de l'aide. • Je travaille sans faire de bruit (en silence).	• Je regarde et j'écoute l'enseignant. • Je lève la main avant de parler ou pour poser une question. • Je garde mes mains et mes pieds pour moi.
Être responsable	• Je fais ce que l'enseignant demande immédiatement. • Je range le matériel dont je n'ai pas besoin. • J'apporte uniquement le matériel requis.	• Je participe au travail d'équipe (discussions, rôle et tâche). • Je demeure avec mon équipe en tout temps. • Je réalise le travail demandé immédiatement (sans perdre mon temps).	• Je reste à ma place. • Je demande la permission pour me lever ou circuler. • Je réalise le travail demandé immédiatement (sans perdre mon temps).	• Je garde mes mains et mes pieds pour moi. • Je demande la permission pour me lever ou circuler. • Je range le matériel dont je n'ai pas besoin. • J'utilise uniquement le matériel requis.
Être collaborateur	• Je laisse mon endroit propre.	• J'aide les autres. • J'accepte l'aide des autres.	• En cas de besoin, j'attends sans faire de bruit l'aide de mon enseignant.	• J'essaie de comprendre ce qui est présenté.

Chacune des attentes comportementales (règles) à l'intérieur de la matrice est formulée au « je » et selon une forme positive. La formulation des attentes avec le « je » est plus personnalisante pour l'élève, alors qu'un énoncé positif évite de focaliser l'attention de l'élève sur les comportements inappropriés. Ainsi, au lieu de dire : « Je ne cours pas dans le corridor », on indique : « Je circule à droite dans le corridor en gardant le silence. » La matrice comportementale indique alors tous les comportements attendus des élèves plutôt qu'une série d'interdits formulés avec des « ne pas ». Il importe de noter qu'une règle formulée sous forme d'interdit comme « Ne pas courir dans les corridors » n'indique pas à l'élève ce qui est attendu de lui mais *uniquement ce qu'il n'a pas le droit de faire*. Dans un tel contexte, l'élève doit alors deviner ce qui est attendu de lui sur le plan des comportements. Fait à noter : les élèves ayant des difficultés d'adaptation sont des experts pour deviner autre chose que les comportements souhaités ou désirés !

4. Présenter et expliquer aux élèves chacune des attentes comportementales associées aux différents contextes ou moments de vie afin de s'assurer de leur compréhension. De plus, ces attentes devraient également être affichées et visibles dans la salle de classe. Les résultats de recherche ne recommandent

pas de négocier les règles de classe avec les élèves (Rhode et Jenson, 2010). Ce qui importe, c'est de présenter les attentes comportementales, de les préciser explicitement et de s'assurer de leur compréhension.

5. Enseigner explicitement à l'aide d'un modelage, d'une pratique dirigée et d'une pratique autonome pour s'assurer de la compréhension des attentes comportementales par tous les élèves, et ce, en contexte réel. Les attentes comportementales liées au travail d'équipe doivent être enseignées explicitement lors d'une activité de travail d'équipe. Il en va de même pour les attentes comportementales hors classe. Les attentes comportementales associées à la circulation dans les corridors seront enseignées explicitement dans le corridor.

Comme le soulignent Martineau et Gauthier (1999, p. 480):

« Les enseignants qui obtiennent du succès en enseignement, tant ceux du primaire que ceux du secondaire, se montrent particulièrement habiles à établir des règles et des procédures dès le début de l'année scolaire (Cruickshank, 1990 ; Doyle, 1986 ; Evertson, 1989 ; Good, 1983, 1990). Cette entreprise est cruciale compte tenu que l'ordre créé durant les premiers jours de l'école prédit le degré d'engagement des élèves et le niveau de perturbation de la classe pour le reste de l'année scolaire (Doyle, 1990). »

Par conséquent, avant le début de l'année scolaire, l'enseignant doit se préparer minutieusement. Il choisit les règles, les routines, les procédures en salle de classe et à l'extérieur de la classe qu'il veut voir adopter par ses élèves (*pour les définitions de ces termes, voir l'encadré 3.3*). Il résume ces éléments sur des affiches qu'il dispose bien à la vue dans la classe. Il planifie aussi soigneusement les explications qu'il donnera aux élèves afin de leur préciser le bien-fondé de ces règles. Il choisit également minutieusement des exemples et des contre-exemples ainsi que des occasions de pratique guidée.

Encadré 3.3 Quelques définitions

Règle

Une règle correspond à une ou des attentes comportementales générales applicables dans différents contextes. Exemple : je lève la main pour obtenir le droit de parole.

Routine

La routine constitue l'automatisation d'une série de procédures visant le contrôle et la coordination de séquences de comportements applicables à des situations particulières. Exemple : au son de la cloche, je dois être assis à ma place, mon matériel doit être sur mon bureau et je regarde et j'écoute l'enseignant.

Procédure

Une procédure correspond à une ou des attentes comportementales précises applicables dans un contexte particulier. Exemple : je ferme l'ordinateur avant de quitter le local d'informatique.

La figure 3.5 rappelle les différentes étapes à suivre en vue de l'enseignement explicite des comportements, des procédures et des routines. Tout doit être préparé, réfléchi et ne laisser aucune place à l'improvisation. Cela ne veut pas dire qu'il n'y aura pas d'imprévu, mais s'il réfléchit bien à ce qui peut se passer, l'enseignant préviendra plusieurs problèmes potentiels. Plus ces éléments seront structurés et clairs pour l'enseignant, plus ils le seront également pour les élèves !

Figure 3.5 | **L'enseignement explicite des comportements, des règles, des procédures et des routines : les étapes à suivre**

1. Présenter la règle ou la routine et ses procédures. Afficher la règle ou la routine et ses procédures dans la classe dans un endroit stratégique au niveau des yeux des élèves. Utiliser des photos ou des images pour illustrer le comportement désiré.

   } Modelage

2. Expliquer pourquoi la règle ou la routine est importante.
3. Présenter des exemples et des contre-exemples du comportement désiré.
4. Prévoir des occasions pour la pratique des comportements désirés et fournir de la rétroaction (*feed-back*).

   } Pratiques guidée et autonome

Par la suite, dès le début de l'année scolaire, lors des interactions avec les élèves, l'enseignant précise explicitement aux élèves les comportements attendus. Il leur présente les règles et les procédures, les explique systématiquement avant d'amener les élèves à les mettre en pratique (Shavelson et Stern, 1981). Les premières semaines d'interactions sont à cet égard critiques pour la mise en place des règles et des procédures qui seront appliquées pendant toute l'année. En fait, le premier jour d'école constitue le meilleur moment pour jeter les bases de cette intervention. Les enseignants qui, dès le début de l'année scolaire, choisissent de mener des activités plus simples afin de mettre l'accent sur les procédures, peuvent tabler par la suite sur un environnement davantage fonctionnel. À long terme, cet environnement permet aux élèves d'effectuer davantage d'apprentissages (Emmer et coll., 1980).

Plus précisément, les premières activités de l'année doivent amener les élèves à vivre du succès, ce qui leur permettra de développer un sentiment de sécurité et de confiance, et ce, particulièrement pour les élèves du primaire et ceux en difficulté. Par ricochet, le sentiment de réussite éprouvé par les élèves leur donnera le goût de faire des efforts. Par conséquent, les premiers travaux demandés aux élèves doivent être faciles et simples d'exécution. Si les élèves n'éprouvent pas de difficultés majeures à effectuer le travail, ils pourront alors se concentrer sur l'apprentissage des routines. Durant les premiers jours de classe, l'enseignant se limite donc à présenter des leçons en grand groupe. Il évite les travaux en petits groupes, le travail individuel ou encore le travail qui exige de lui qu'il passe beaucoup de temps avec un même élève, ces modalités seront enseignées un peu plus tard, au cours des jours suivants. En effet, en évitant ces situations plus complexes, il s'assure de prévoir tous les comportements ou les événements qui pourraient survenir et dégénérer.

L'important à cette étape est de ne pas surcharger les élèves de travail, car ils ont déjà à assimiler plusieurs nouvelles règles et procédures lors des premiers jours.

L'enseignant réserve des moments pour discuter avec les élèves de leurs points de vue et de leurs besoins d'information à propos de leur nouvelle classe. Des activités variées maintiennent l'intérêt (musique, activités qui permettent aux élèves de bouger, courtes pauses, etc.). Aussi, l'enseignant peut déjà annoncer certaines activités ou sujets particulièrement intéressants qui seront vus pendant l'année afin de susciter l'intérêt des élèves.

Pourquoi passer du temps à planifier l'instauration de routines? Parce que ces dernières rendent le milieu sécurisant, ordonné, structuré et fortement prévisible pour les élèves. L'ensemble des élèves y gagne, mais particulièrement ceux qui ont des difficultés d'adaptation. En effet, ces derniers sont «allergiques» à l'insécurité. Pour ces élèves, un milieu de vie non structuré est un milieu non prévisible créant de l'insécurité, voire de l'anxiété:

> «Le processus de routinisation des activités aide à maintenir l'ordre de la classe. D'abord, par le fait qu'elle atténue, à la fois pour les élèves et les enseignants, l'indétermination de la situation d'apprentissage. Ensuite, parce qu'elle réduit l'occurrence des interruptions, les participants connaissant la séquence normale des actions.» (Martineau et Gauthier, 1999, p. 479)

De plus, les routines sont particulièrement utiles pour responsabiliser les élèves (Evertson, 1989).

Qu'est-ce qu'une routine? Selon Martineau et Gauthier (1999, p. 476):

> «Les routines consistent en l'automatisation d'une série de procédures visant le contrôle et la coordination de séquences de comportements applicables à des situations spécifiques. Elles ont pour effet d'augmenter la stabilité des activités; d'accroître la disponibilité des enseignants devant les réactions des élèves et de réduire l'anxiété des élèves en rendant les enseignants plus prévisibles.»

Les routines les plus importantes à installer et à enseigner explicitement sont:

- celles liées au début et à la fin d'un cours;
- les transitions et les déplacements;
- l'obtention du silence (Evertson et coll., 2005).

Un cours doit toujours commencer et se terminer de la même façon. Les transitions entre deux activités doivent toujours se réaliser de la même manière, tout comme les déplacements. Un environnement d'apprentissage efficace se caractérise notamment par le fait que les activités scolaires s'y déroulent rondement, par le fait que les périodes de transition entre les activités sont brèves et ordonnées et que peu de temps est perdu à organiser la classe ou à transiger avec l'inattention ou la résistance des élèves.

> «Les gestionnaires habiles marquent clairement le début des transitions. Ils les orchestrent activement et minimisent la perte du momentum durant

les changements d'activités (Doyle, 1986 ; Evertson, 1989). À l'opposé, les gestionnaires moins efficaces tendent à confondre les activités les unes avec les autres et ne réussissent pas à superviser les événements au cours des transitions [...] Une transition courte, flexible et facile à discerner grâce à l'utilisation de signaux de départ et d'arrêt clairs (Butler, 1987) semble favoriser l'apprentissage des élèves.» (Martineau et Gauthier, 1999, p. 485)

Dans le même sens, Carter et Doyle (2006) indiquent que des problèmes de transition peuvent résulter d'un manque de préparation de l'enseignant ou des élèves pour l'activité à venir ou encore d'attentes peu claires de l'enseignant envers le comportement des élèves pendant les périodes de transition. Il est donc fondamental pour l'enseignant de préciser explicitement les comportements attendus lors des déplacements et des transitions en plus d'enseigner explicitement à ses élèves comment mettre en pratique ce qui est attendu d'eux. Carter et Doyle (2006) soulignent que les transitions, ces intervalles de temps entre deux activités, se déploient en trois moments. Elles incluent (1) la gestion de la fin d'une activité, (2) la préparation pour l'activité suivante ainsi que (3) le début d'une activité nouvelle. Or, comme nous l'avons vu, ces moments sont particulièrement favorables à l'apparition de comportements indésirables, surtout lorsqu'ils sont longs (Arlin, 1979 ; Gump, 1982 ; Rosenshine, 1980). Carter et Doyle (2006) proposent trois stratégies aux enseignants afin de gérer les transitions efficacement :

1. L'enseignant avertit les élèves qu'une transition aura lieu sous peu et précise à quel moment ce sera. Il dit aux élèves ce qu'ils devront faire pendant cette transition et annonce quelle sera la prochaine activité.

2. L'enseignant accorde toute son attention à la supervision de la transition. Il n'est pas distrait par des questions individuelles ou des détails administratifs.

3. L'enseignant établit des procédures stables pour les transitions. Il fait en sorte que les transitions deviennent routinières, ce qui augmente le caractère prévisible de ces moments de flottement (Weinstein et Mignano, 2003).

Finalement, à l'instar des autres types de routines, celles qui visent à obtenir le silence doivent également faire l'objet d'un enseignement explicite. Par la suite, comme le soulignent Martineau et Gauthier (1999, p. 479) : «À mesure que les élèves apprennent les routines, les enseignants en introduisent d'autres et, éventuellement, toutes les activités régulières deviennent routinisées.»

Bref, le début de l'année scolaire est une période cruciale pour amorcer l'enseignement explicite des comportements. L'enseignant doit cependant rester vigilant toute l'année afin de s'assurer que les acquis ne disparaissent pas. Au besoin, en cours d'année, il interviendra pour rectifier la situation et pour enseigner de nouveau certaines procédures.

> Vous trouverez sur YouTube deux exemples d'enseignement explicite comportemental. Dans ces deux capsules vidéo, les enseignantes apprennent aux élèves tous les comportements attendus.
>
> https://youtu.be/DvWX_6iMalA
>
> https://youtu.be/K0zbq0F3bXQ

Voyons maintenant la seconde stratégie à mettre de l'avant afin de favoriser la création d'un environnement sécurisant, ordonné, prévisible et positif: l'adoption d'un rythme soutenu dans la vie en classe.

3.2.2 Adopter un rythme soutenu

Les bons gestionnaires de classe adoptent un rythme soutenu laissant peu ou pas de place à la manifestation d'écarts de conduite. Les pertes de temps sont minimisées, les élèves sont affairés, donc occupés. En effet, les écarts de conduite des élèves ont souvent lieu dans des moments non structurés:

« Les enseignants efficaces supervisent le rythme et la durée des événements de la classe. Des délais trop longs ou des changements brusques dans la façon de diriger sont souvent associés à des comportements inappropriés. Les enseignants compétents cherchent à maintenir un flot d'activité régulier et un momentum adéquat des activités. L'interruption de ce flot augmente de façon draconienne les comportements déviants des élèves. [De plus], ces enseignants évitent d'interrompre inutilement leurs leçons pour réprimander un élève, car ils savent ignorer les distractions et les états d'inattention mineurs. Les gestionnaires habiles recourent plutôt à différents moyens, tels le simple contact visuel pour rappeler à l'ordre, poser une question ou faire un bref commentaire (pour susciter l'attention) […] L'enseignement aux élèves des premiers niveaux est facilité par l'emploi d'un mode de présentation rapide parce que cela contribue à maintenir l'attention vis-à-vis [de] la leçon et parce que cela semble mieux adapté à l'apprentissage des habiletés de base. Avec ces élèves, il est préférable que les présentations soient courtes, ponctuées de récitations et d'occasions de pratique. L'enseignement aux élèves des niveaux supérieurs, où les contenus sont plus complexes, peut requérir l'adoption d'une allure réduite et l'allocation de temps pour chaque nouveau concept. » (Martineau et Gauthier, 1999, p. 484-485)

La fluidité représente un concept central dans la gestion de classe. En effet, afin d'assurer un maximum d'efficacité, les activités en classe doivent se dérouler sans digression, diversion ou interruption. Les leçons qui se déroulent à un bon rythme et de manière fluide captent l'attention des élèves et préviennent les comportements déviants. Dans ces leçons, les interventions liées aux comportements sont axées sur ce qu'il est approprié de faire. Au contraire, lorsque le flot d'une leçon est sans cesse interrompu, l'attention des élèves se porte sur des éléments externes au thème enseigné. Par conséquent, les élèves ont davantage tendance à se désengager de l'activité.

Des délais trop longs ou des changements brusques dans la façon de diriger sont souvent associés à des comportements inappropriés. L'enseignant veille donc à planifier ses activités afin d'accorder le temps approprié pour accomplir le travail demandé. Il s'assure également d'effectuer le moins de transitions possible afin de garantir la fluidité des activités en classe. Il planifie les activités de manière à ne pas avoir à interrompre les élèves lorsqu'ils sont activement engagés dans la tâche.

L'enseignant doit prévoir aussi des travaux pour combler le temps entre différentes activités. Par exemple, quelques élèves peuvent terminer un travail plus vite que prévu, sans que le temps disponible permette de commencer et de terminer une autre activité avant la période suivante à l'horaire. Les élèves peuvent également avoir besoin d'une petite pause avant une leçon particulièrement exigeante. Prévoir des activités éducatives pendant ces moments s'avère plus intéressant que d'étirer le temps passé sur une activité terminée ou de laisser les élèves s'occuper eux-mêmes. L'enseignant peut prévoir quelques livres de lecture ou encore une banque de jeux simples et individuels que les élèves peuvent emprunter. Il s'assure aussi d'avoir sous la main quelques travaux tels que des devinettes, des mots à trouver, etc. L'enseignant doit toujours disposer d'une banque de telles activités prêtes à être offertes aux élèves rapidement afin de maintenir le rythme.

L'enseignant doit aussi s'assurer que la leçon se déroule bien en évitant les pauses et les digressions dont il serait la cause. L'enseignant ne ralentit pas la leçon par des explications trop longues qui ne sont pas nécessaires ou par la décomposition d'une activité en trop petites unités. Il n'interrompt pas la leçon en cours en discourant sur un sujet connexe ou en cherchant son matériel qui aurait dû être préparé. Par exemple, l'enseignant explique une fois pour toutes l'en-tête attendu pour un type de travail plutôt que d'en modifier la forme chaque fois et d'avoir à l'expliquer à de nombreuses reprises. Ces pratiques distraient les élèves et peuvent potentiellement susciter des problèmes de compréhension et de comportement. Bref, l'enseignant veille à ce que sa leçon se déroule de manière fluide afin de maintenir l'intérêt des élèves. Pour ce faire, il garde le momentum : la leçon se déroule à un rythme soutenu.

Une fois que l'enseignant a établi des relations positives avec ses élèves et qu'un environnement sécurisant, ordonné, prévisible et positif a été créé, il doit mettre sur pied des stratégies afin de les encadrer et de les superviser de façon constante.

3.3 L'encadrement et la supervision constante des élèves

Les attentes comportementales étant clairement précisées et enseignées, il s'agit maintenant de favoriser l'adoption de ces comportements par un encadrement et une supervision constante des élèves. Les habiletés à superviser et à encadrer efficacement les comportements des élèves sont parmi les meilleurs moyens de prévenir l'aggravation des problèmes de discipline en salle de classe et au sein de l'école (Boynton et Boynton, 2009 ; Simonsen et coll., 2008). Un encadrement et une supervision constante permettent en effet aux élèves de savoir qu'ils sont sous la surveillance d'un enseignant bienveillant et qu'ils doivent cesser d'adopter tout comportement inadéquat sur-le-champ. « L'effet positif engendré par la supervision efficace s'explique également par le fait que cette pratique peut permettre de créer un climat de classe plus détendu, plus sécurisant et plus ordonné » (Martineau et Gauthier, 1999, p. 483). Ainsi, les enseignants qui encadrent et supervisent efficacement les élèves ont « des yeux tout le tour de la tête ». Ils savent ce que chaque élève fait à tout moment durant le cours. Par exemple, ces enseignants écrivent au tableau et interviennent au même moment auprès de ceux qui sont inattentifs !

Comme le soulignent Martineau et Gauthier (1999, p. 478) : « Les enseignants qui obtiennent le plus de succès dans la gestion de leur classe supervisent le déroulement des activités de près et sont capables de reconnaître rapidement, voire d'anticiper, les comportements indésirables susceptibles de se propager à l'ensemble du groupe et de perturber l'ordre établi. » Différentes stratégies permettent à l'enseignant d'encadrer et de superviser efficacement les élèves. Dans les pages suivantes, nous en proposons six.

3.3.1 Revoir les règles périodiquement (précorrection)

Il importe non seulement d'enseigner les comportements attendus en début d'année, mais d'y revenir également dès que les élèves s'en éloignent (Colvin, Sugai et Patching, 1993). Ainsi, dans une perspective préventive, l'enseignant fait le rappel des comportements attendus (ce que l'on nomme une **précorrection**) ou demande à un ou des élèves de modeler ces comportements devant le groupe dès que ceux-ci adoptent des comportements indésirables. Intervenir ainsi permet de prévenir les écarts de conduite avant qu'ils prennent de l'ampleur plutôt que de devoir sortir « l'artillerie lourde » et intervenir de façon corrective. Le rappel aux élèves ou les précorrections sont des stratégies particulièrement importantes à la veille ou au retour d'un congé.

Ce qui rend une gestion de classe efficace, ce n'est pas l'énoncé seul d'une règle ou d'une procédure, mais bien le fait qu'elles soient enseignées et constamment renforcées. La meilleure façon pour un enseignant de communiquer ses attentes aux élèves à propos de leur comportement est à travers un système cohérent et planifié de règles, de procédures et de routines. Comme nous l'avons vu précédemment, enseigner ce système aux élèves est très important. Il doit vraiment faire l'objet d'un enseignement (et d'un réenseignement) explicite ; nous le rappelons, se limiter à dire aux élèves ce qui est attendu d'eux ne suffit pas.

L'enseignement des règles, des routines et des procédures

Lorsqu'il revoit les règles, l'enseignant utilise des mots et des actions aussi précis que possible pour démontrer aux élèves les comportements acceptables et ceux qui ne le sont pas. Par exemple, l'enseignant ne se contente pas de dire qu'il s'attend à ce que ses élèves se comportent bien quand il s'absente de la classe. L'enseignant rappelle précisément ce qu'est un bon comportement : rester assis, travailler en silence, continuer son travail, etc.

Avec les élèves, l'enseignant modèle les comportements attendus. Par exemple, si les élèves ont le droit de parler à voix basse pendant certaines activités, l'enseignant fait la démonstration de ce que signifie « parler doucement ». Si une procédure est complexe, l'enseignant la découpe par étapes. Ainsi, se mettre en rangs exige des élèves qu'ils attendent le signal de l'enseignant (par rangée, par table, etc.), qu'ils se rappellent comment se déplacer (sans courir ni parler) et comment se comporter dans les rangs (silence, les mains le long du corps, etc.). Par la suite, l'enseignant demande à un ou des élèves de faire des démonstrations.

La mise en action permet aux élèves de revoir le comportement approprié en plus de permettre à l'enseignant de vérifier la clarté de ses explications et la compréhension des élèves. Il peut constater *de visu* si ces derniers suivent les procédures correctement. Encore une fois, l'enseignant doit garder en tête que certaines procédures complexes peuvent devoir faire l'objet de nombreuses pratiques et de réenseignement, particulièrement avec les élèves plus jeunes au début du primaire. Toutefois, les élèves plus vieux peuvent aussi en bénéficier, surtout pour les procédures à l'égard desquelles ils sont peu familiers.

Après avoir demandé aux élèves de suivre une procédure, l'enseignant précise ce qui a été fait correctement. Si des ajustements sont nécessaires, il spécifie explicitement les éléments adéquats et ceux à corriger. Si plusieurs élèves agissent de façon inadéquate, l'enseignant doit amener les élèves à pratiquer de nouveau les éléments qui font problème. Si seulement quelques élèves n'agissent pas correctement, l'enseignant vérifie leur compréhension en leur demandant ce qu'ils doivent faire. Finalement, il importe de se rappeler que si les élèves se comportent une fois de la manière attendue, cela ne signifie pas pour autant qu'ils appliqueront ces procédures avec rigueur et constance par la suite. L'enseignant doit superviser leur comportement, être prêt à intervenir pour effectuer des rappels ou des rétroactions.

De façon régulière, l'enseignant révise avec les élèves les règles et les procédures que ces derniers doivent maîtriser. De cette façon, il met l'accent sur ses attentes en plus de rappeler aux élèves ce qu'ils pourraient avoir oublié. Lorsque l'enseignant corrige le comportement d'un élève, il rappelle la règle qui a été enfreinte. Particulièrement au niveau primaire, l'enseignant doit observer les élèves attentivement pendant plusieurs semaines afin de s'assurer que ces derniers suivent les procédures correctement. L'enseignant reprend, donne des conseils et de la rétroaction aux élèves pour les soutenir dans leur apprentissage des routines.

La constance dans l'encadrement des élèves

La constance constitue un autre élément important en ce qui a trait à l'encadrement des élèves. En effet, l'enseignant doit avoir les mêmes attentes en tout temps pour tous les élèves. Si les élèves doivent travailler en silence le lundi, la même procédure s'applique le mardi et pour le reste de la semaine. Les conséquences doivent aussi être appliquées avec constance. Il est très important que l'enseignant suive les procédures prévues même si certains élèves invoquent diverses excuses.

Le manque de constance dans l'application des règles cause de la confusion à propos des comportements acceptables. Les élèves se mettent alors à tester fréquemment les limites en ne suivant pas les procédures ou en répétant les comportements inappropriés. Cette situation peut rapidement dégénérer et forcer l'enseignant à abandonner la procédure ou à tolérer de hauts niveaux de comportements inappropriés. Comme il faut éviter ces deux problèmes, l'enseignant doit veiller à appliquer les procédures prévues avec constance dès le départ.

L'enseignant doit toutefois bien expliquer aux élèves que certaines procédures s'appliquent pour certaines activités et non pour d'autres, et que ce n'est pas faire preuve d'inconstance. Par exemple, l'enseignant peut exiger que les élèves lèvent la main pour parler lors des discussions ou des explications en grand groupe, mais il leur précise qu'ils n'ont pas à le faire lors des discussions en petites équipes de travail ou pendant les périodes de jeux.

Bref, revoir les règles périodiquement permet de fournir, tout au long de l'année, les informations nécessaires aux élèves afin qu'ils complètent avec succès les activités attendues d'eux. Ce faisant, ils se sentiront compétents et à l'aise dans leur environnement.

À tout moment, au besoin, l'enseignant ne doit pas hésiter à préciser de nouveau les comportements attendus, à donner aux élèves des occasions de pratiques suivies de rétroaction afin de les aider à maintenir les routines. Autrement dit, les règles, présentées et enseignées lors des premiers jours de classe, sont fortement renforcées pendant les premières semaines et constamment rappelées par la suite. Il est aussi intéressant de présenter ces règles aux parents en leur faisant parvenir une feuille à signer résumant l'ensemble des règles de vie en classe.

Dans une visée d'intervention préventive en gestion de classe, en plus de réviser régulièrement les règles avec ses élèves, l'enseignant doit également superviser constamment toutes leurs actions. Nous suggérons des moyens d'y parvenir.

3.3.2 Superviser de façon constante (balayer la classe du regard constamment)

Les recherches sur l'enseignement, particulièrement celles qui ont été menées auprès d'élèves du primaire issus de milieux ouvriers et de la classe moyenne de milieux urbains américains, montrent que superviser le travail des élèves en classe se révèle plus fructueux que laisser les élèves travailler à leur pupitre sans supervision (Brophy et Good, 1986; Cruickshank, 1990; Porter et Brophy, 1988). Les recherches montrent, en effet, une relation positive entre la supervision assurée par l'enseignant et le succès dans la gestion de classe (Evertson, 1989).

Pour assurer un encadrement bienveillant, l'enseignant doit être vigilant et attentif à tout ce qui se déroule en classe (Colvin, Sugai et Patching, 1993). Pour y arriver, il doit balayer du regard la classe régulièrement (de gauche à droite, de l'avant vers l'arrière) afin d'avoir l'œil sur tous les élèves. Par conséquent, même si l'enseignant doit travailler individuellement avec un élève, il jette régulièrement un coup d'œil sur ce qui se passe dans la classe: «Les enseignants efficaces supervisent fréquemment l'apprentissage des élèves à la fois de manière formelle et informelle (Butler, 1987). Ils exercent une supervision continue du travail en groupe» (Martineau et Gauthier, 1999, p. 482). La supervision de l'état d'avancement des travaux permet à l'enseignant d'identifier les élèves qui éprouvent des difficultés en plus de lui permettre d'encourager les autres élèves à maintenir le cap.

Après avoir demandé aux élèves d'effectuer une tâche, l'enseignant doit planifier leur travail et le superviser attentivement. Il ne commence pas son cours de façon à devoir immédiatement travailler à son bureau ou interagir individuellement avec un élève sans s'être d'abord assuré que tous les élèves sont à l'œuvre et en mesure de compléter le travail demandé. Si l'enseignant ne veille pas à effectuer cette supervision immédiate, certains élèves ne se mettront pas au travail ou d'autres prendront un mauvais départ. Deux stratégies simples évitent ces situations.

D'une part, si tous les élèves doivent effectuer le même travail, l'enseignant planifie et effectue une transition vers le travail individuel en commençant le travail avec les élèves en grand groupe. D'autre part, afin de s'assurer que tous les élèves se mettent au travail, l'enseignant prévoit circuler dans la classe et vérifier régulièrement l'état d'avancement de chaque élève. De cette façon, l'enseignant peut offrir une rétroaction corrective et les élèves peuvent progresser sans que des comportements inadéquats liés au désengagement de la tâche apparaissent. Il va sans dire que l'enseignant doit vérifier le travail de tous les élèves et non seulement celui de ceux qui lèvent la main pour demander de l'aide. Dans tous les cas, l'enseignant doit toujours voir facilement l'ensemble des élèves et pouvoir utiliser le matériel nécessaire rapidement et facilement. Les comportements inappropriés doivent être gérés rapidement afin d'éviter qu'ils se consolident et se disséminent.

On a vu précédemment que la vigilance (*withitness*) (Missouri Schoolwide Positive Behavior Support, 2012) amène l'enseignant à corriger les comportements inappropriés avant qu'ils ne s'intensifient ou s'étendent aux autres élèves. Cet état d'alerte permet aussi à l'enseignant d'identifier correctement l'élève fautif. Un enseignant qui n'est pas en état d'alerte ne parvient pas à régler le problème avant qu'il dégénère et nécessite une intervention majeure ou encore il ne cible pas le « bon » élève lors de son intervention.

On a vu également que, d'après Kounin, le **chevauchement** (*overlapping*) est fondamental dans la gestion des comportements. Il correspond à la nécessité pour un enseignant de gérer simultanément deux événements ou plus. Autrement dit, un enseignant qui maîtrise bien cette pratique est en mesure de contrôler plusieurs activités à la fois. Il n'a pas à interrompre ou à ignorer une activité pour se concentrer sur une autre. Par exemple, lors de l'interruption d'une activité (comme un visiteur à la porte), l'enseignant dit aux élèves de continuer leur travail et les supervise pendant qu'il répond à ce dernier.

Selon Kounin, lorsqu'un enseignant maîtrise ces deux éléments, il prévient les interruptions dans la leçon que pourraient causer les comportements inappropriés des élèves. En réagissant rapidement aux problèmes potentiels, l'enseignant n'aura qu'à faire usage de mesures simples (contact visuel, demande verbale courte, signe par un geste, etc.) qui n'interrompent pas les activités en cours et ne déconcentrent pas les élèves.

Dans la classe, si l'enseignant évite de porter son attention aux problèmes en puissance, il lance une invitation aux élèves à se comporter de manière inappropriée. La supervision constante des élèves doit donc faire l'objet d'une planification minutieuse. Pour ce faire, l'enseignant doit organiser ses activités de façon à pouvoir l'exercer de façon constante. En présence des élèves, il demeure dans un état d'alerte constant. Il est conscient de tout ce qui se passe dans sa classe et juge constamment des actions à poser afin de gérer rapidement et efficacement les comportements des élèves.

Toutefois, il est difficile pour l'enseignant de superviser les activités dans sa classe lorsqu'il est assis à son bureau ou à partir de tout autre point fixe. Voilà pourquoi il doit arpenter sa classe.

3.3.3 Marcher dans la classe, occuper tout l'espace, se diriger rapidement vers les lieux de difficultés potentielles

Marcher dans sa classe comme un bon cultivateur marche sur sa terre est une façon simple d'assurer un encadrement constant. Ainsi, dès l'étape de la préparation des activités, l'enseignant prévoit circuler partout dans la classe (Knoster, 2008). Il s'assure d'occuper tout l'espace. Lorsqu'il se déplace, il effectue différents trajets, et non toujours le même, afin que les élèves ne soient pas en mesure de prévoir à quel moment il s'approchera d'eux. De plus, l'enseignant qui se dirige rapidement vers le secteur de la classe où il semble y avoir un incident évite que des problèmes mineurs ne dégénèrent en problèmes majeurs. Les études ont montré que les enseignants qui circulent en classe ont noté une baisse de 50 % des écarts de conduite des élèves (Dufour, 2010).

De plus, selon certains auteurs, il semble que le fait de circuler dans la classe soit une pratique à encourager puisque les contacts avec les enseignants au cours du travail individuel font croître d'environ 10 % le taux d'engagement des élèves (Rosenshine, 1986), ce qui est susceptible d'influer positivement sur leurs apprentissages et sur leurs résultats à des tests standardisés (Martineau et Gauthier, 1999, p. 483).

L'enseignant ne doit pas passer beaucoup de temps au même endroit. Par exemple, s'il doit travailler à son bureau, il prévoit se lever souvent et circuler dans la classe afin de vérifier le travail des élèves. En fait, l'enseignant doit passer un temps relativement égal dans les quatre quadrants de la classe. Ceci ne signifie pas qu'il doive donner des explications de partout dans la classe ! Certaines tâches particulières gagnent à avoir lieu dans des espaces précis. Toutefois, lorsque l'enseignant n'a pas nécessairement à être à l'avant de la classe, il doit systématiquement parcourir l'ensemble du « territoire » pour sentir ce qui s'y passe, tout en apportant une attention particulière aux endroits plus difficilement visibles.

Si l'enseignant doit aider un élève plus longtemps (plus d'une ou deux minutes), il évite de rester au pupitre de cet élève à moins qu'il ne puisse observer toute la classe de cet endroit. Si l'élève est assis dans le milieu de classe (et que la moitié de la classe est derrière l'enseignant), ce dernier doit alors demander à l'élève de se rendre à son bureau ou à tout autre endroit à partir duquel il pourra lui donner des explications en surveillant du coin de l'œil le reste de la classe. Finalement, lorsque l'enseignant travaille dans un coin précis de la classe, il ne doit pas laisser les élèves se regrouper près de cet endroit. Ce faisant, ils obstruent sa vue en plus de distraire les élèves assis près de cette zone. L'enseignant note alors les noms des élèves ayant besoin d'explications, leur demande de retourner à leur place et les appelle à son bureau un à la fois.

Bref, en vue d'agir efficacement et de prévenir les difficultés liées à la gestion de classe, l'enseignant doit s'approprier tout l'espace disponible dans sa classe. Ses déplacements incessants et imprévisibles lui permettent de superviser les activités en plus d'éviter l'apparition de « ghettos ». Cette omniprésence de l'enseignant dans sa classe favorise l'adoption et le maintien par les élèves des comportements désirés en plus de stimuler leurs apprentissages. Ce faisant, l'enseignant préserve un environnement sécurisant, ordonné, prévisible et positif en plus de maintenir des relations positives avec les élèves.

3.3.4 Placer les élèves difficiles ou vulnérables près de l'enseignant

Il importe de placer les élèves ayant des difficultés comportementales le plus près possible de l'enseignant, «à la portée de la main», afin que ce dernier soit en mesure d'intervenir rapidement (Missouri Schoolwide Positive Behavior Support, 2012). Dans une perspective préventive, il devient difficile, voire impossible, pour un enseignant d'intervenir rapidement auprès d'un élève ayant des difficultés particulières et nécessitant un encadrement serré si ce dernier est assis dans le fond de la classe.

En accord avec les résultats des recherches (Hasting, 1995), l'enseignant planifie l'organisation spatiale de sa classe en disposant les pupitres en rangées. Il prépare un plan de classe et attribue lui-même les places aux élèves. Il installe les élèves en difficulté à l'avant et au centre de la classe comme le suggèrent les meilleures pratiques relevées par les recherches menées sur le sujet. Il évite de placer un élève turbulent ou ayant des difficultés d'attention près d'une porte, d'une fenêtre ou d'un coin de la classe très achalandé. Il vaut mieux prévenir les difficultés que les provoquer! L'enseignant juge, dans l'action, si les élèves fonctionnent bien à leur place. Au besoin, il fait les ajustements nécessaires et revoit l'attribution des places.

En plus de l'emplacement des élèves dans la classe, d'autres stratégies d'intervention préventives permettent à un enseignant d'améliorer sa gestion de classe. Amener les élèves à s'impliquer davantage dans la tâche à accomplir constitue une de ces stratégies.

3.3.5 Augmenter l'implication des élèves dans la tâche

Les élèves qui ne sont pas affairés ont tendance à faire autre chose que ce qui leur est demandé. Ainsi, augmenter l'implication de tous les élèves dans la tâche prescrite évite des écarts de conduite (Colvin, 2009). Autrement dit, quand les élèves sont impliqués dans la réalisation d'une tâche d'apprentissage, il leur est plus difficile d'adopter des comportements indésirables (par exemple, se lever pour aller placoter avec un autre élève, etc.). De plus, le temps consacré à la tâche a une influence directe ($d = 0{,}38$[4]) sur le rendement des élèves (Hattie, 2009).

Comment faire pour favoriser une plus grande implication des élèves? Trois éléments permettent à l'enseignant de maintenir l'attention de l'ensemble du groupe: garder les élèves dans un état d'alerte constant, les responsabiliser et susciter leur participation active directe (Colvin, 2009; Sprick et coll., 2006).

---

4. Un effet de 0,38 signifie plus précisément qu'un élève améliore sa performance scolaire de 15 centiles, ce qui fait passer un élève moyen du 50e centile au 65e centile.

Garder les élèves dans un état d'alerte constant

D'abord, l'enseignant doit maintenir tous les élèves du groupe constamment en alerte. Ainsi, si un élève répond à une question, l'ensemble du groupe doit aussi être en alerte et se préparer à répondre à d'éventuelles autres questions. Pour maintenir cet état d'éveil, il existe diverses stratégies. Par exemple, l'enseignant peut demander aux élèves de répondre à tour de rôle, mais en les nommant au hasard. Il peut aussi demander à un deuxième élève de compléter une réponse donnée par un premier élève. En revanche, s'engager dans un dialogue avec un seul élève ou nommer un élève qui devra répondre avant de poser la question constituent deux exemples de stratégies peu efficaces pour maintenir l'état d'alerte des élèves.

Responsabiliser les élèves

Par ailleurs, afin de maintenir l'intérêt des élèves et de favoriser les comportements positifs, l'enseignant peut les responsabiliser en les prévenant qu'il observera et évaluera leur performance d'une façon ou d'une autre. Tous les travaux ne seront pas forcément notés, mais en prévenant les élèves que ce qu'ils font sera revu, l'enseignant leur communique que tout travail est important et qu'il s'en sert afin d'évaluer les apprentissages. L'enseignant a le choix de différentes stratégies : il peut demander aux élèves d'écrire leur réponse sur une feuille et circuler pour les vérifier. Il peut aussi vérifier les cahiers de notes à l'occasion.

Susciter la participation active directe des élèves

Finalement, les leçons sont conçues de manière à amener les élèves à participer activement en tout temps à l'activité en cours. Pour ce faire, l'enseignant peut demander aux élèves d'écrire et de corriger leurs réponses sur leur feuille au fur et à mesure que les bonnes réponses sont données. Ils peuvent aussi résoudre les problèmes simultanément à leur correction par l'enseignant. L'enseignant peut aussi leur demander de lire à l'unisson ou encore de manipuler du matériel concret, tout en faisant la correction d'un travail. Il importe de se rappeler que les leçons conçues pour favoriser davantage la participation des élèves sont préférables aux autres formes de leçons durant lesquelles les élèves sont assis et écoutent les réponses des autres.

À ce sujet, Martineau et Gauthier (1999, p. 484) indiquent :

> «Les stratégies qui maintiennent les apprenants actifs et engagés ("group alerting") sont reliées de façon significative à un haut degré d'apprentissage de la part des élèves (Wang *et al.*, 1990). Les gestionnaires efficaces sont capables de livrer leur leçon de manière telle qu'ils gardent l'attention des élèves sur le contenu de la matière (Brophy, 1983). Par exemple, ils savent impliquer les élèves réticents (Cruickshank, 1990) ; ils regardent l'ensemble du groupe avant de désigner un élève ; ils alternent les réponses données par l'ensemble du groupe avec celles fournies par un seul élève.»

Les stratégies pour augmenter l'implication des élèves dans la tâche sont semblables à celles présentées précédemment visant à garder les élèves en alerte. Pour que les élèves s'impliquent davantage dans leurs tâches, l'enseignant doit, par exemple, déterminer à quels élèves il demandera de répondre aux questions posées. En effet, Archer et Hughes (2011) ont montré qu'il est préférable pour l'enseignant de nommer lui-même les élèves, car lorsque ceux-ci ne savent pas à quel moment ils peuvent être interpellés pour répondre aux questions posées, ils s'impliquent davantage dans les tâches d'apprentissage.

Quelques stratégies favorisant l'implication des élèves dans la tâche

Il existe bien d'autres manières de stimuler la participation des élèves en leur fournissant des occasions de répondre. Pour augmenter le taux de réponse des élèves, l'enseignant peut, par exemple, prévoir poser une question et demander une réponse en chœur (ou lecture à l'unisson). Il peut également utiliser un tableau de réponses. Dans ce cas, chaque élève emploie un petit tableau effaçable sur lequel il inscrit sa réponse, puis le montre à l'enseignant à son signal pour que ce dernier vérifie l'exactitude des réponses. Ces deux stratégies permettent d'obtenir un taux élevé de réponses de tous les élèves à la fois. Elles fonctionnent, cependant, dans le cas de réponses courtes (oui/ non, vrai/faux, un chiffre, un mot à inscrire). Dans le cas de réponses plus élaborées et complexes, comme nous l'avons précisé précédemment, l'enseignant peut demander à un élève de compléter la réponse d'un pair. Il peut également récupérer les feuilles des élèves afin de prendre connaissance de leurs réponses.

Afin de favoriser l'engagement des élèves, l'enseignant gagne à planifier l'utilisation de l'enseignement réciproque, qui est reconnu comme une stratégie efficace pour diminuer les comportements négatifs (Hattie, 2009), en plus d'augmenter le rendement des élèves ($d = 0,55$[5]). Avec cette stratégie, les élèves sont jumelés et jouent le rôle de tuteurs ou d'apprentis selon les situations. Dans ce cadre d'apprentissage, le taux de réponses est important : les élèves se posent des questions, y répondent, lisent à tour de rôle et se donnent de la rétroaction dans un mouvement de va-et-vient continu. Il est à noter que, pour être efficace, le tutorat par les pairs doit faire l'objet d'un enseignement explicite au préalable. L'enseignant doit enseigner et modeler les habiletés nécessaires à cette stratégie avant de laisser les élèves travailler de manière autonome.

Dans la même veine, les résultats de recherche (Marzano, Pickering et Pollock, 2001) ont aussi démontré qu'il est efficace pour un enseignant de préparer des notes de cours à compléter (*guided notes*). À l'aide de ces notes, l'enseignant peut résumer un cours ou un chapitre de livre, énoncer les idées principales à retenir et laisser un espace pour répondre à des questions. Cette façon de faire permet aux élèves de fournir fréquemment des réponses pertinentes en plus de faciliter davantage l'apprentissage. Il est à noter que cette stratégie convient particulièrement aux élèves plus âgés.

Finalement, pour favoriser une meilleure implication des élèves dans la tâche, l'enseignant doit veiller à respecter certaines règles de base. Par exemple, au moment de planifier son enseignement, il doit faire l'inventaire de tout le matériel dont il aura besoin durant la leçon. Si, lors d'une leçon, l'enseignant doit interrompre

---

5. Un effet de 0,55 signifie plus précisément qu'un élève améliore sa performance scolaire de 22 centiles, ce qui fait passer un élève moyen du 50e centile au 72e.

les activités afin de se procurer personnellement du matériel ou de demander aux élèves de le faire, les risques sont grands de perdre l'attention et l'engagement des élèves en plus de rompre la fluidité de l'activité en cours.

Par ailleurs, comme certains élèves terminent souvent leur travail avant le moment prévu pour la prochaine activité, l'enseignant doit prévoir des travaux d'enrichissement. Certains demandent aux élèves de faire des lectures personnelles, leur permettent de fréquenter un centre d'activités ou les sollicitent pour effectuer certaines petites tâches dans la classe. D'autres enseignants demandent à ces élèves d'agir à titre de tuteurs pour certains de leurs camarades qui travaillent plus lentement. Toutefois, l'enseignant doit rester vigilant : si beaucoup d'élèves terminent leur travail avant le temps prévu, cela peut être un signe que les activités proposées sont trop faciles.

Bref, dès la planification de son enseignement, l'enseignant doit réfléchir aux stratégies qu'il utilisera en interaction avec ses élèves afin de leur offrir de multiples occasions de répondre. En veillant à utiliser de telles stratégies, il augmente chez ces élèves les comportements centrés sur la tâche et l'apprentissage et diminue les comportements dérangeants.

Le tableau 3.3 résume quelques stratégies qui favorisent l'engagement des élèves et les objectifs qu'elles poursuivent.

Tableau 3.3 | Les stratégies favorisant l'implication active des élèves selon les objectifs visés

Stratégies donnant l'occasion de répondre	Objectifs visés
• Demander une réponse en chœur aux élèves. • Utiliser un tableau de réponses. • Compléter la réponse d'un pair. • Recourir à l'enseignement réciproque. • Utiliser des notes de cours à compléter (*guided notes*). • Récupérer les feuilles des élèves.	• Susciter et obtenir des réponses de la part des élèves. • Augmenter les comportements centrés sur la tâche et l'apprentissage. • Diminuer les comportements dérangeants. • Augmenter le taux de réponses à la suite d'une question. • Obtenir un taux élevé de réponses de tous les élèves à la fois. • Permettre aux élèves de fournir fréquemment des réponses pertinentes. • Faciliter l'apprentissage.

Finalement, la sixième et dernière stratégie que nous proposons pour assurer le meilleur encadrement possible des élèves est de mettre en place un système de renforcement des comportements positifs.

3.3.6 Utiliser un système de renforcement des comportements positifs (particulièrement avec les groupes difficiles)

Les récompenses peuvent aider à instaurer un climat de classe positif, car elles ajoutent de l'intérêt et de la motivation aux routines de la classe. Elles amènent les élèves à se concentrer sur les comportements appropriés et à se détourner des comportements inadéquats. De plus, cette stratégie fait en sorte que les élèves réagissent positivement aux demandes de l'enseignant, ce qui contribue à créer un schéma d'interactions positives qui se renforcent mutuellement.

On l'a vu, un renforcement positif est une conséquence attribuée à la suite d'un comportement précis qui permet d'augmenter la répétition du comportement en question. Dans cet ouvrage, nous prônons exclusivement l'utilisation du renforcement positif. Le renforcement est qualifié de positif lorsque la conséquence attribuée à l'élève est agréable à ses yeux et que, pour cette raison, ce dernier sera porté à reproduire le comportement visé. L'utilisation de cette stratégie contribue également à l'obtention d'un nombre d'interventions positives plus élevé que d'interventions négatives. Comme le soulignent Massé, Desbiens et Lanaris (2006), un comportement adapté qui n'est suivi d'aucun renforcement, d'aucune attention ni approbation de la part de l'enseignant a toutes les chances de ne pas se reproduire. Inversement, un élève qui reçoit de l'attention de son enseignant uniquement lorsqu'il agit de façon négative aura tendance à agir négativement pour obtenir son attention! Faut-il rappeler à ce sujet que «selon Hall et Hall (1990), les enseignants donneraient 3 à 15 fois plus d'attention aux comportements déviants de leurs élèves qu'à leurs comportements positifs en classe» (Veillet et coll., 2011, p. 2).

Ainsi, il est recommandé de renforcer positivement les élèves qui manifestent les attentes comportementales enseignées préalablement. Les renforcements positifs peuvent être de deux ordres, à savoir sociaux et tangibles (*voir le tableau 3.4*).

Tableau 3.4 | **Les deux types de renforcement positif**

Les renforcements sociaux	Les renforcements tangibles
Les **renforcements sociaux** procurent à l'élève de l'attention, de l'approbation ou de la reconnaissance de l'enseignant au moyen d'éloges, de félicitations, de remerciements, de compliments rédigés dans son agenda, etc. Ce sont des renforcements intangibles ou non matériels.	Les **renforcements tangibles** sont matériels. Il s'agit de coupons ou de jetons à échanger contre un bien, une activité ou un privilège quelconque. Il est préférable d'utiliser les privilèges, car ils sont peu coûteux et habituellement faciles à organiser.

L'enseignant doit planifier minutieusement un bon système de renforcement. Il doit préciser, de manière explicite, les éléments-clés suivants :

- Définir les comportements attendus, les enseigner explicitement et les faire pratiquer par les élèves ;

- Planifier des renforcements continus (à faire le plus souvent possible) de type social (par exemple, Bravo!, Félicitations!, etc.) pour favoriser l'acquisition des comportements ;

- Utiliser, en concomitance avec les renforcements sociaux, des renforcements intermittents, donc non prévisibles, de type tangible (par exemple, système d'économie de jetons) pour favoriser la généralisation des comportements ;

- Prévoir beaucoup plus de renforcements sociaux que de renforcements tangibles ;

- Penser à des renforcements tangibles de type individuel et de groupe :
  - individuel : par exemple, 5 jetons accumulés = privilège de s'asseoir sur la chaise de l'enseignant pendant 15 minutes ;
  - de groupe : par exemple, lorsque la classe aura accumulé 100 jetons, tous les élèves, <u>sans exception</u>, participeront à une activité de classe ;
- Ne jamais utiliser le système de renforcement pour gérer les écarts de conduite des élèves. Les écarts de conduite des élèves seront gérés par la mise en place des interventions correctives (curatives). De plus, les systèmes de renforcement inefficaces sont ceux où l'élève reçoit et peut perdre ce qu'il a obtenu. Dans un tel système, le message que reçoit l'élève est que *peu importe les efforts que je fais, l'enseignant peut à n'importe quel moment me retirer ce que j'ai obtenu.*

La méta-analyse de Stage et Quiroz (1997) a montré que le recours *aux contingences (privilèges) de groupe constitue la mesure la plus efficace pour diminuer les comportements déviants en salle de classe.* Par exemple, l'enseignant peut déterminer avec les élèves que lorsque ceux-ci auront amassé 25 jetons, la prochaine récréation sera alors allongée de 15 minutes pour tous. Dans un tel système, les élèves s'entraident et s'encouragent mutuellement, car plus la cible est atteinte rapidement, plus vite sera obtenu le privilège ou le renforcement du groupe.

Le tableau-synthèse 3.5 indique les actions à mettre en œuvre et celles à éviter pour utiliser efficacement un système de renforcement.

Tableau 3.5 | **Les actions à mettre en œuvre et à éviter lors de l'utilisation d'un système de renforcement**

À faire	À éviter
• Renforcer tangiblement de façon occasionnelle. • Expliquer clairement à l'élève pourquoi son comportement est adéquat. • Renforcer l'effort (différenciation comportementale). • Varier les renforcements tangibles utilisés. • Renforcer de façon immédiate. • Adapter le renforcement à l'âge de l'élève (avoir un menu de privilèges selon l'âge, les intérêts, etc.). • Donner plus de renforcements sociaux et être authentique[6]. • Impliquer les élèves dans le choix des renforcements.	• Renforcer tangiblement un comportement chaque fois qu'il est adopté. • Faire du chantage. • Fixer des attentes trop élevées envers l'élève. • Utiliser toujours le même renforcement tangible. • Menacer d'enlever un renforcement[7]. • Avoir des privilèges identiques pour tous les élèves[8]. • Utiliser uniquement des renforcements tangibles. • Retirer un renforcement tangible déjà obtenu.

Il y a beaucoup plus d'avantages que d'inconvénients à utiliser un système de renforcement. Si certaines critiques ont été formulées à l'encontre des systèmes de renforcements, de nombreux chercheurs considèrent que ces critiques constituent une surgénéralisation fondée sur une série très limitée de

---

6. Comme intervenant, il importe d'être sincère lorsque l'on prodigue des renforcements sociaux. Ainsi, le langage verbal et non verbal utilisé par l'intervenant est en concordance avec le message renforçant qu'il donne.
7. La menace indique à l'élève que peu importe les efforts qu'il fait, l'enseignant peut à n'importe quel moment lui retirer ce qu'il a obtenu.
8. Une variété de privilèges augmente le nombre de renforçateurs pouvant susciter l'intérêt des élèves.

circonstances (Akin-Little et Little, 2004 ; Cameron, 2001 ; Cameron, Banko et Pierce, 2001 ; Cameron, Pierce, Banko et Gear, 2005 ; Paquet et Clément, 2008 ; Pierce, Cameron, Banko et So, 2003 ; Reder, Stephan et Clément, 2007 ; Reiss, 2004, 2005). Ces chercheurs ont montré les effets positifs des systèmes de renforcements lorsqu'ils sont appliqués adéquatement lors de l'acquisition des comportements attendus.

Par exemple, l'étude de Reder, Stephan et Clément (2007), réalisée en milieu scolaire, démontre «qu'il n'existe pas d'effet délétère des récompenses sur la motivation intrinsèque des enfants à se comporter selon les règles de classe» (p. 165). La recherche de Akin-Little et Little (2004) présente des résultats comparables : «Les résultats démontrent que la mise en œuvre d'un système à économie de jetons qui consiste à donner des jetons lors de bons comportements n'a pas d'effet délétère, même après le retrait du système» (p. 179). Les bénéfices apportés par une procédure de renforcement résident en outre dans le fait de favoriser le sentiment de compétence chez les jeunes qui reçoivent en général peu de renforcements positifs (Reder et coll., 2007). Une revue systématique de recherches sur les effets des systèmes d'économie de jetons sur les comportements des élèves menée par Maggin, Chafouleas, Goddard et Johnson (2011, p. 22) indique que

> «les résultats de la synthèse quantitative démontrent que les élèves répondent généralement bien à ces types d'interventions. En effet, trois des quatre mesures de l'ampleur de l'effet ont révélé une <u>amélioration considérable du fonctionnement de l'élève après la mise en place d'un système d'économie de jetons</u>[9]. Étant donné les limites actuelles des ampleurs de l'effet observé lors des études individuelles (Beretvas et Chung, 2008), cette cohérence des résultats pourrait constituer une preuve plus crédible de l'efficacité des systèmes d'économie de jetons que n'importe quelle mesure unique de l'effet d'une intervention. De plus, les analyses visuelles effectuées dans le cadre de l'implantation du système WWC ont aussi apporté des preuves en faveur des systèmes d'économie de jetons».

Quoiqu'il faille appliquer ces systèmes selon les règles de l'art (Maggin et coll., 2011), les renforcements représentent un outil de motivation supplémentaire favorisant la participation des élèves peu motivés. Une utilisation judicieuse des récompenses dirige l'attention des élèves vers les comportements appropriés à adopter en plus de favoriser leurs apprentissages. Toutefois, le système de renforcement mis en place doit demeurer en vigueur toute l'année. L'enseignant veille donc à ce que les récompenses soient faciles à gérer. Certaines récompenses nécessitent beaucoup de planification et de notation des informations, alors que d'autres demandent peu d'efforts et de préparation. Il est préférable de commencer par des récompenses simples et de les bonifier au besoin. L'enseignant doit donc éviter de mettre en place un système de récompenses trop complexe qui le distrait lui et ses élèves des apprentissages à réaliser.

Qui plus est, idéalement, la récompense proposée doit avoir un lien avec le comportement qu'il vise à encourager. Par exemple, les élèves qui travaillent

---

9. Nous soulignons.

en silence pendant toute la période de travail individuel obtiennent le privilège de discuter pendant les cinq dernières minutes de la journée. Par ailleurs, les récompenses obtenues trop facilement ou trop difficilement perdent leur effet sur la motivation des élèves. L'enseignant s'assure que la récompense promise n'est pas à la seule portée des meilleurs élèves. Les systèmes de récompenses qui exigent un maximum de compétition pour un minimum de récompense découragent les élèves qui ne sont pas certains de parvenir à réussir ce qui leur est demandé.

Il importe donc, pour tout enseignant qui désire favoriser l'adoption et le maintien de comportements adéquats, de planifier minutieusement son système de renforcement. Ce dernier constitue un outil précieux pour obtenir une gestion de classe et des comportements améliorée.

Une autre stratégie s'avère particulièrement féconde pour gérer la classe efficacement : organiser la classe afin que le temps scolaire soit imparti à l'enseignement et aux apprentissages.

3.4 Une organisation de la classe qui maximise le temps d'enseignement et d'apprentissage des élèves

Une classe bien organisée est un endroit structuré où les pertes de temps sont minimisées et le temps d'enseignement-apprentissage, maximisé. Comme nous l'avons mentionné précédemment, c'est dans les moments non structurés où il y a des pertes de temps que les élèves ont tendance à manifester des écarts de conduite. Dans les classes qui sont bien organisées, les élèves sont occupés : ils n'ont même pas le temps de penser à agir de façon inappropriée !

Nous avons vu aussi dans les pages précédentes qu'un aménagement judicieux de la classe est structuré de façon à minimiser les problèmes liés aux déplacements en plus de faciliter la supervision des élèves (Evertson, 1989). Ceci étant, l'aménagement physique de la salle de classe s'avère un bon point de départ dans la planification en début d'année. En effet, il est plus facile de prendre d'autres décisions une fois l'aménagement physique planifié. Le principe directeur de cet aménagement est le suivant : une bonne organisation de l'espace dans la classe doit soutenir l'enseignement et non lui nuire.

Evertson et ses collaborateurs (2005) proposent quelques stratégies pour assurer une organisation optimale de la classe[10] :

- L'enseignant assigne des places aux élèves en début d'année.

- Le mobilier est disposé de façon à ce que tous les élèves puissent voir aisément l'enseignant faire des démonstrations ou donner des explications sans devoir se déplacer dans la classe.

---

10. Plusieurs de ces stratégies ont déjà fait l'objet de notre propos dans le présent chapitre ; nous ne les détaillerons pas de nouveau. Nous avons fait le choix de reprendre les stratégies présentées par Evertson et ses collaborateurs dans leur intégralité par souci de transparence. Nous nous permettons toutefois de souligner que cette situation illustre bien que les pratiques que nous proposons sont celles relevées de façon récurrente par les résultats de recherche.

- La disposition du mobilier permet à l'enseignant et aux élèves de se déplacer aisément de manière fluide dans la classe (pas d'embouteillage).

- Le matériel de soutien (les dictionnaires, les grammaires, etc.) est facilement accessible aux élèves de manière autonome.

- Le matériel pédagogique est préparé et organisé.

- L'enseignant distribue et recueille le matériel pédagogique de façon ordonnée. Une routine à ce sujet a été enseignée.

- Tous les jours, l'enseignant affiche au tableau une tâche que les élèves doivent réaliser dès leur entrée en classe.

- Il inscrit un «menu» au tableau (la programmation prévue) pour indiquer clairement aux élèves ce qui sera réalisé dans le cours ou pendant la journée.

L'ensemble de ces pratiques permet donc à l'enseignant de maximiser le temps scolaire disponible pour l'enseignement et les apprentissages. Ces stratégies représentent autant de moyens de prévention des écarts de conduite des élèves. Voyons maintenant quelques principes d'aménagement des pupitres des élèves et du bureau de l'enseignant afin de maintenir les élèves centrés sur leurs apprentissages.

3.4.1 Disposer les pupitres des élèves

Aux yeux de plusieurs, disposer les pupitres en rangées semble une pratique démodée à l'école primaire. En effet, combien de fois avons-nous entendu, et de manière péjorative, l'expression «placer les élèves en rang d'oignons»? Cette configuration de la classe a pratiquement disparu de l'école primaire où les élèves sont généralement regroupés par tables de deux ou par îlots de quatre individus. Quoique plus fréquemment employée au secondaire, la disposition en rangées semble généralement une configuration peu encouragée.

Comment placer les pupitres des élèves afin de favoriser leurs apprentissages ainsi que leurs bons comportements? Les résultats de recherche apportent une réponse claire à cette question. Les travaux de Hastings et Schweiso (1995) ont en effet montré que les élèves sont nettement plus attentifs et occupés à réaliser les tâches demandées si leurs pupitres sont placés en rangées. De plus, ces chercheurs ont également signalé une diminution des comportements négatifs des élèves éprouvant des difficultés d'ordre comportemental lorsque les pupitres étaient agencés de cette façon.

Ainsi, la disposition des pupitres ou des tables dans la classe qui a présentement cours dans les écoles semble malheureusement davantage liée aux modes et aux goûts personnels des enseignants qu'à son efficacité avérée au regard de l'engagement des élèves. Force est de constater que, dans l'état actuel des connaissances, les résultats de recherche indiquent clairement qu'afin de maximiser le temps d'engagement des élèves dans la réalisation des tâches scolaires, la disposition en rangées est nettement la plus avantageuse.

Dans le même ordre d'idées, en ce qui a trait au travail individuel, les études indiquent que l'engagement et l'efficacité des élèves sont plus grands lorsqu'ils bénéficient d'un environnement structuré (des pupitres en rangées), comparativement à un environnement physique moins structuré (des pupitres regroupés) (Wannarka et Ruhl, 2008). Ce constat est particulièrement vrai dans le cas des élèves qui éprouvent des difficultés d'apprentissage ou de comportement (Bennett et Blundell, 1983). Aussi, les élèves assis à l'avant et au centre de la classe tendent à être plus attentifs et à participer davantage que ceux assis ailleurs dans la classe (Adams et Biddle, 1970; Sommer, 1969).

Nous sommes d'avis que l'enseignant doit donc planifier l'organisation physique de sa classe en prenant en compte ces résultats de recherche. En effet, si son objectif est de favoriser la réussite scolaire et l'engagement à la tâche de ses élèves, il doit disposer les pupitres en rangées et attribuer lui-même les places aux élèves. Ainsi, il place les élèves plus difficiles aux endroits appropriés comme l'indiquent les résultats de recherche afin de favoriser leur réussite. Par ailleurs, lorsque l'enseignement est offert à un petit groupe et que le reste de la classe effectue un travail individuel, les enseignants efficaces prennent la précaution de disposer les sièges de telle sorte qu'ils puissent faire face à la fois au petit groupe et aux autres élèves (Rosenshine, 1986, cité dans Martineau et Gauthier, 1999, p. 483).

Le fait de placer les élèves en rangées ne signifie pas pour autant qu'ils ne seront jamais regroupés pour travailler en équipe quand viendra le moment de réaliser une activité ou un projet quelconque. Cela signifie, toutefois, que, de façon générale, les pupitres seront placés en rangées pour effectuer les activités habituelles.

Qu'en est-il maintenant du bureau de l'enseignant et des autres zones de la classe très fréquentées?

3.4.2 Disposer le bureau de l'enseignant et organiser les autres zones très fréquentées

En ce qui a trait au bureau de l'enseignant, les résultats de recherche sont tout aussi clairs que ceux concernant les pupitres des élèves. Ils proposent une configuration fort différente de celle à laquelle nous sommes habitués:

> «Thompson (1998) dit qu'on commet couramment l'erreur de le placer à l'avant de la classe. Elle affirme qu'il est préférable de le placer à l'arrière de la classe ou dans un des coins arrière, puisque l'enseignant peut alors surveiller les élèves, sans leur laisser savoir qu'ils sont observés.» (Boynton et Boynton, 2009, p. 118)

Ainsi, en accord avec les résultats de recherche, l'enseignant gagnera à planifier l'organisation de sa classe de manière à placer son bureau à l'arrière de la classe.

Quant aux zones dans lesquelles plusieurs élèves se rassemblent ou qui sont souvent fréquentées par un ou des élèves, elles représentent des sources de distraction et de digression potentielles dans le bon déroulement des activités. Ces espaces de congestion incluent, entre autres, les zones autour des tables de travail en équipe, celles autour du taille-crayon, de la poubelle, de la fontaine, des lavabos, des bibliothèques, des ordinateurs et du bureau de l'enseignant. Dans sa planification de l'organisation physique de la classe, l'enseignant doit veiller à bien espacer ces différentes zones et à leur accorder le plus vaste espace possible. Chacun de ces endroits doit être accessible facilement, et des routines pour s'y rendre doivent avoir été enseignées explicitement.

Si certains résultats de recherche permettent de jeter un éclairage nouveau sur l'organisation physique de la classe, d'autres études lèvent le voile pour leur part sur les stratégies d'enseignement qui favorisent la réussite scolaire des élèves.

3.5 Un enseignement efficace qui favorise la réussite du plus grand nombre

Pour compléter la présentation des interventions préventives, soulignons l'importance d'enseigner efficacement. L'objectif d'un enseignant ne doit pas être seulement d'avoir une classe bien organisée et calme : les élèves doivent aussi et surtout pouvoir y apprendre ! C'est à ce moment que la gestion de classe et la gestion des apprentissages se rencontrent. Des activités bien planifiées et bien menées suscitent la participation et l'engagement dans la tâche des élèves, ce qui réduit, par le fait même, les problèmes de gestion de classe. À l'opposé, des leçons mal préparées et mal rendues démotivent les élèves tout en augmentant les risques de problèmes de comportement dans la classe. Enseignement efficace et gestion de classe efficace vont de pair.

À ce sujet, James Kauffman, un spécialiste des élèves ayant des troubles de conduite et de comportement, a affirmé, dans un ouvrage paru en 2010, que *l'enseignement efficace était l'un des meilleurs moyens de prévenir les difficultés d'ordre comportemental des élèves*. De fait, lorsqu'un élève réussit en classe, il a tendance à se comporter plus adéquatement que dans un contexte où il se trouve constamment en situation d'échec. Un élève qui connaît l'échec au quotidien a tendance à prendre tous les moyens à sa disposition pour éviter de se trouver dans une telle situation. Or, l'un des moyens les plus efficaces à sa disposition est d'adopter des comportements inappropriés et d'avoir ainsi toutes les chances d'être retiré de la classe !

Qu'est-ce que l'enseignement efficace ?

La recherche en enseignement a donné lieu, notamment dans l'enseignement des matières de base auprès des élèves en difficulté, à des résultats à la fois significatifs et convergents. En plus des nombreuses études effectuées sur la question de l'enseignement efficace que nous avons décrites dans nos ouvrages antérieurs (Bissonnette, Richard et Gauthier, 2005, 2006), nous avons également réalisé une méga-analyse permettant de définir des stratégies d'enseignement efficace fondées sur des données probantes (Bissonnette, Richard, Gauthier et Bouchard, 2010). Plus précisément, nous avons répertorié 11 méta-analyses (lecture = 7 ; écriture = 1 ; mathématiques = 3) publiées entre 1999 et 2007, nous permettant de spécifier les méthodes d'enseignement qui favorisent les apprentissages de base des élèves en difficulté. Au total, ces 11 méta-analyses ont examiné 362 recherches publiées entre 1963 et 2006 et réalisées auprès de plus de 30 000 élèves.

Que disent ces recherches? Existe-t-il des stratégies d'enseignement qui favorisent les apprentissages des élèves? Les résultats de notre méga-analyse sont clairs. Ils montrent les effets positifs liés aux méthodes d'enseignement explicite et réciproque. Les résultats de recherche indiquent clairement que tel est le cas. De manière plus précise, les données probantes soulignent que:

> «L'enseignement structuré et directif est la modalité pédagogique dont l'efficacité se situe au premier rang. Ce type d'enseignement, généralement désigné sous l'appellation d'"enseignement explicite", fait appel à une démarche d'apprentissage dirigée par l'enseignant qui procède du simple vers le complexe et se déroule généralement en trois étapes: le modelage, la pratique dirigée et la pratique autonome (Rosenshine et Stevens, 1986). La seconde modalité efficace est l'enseignement réciproque, également nommé le "tutorat par les pairs", qui propose le recours au travail en équipe. Cette forme d'enseignement se déroule exclusivement en dyade et emploie une démarche structurée dont les modalités sont enseignées explicitement aux élèves (Elbaum et coll., 1999). Il importe de mentionner que ces deux modalités d'enseignement ne sont en aucun cas mutuellement exclusives: il est possible d'incorporer assez facilement cette forme de travail en dyade à l'intérieur d'une démarche d'enseignement explicite lors de la pratique guidée.» (Gauthier, Bissonnette et Richard, 2013, p. 26)

Il est à noter que nous avons également analysé les effets de la pédagogie constructiviste, une approche très en vogue présentement dans le milieu de l'éducation et qui fait appel à une démarche d'apprentissage centrée sur l'élève en fonction de son rythme et de ses préférences (Chall, 2000). Qu'est-ce qu'une approche constructiviste? De manière plus précise, ce type de pédagogie préconise le recours à des activités authentiques, complètes et complexes où l'enseignant joue un rôle de facilitateur et de guide, en procédant surtout par questionnement auprès des élèves (Jeynes et Littell, 2000). Que disent les résultats de recherche à propos des effets de l'utilisation d'une approche constructiviste en vue de favoriser les apprentissages des élèves?

> «Les résultats obtenus pour ce type de pédagogie montrent des tailles d'effet variant de –0,65 à 0,34 et situent cette stratégie d'enseignement nettement en deçà du seuil d'efficacité visé habituellement recommandé (d = 0,40 et plus). Autrement dit, les résultats de recherche indiquent clairement qu'il s'avère donc inapproprié de recourir à cette stratégie pour l'enseignement des apprentissages fondamentaux auprès des élèves en difficulté, surtout lorsqu'on dispose de méthodes pédagogiques comme l'enseignement explicite ou le tutorat par les pairs dont l'efficacité pour favoriser les apprentissages est nettement supérieure.» (Gauthier, Bissonnette et Richard, 2013, p. 26)

Examinons plus avant l'enseignement explicite et l'enseignement réciproque, deux formes d'enseignement reconnues comme efficaces pour favoriser la réussite des élèves.

3.5.1 Utiliser l'enseignement explicite

Pour enseigner efficacement, l'enseignant doit se préparer de manière efficace. Pour ce faire, il doit mettre en œuvre différentes stratégies lors des trois temps de l'enseignement, à savoir pendant les phases de préparation, d'interaction et de consolidation.

Préparation

Ainsi, dès la phase de préparation, l'enseignant qui fait usage de l'enseignement efficace met de l'avant certaines stratégies que nous déclinons sommairement dans cette section[11] :

- L'enseignant spécifie les objectifs d'apprentissage dans le but de clarifier les intentions poursuivies.
- Il définit les idées maîtresses du curriculum ainsi que les connaissances préalables nécessaires des élèves.
- Il intègre, de manière stratégique, les différents types de connaissances (déclaratives, procédurales et conditionnelles).
- Il planifie l'enseignement explicite des stratégies cognitives, les dispositifs de soutien à l'apprentissage et la révision.
- Il s'assure de l'alignement curriculaire (cohérence entre le programme, l'enseignement et l'évaluation).
- Il prévoit un canevas de leçon.

Interaction

Lorsque l'enseignant a terminé sa planification, il doit ensuite mettre en œuvre ce qu'il a prévu. Autrement dit, dans la phase d'interaction, en présence des élèves, il doit effectivement faire ce qu'il a planifié. Bien que des ajustements soient inévitables, il compte sur un canevas de base qui le guide dans l'action.

Deux types de stratégies régissent les interactions avec les élèves dans la perspective d'un enseignement explicite. Comme cette phase est fondamentale, nous présentons les stratégies en deux temps. Nous exposons d'abord les stratégies que nous qualifions de générales, car elles font appel à de grands principes qui influent sur tout le travail de l'enseignant. Ensuite, nous décrivons les stratégies que nous avons appelées spécifiques, car elles précisent en détail les stratégies pédagogiques mises de l'avant par l'enseignant lors de la phase d'interaction pour favoriser un apprentissage optimal de ses élèves.

Stratégies générales

- Maximiser le temps d'apprentissage scolaire.
- Assurer un taux élevé de succès des élèves.
- Couvrir la matière à présenter aux élèves.
- Favoriser des modalités de regroupement efficaces.

---

11. Nous ne nous attardons pas sur ce sujet, car toute cette question de la gestion des apprentissages dans la perspective d'un enseignement explicite a fait l'objet d'un livre précédent qui décrit les stratégies d'enseignement relatives à la planification, à l'interaction et à la consolidation des apprentissages (Gauthier, Bissonnette, Richard et coll., 2013). Nous suggérons aux lecteurs désireux d'approfondir ce sujet de consulter notre ouvrage intitulé *Enseignement explicite et réussite des élèves. La gestion des apprentissages*, Montréal, ERPI.

- Donner du soutien à l'apprentissage (*scaffolding*).
- Prendre en compte différentes formes de connaissances (déclaratives, procédurales et conditionnelles).
- Utiliser un langage clair et précis.
- Vérifier la compréhension.
- Expliquer, illustrer par modelage, démontrer.
- Maintenir un rythme soutenu.
- Différencier autrement (augmenter la fréquence et l'intensité de l'enseignement explicite).

Stratégies pédagogiques spécifiques

- Vérifier quotidiennement les devoirs.
- Commencer la leçon.
- Conduire la leçon à partir de la démarche d'enseignement explicite (modelage, pratique guidée, pratique autonome).
- Clore la leçon dans une démarche d'enseignement explicite.

Consolidation

Lorsque la phase d'interaction avec les élèves est terminée, l'enseignant passe ensuite à la phase de consolidation des apprentissages. Les stratégies mises de l'avant dans la phase de consolidation visent le maintien et le transfert des informations présentées aux élèves dans la phase d'interaction. Pour consolider les notions vues en classe, plusieurs stratégies s'offrent à l'enseignant :

- Donner des devoirs.
- Procéder à des révisions quotidiennes, hebdomadaires et mensuelles.
- Mener des évaluations formatives et sommatives en vue de vérifier le transfert des apprentissages.

En plus d'une démarche pédagogique axée sur l'enseignement explicite, l'enseignant peut faire usage d'une autre stratégie efficace pour favoriser les apprentissages des élèves. En effet, plusieurs recherches présentées dans la méga-analyse de Hattie (2009) font état de l'efficacité du tutorat par les pairs ou de l'enseignement réciproque.

3.5.2 Faire usage de l'enseignement réciproque[12]

Avec cette stratégie, un élève agit comme enseignant auprès d'un autre élève dans la classe. Il importe de noter que pour profiter d'une efficacité maximale du tutorat par les pairs, l'enseignant doit l'utiliser de façon complémentaire à l'enseignement explicite. Autrement dit, le tutorat par les pairs complète fort bien l'enseignement offert par l'enseignant, mais il ne le remplace pas. L'objectif de l'enseignement réciproque est d'amener progressivement l'élève à devenir son propre enseignant, à contrôler et à réguler lui-même son processus d'apprentissage.

---

12. Nous tenons à souligner que l'enseignement réciproque ou tutorat par les pairs partage des similitudes avec l'enseignement mutuel présenté dans la section des fondements.

Toute modalité de regroupement des élèves ne s'improvise pas. Certaines règles s'imposent :

- L'enseignant prend le temps d'enseigner explicitement les habiletés nécessaires avant d'inviter les élèves à passer à l'action.

- Il donne des tâches précises ainsi que des procédures pour présenter les informations et fournir une rétroaction.

- L'enseignant prévoit un entraînement structuré pour les élèves afin de leur apprendre à présenter l'activité, corriger les erreurs et prendre note des réponses des autres élèves.

- À la suite de ces occasions de pratique, les activités sont implantées dans le quotidien de la classe (il ne s'agit pas d'une expérience unique).

- Les occasions de pratique offertes aux élèves ne dispensent pas l'enseignant de superviser le travail des élèves en tout temps pour s'assurer du bon déroulement de l'activité.

- À la suite de sa supervision constante des activités d'enseignement réciproque, l'enseignant évalue s'il doit revenir sur certaines habiletés qui gagneraient à être retravaillées. Au besoin, il les enseigne de nouveau aux élèves.

Synthèse des interventions préventives

Pour conclure cette section, nous présentons un tableau-synthèse (*voir le tableau 3.6*) qui reprend chacune des cinq interventions préventives abordées dans les différentes sections de ce chapitre. Pour chacune, nous avons ajouté un exemple concret de la forme que pourrait prendre cette intervention préventive dans le contexte de la classe d'une enseignante efficace.

Tableau 3.6 | Les interventions préventives : interventions et exemples

1. Établissement de relations positives avec les élèves	
Interventions	**Exemples**
Croire à la réussite des élèves et entretenir des attentes élevées à leur égard	«Ce matin, il est temps de composer un texte descriptif. J'ai enseigné toutes les notions nécessaires et nous avons aussi fait plusieurs pratiques. Je sais que vous êtes prêts. Vous avez tout en main pour y parvenir et réussir. Vous devrez fournir les efforts nécessaires et utiliser les stratégies que je vous ai enseignées, vous savez que $R = E \times S$!»
Interagir avec tous les élèves	En distribuant les feuilles à l'arrivée des élèves, l'enseignante discute avec un élève déjà assis à son bureau : «Bonjour Maxime, tu sembles en forme aujourd'hui ?» Puis, l'enseignante cesse de distribuer les feuilles et prend une pause près de cet élève en attendant sa réponse. Elle échange quelques phrases avec Maxime avant de continuer sa distribution. À une autre élève plus timide qui entre en classe avec un chandail des Canadiens de Montréal, elle peut commencer sur un sujet plus impersonnel : «Wow! Lily, toute une partie de hockey hier soir, hein ? As-tu vu le but à la fin du match ?» À la suite de la réponse de Lily, si elle sent que l'élève veut discuter «hockey», elle continue sur sa lancée. Elle peut aussi tenter des questions plus personnelles.

Tableau 3.6 | Les interventions préventives : interventions et exemples (*suite*)

2. Création d'un environnement sécurisant, ordonné, prévisible et positif	
Interventions	**Exemples**
Enseigner explicitement les comportements désirés	Alex court dans le corridor. L'enseignante l'arrête et lui demande pourquoi elle pense avoir fait l'objet d'une «interception». Si Alex se rappelle la règle et la lui énonce, l'enseignante lui demande de lui montrer immédiatement de quelle manière elle pense pouvoir se déplacer dans le corridor en suivant la règle. Si l'élève a oublié la règle et ne peut pas la lui énoncer, elle la lui rappelle. Elle fait quelques pas avec cette élève dans le corridor avant de lui dire que c'est ce que marcher calmement signifie. Elle lui dit qu'elle peut maintenant le faire toute seule, la regarde partir, la félicite et lui rappelle que dorénavant, elle devra toujours circuler de cette manière : elle sait quoi faire et comment le faire.
Adopter un rythme soutenu	L'enseignante est en train de présenter une notion importante aux élèves. Jusqu'à maintenant, tous les élèves étaient concentrés, mais depuis quelques minutes, Kevin gigote sur sa chaise et regarde partout. Plutôt que d'intervenir sur son comportement inadéquat, l'enseignante lui dit : «Kevin, je donne encore un dernier exemple, puis ce sera à toi de répondre à la question suivante.» Ce faisant, elle n'a pas brisé le rythme de la leçon, a rappelé Kevin à l'ordre, en plus de lui permettre de raccrocher au dernier exemple.
3. Encadrement et supervision constante des élèves	
Interventions	**Exemples**
Revoir les règles périodiquement	Depuis quelques jours, les élèves prennent de plus en plus de temps pour se placer en rangs en silence avant les déplacements en groupe. L'enseignante leur dit explicitement ce qu'elle a constaté avant de leur rappeler les règles à ce sujet : «Au signal, vous vous levez immédiatement, vous vous dirigez à l'avant de la classe en silence, puis vous attendez mon signal avant de vous déplacer, etc.» Après le rappel, elle fait une pratique avec les élèves en commentant ce qui se passe bien et ce qui nécessite des améliorations. Elle fait autant de pratiques que nécessaire afin que tous les élèves accomplissent ce qui leur est demandé.
Superviser de façon constante	«Bon! Vous avez maintenant toutes les explications nécessaires pour réaliser ce travail. Faisons le premier numéro ensemble. (L'enseignante le fait avec les élèves.) Maintenant, à vous de jouer!» Elle dépose son livre sur le bureau, regarde les élèves pendant qu'ils se mettent au travail, puis se déplace lentement entre les pupitres. Ce déplacement ne vise pas uniquement à être près des élèves, mais il lui permet de regarder leurs réponses pour s'assurer qu'ils répondent effectivement correctement aux questions. En se déplaçant, l'enseignante peut aussi constater qu'un élève ne dérange pas, mais n'écrit rien. Elle peut alors lui demander pourquoi il ne se met pas au travail. S'il dit ne pas comprendre, elle peut lui expliquer à nouveau. S'il n'a pas de raison valable, elle peut rester près de lui pour lui signifier qu'elle attend de voir s'il se met au travail avant de «continuer sa route». Lorsqu'elle retourne à son bureau, elle ne se laisse pas absorber par ce qu'elle fait. Elle garde constamment en tête qu'il est nécessaire de parcourir la classe du regard et de se déplacer régulièrement entre les élèves.

Tableau 3.6 | Les interventions préventives : interventions et exemples (*suite*)

Interventions	Exemples
Marcher dans la classe, occuper tout l'espace, se diriger rapidement vers les lieux de difficultés potentielles	Pendant qu'elle donne une explication à un élève assis à l'avant pendant le travail individuel, l'enseignante se positionne de façon à faire face à l'élève et à voir le fond de la classe. Pendant ses explications, elle continue de regarder du coin de l'œil les élèves assis derrière. Elle voit donc qu'un élève profite du fait qu'elle discute en privé avec un élève pour arrêter de travailler et parler à son voisin. Plutôt que de faire comme si elle n'avait rien vu, elle dit à l'élève à qui elle parlait de continuer, qu'elle revient dans un instant. Elle se déplace vers l'élève dissipé en le regardant. Elle passe près de lui en regardant le travail qu'il a accompli jusqu'à maintenant. Elle reste dans cette zone de la classe jusqu'à ce qu'il se remette au travail. Elle circule dans la classe en ayant particulièrement à l'œil cet élève qui se désorganisait.
Placer les élèves difficiles ou vulnérables près de l'enseignant	Comme Jérôme a de la difficulté à se concentrer, l'enseignante l'a placé à l'avant de la classe. Elle le supervise plus étroitement et le ramène à l'ordre lorsqu'il se déconcentre. Depuis quelque temps il ne dérange pas, mais la qualité de son travail a décliné. En y réfléchissant bien, elle réalise que c'est depuis qu'il fait plus chaud et qu'elle laisse la porte ouverte. Jérôme passe son temps à regarder et écouter ce qui se passe dans le corridor. Elle devra trouver une nouvelle place pour Jérôme ou se procurer un ventilateur pour aérer la classe, puis constater si Jérôme travaille mieux.
Augmenter l'implication des élèves dans la tâche	Lorsque l'enseignante présente une nouvelle notion, elle prépare une feuille résumant les concepts étudiés, sous la forme «dictée trouée». Chaque élève doit donc écrire sur sa feuille les mots manquants qui seront vus pendant les explications. Elle leur précise qu'il est de leur responsabilité de suivre et de bien écouter, car elle donnera toutes les réponses pendant les explications et qu'elle ramassera la feuille à la fin. De plus, à tout moment, l'enseignante questionne les élèves : «Anne, résume-moi dans tes mots ce que je viens de dire à propos de...» ou encore «Jean, qu'est-ce que...?» Elle questionne aussi en grand groupe pour obtenir des réponses à main levée. Après quelques questions, si elle constate qu'un élève ne participe pas, elle le cible explicitement : «Jérémie, la prochaine question est pour toi!»
Utiliser un système de renforcement des comportements positifs	L'enseignante fait souvent du renforcement auprès des élèves quand leurs comportements sont adéquats: «Bravo Hélène, tu es prête à travailler au son de la cloche!» ou «Félicitations Ophélie, tu marches calmement!» ou encore, à un élève qui a fait des efforts remarquables dans un travail, l'enseignante écrit une note à l'agenda pour ses parents. À la fin de chaque journée (semaine, mois ou session), l'enseignante organise une période d'activités spéciales (jeux libres, lecture, sortie à la bibliothèque, invité spécial, etc.) si les élèves ont atteint collectivement un nombre de jetons précis. Selon l'objectif visé, les jetons peuvent aussi être utilisés de manière individuelle pour une activité d'achat de récompenses.

Tableau 3.6 | Les interventions préventives : interventions et exemples (*suite*)

4. Organisation de la classe qui maximise le temps d'enseignement et d'apprentissage des élèves	
Interventions	**Exemples**
Disposer les pupitres des élèves	L'enseignante a placé les pupitres en rangées et elle a assigné elle-même les places selon les besoins des élèves (les élèves plus difficiles à l'avant, etc.). Maxime, élève distrait, a hérité d'une place juste devant le tableau à l'avant. Il travaillait bien jusqu'à il y a deux jours. En y réfléchissant, la situation s'est détériorée depuis qu'elle a placé Arianne près de la porte de la classe (à proximité de Maxime), car celle-ci doit se lever souvent pour aller aux toilettes à cause d'une infection urinaire. L'enseignante devra demander à Arianne de retourner à sa place dès que son état le lui permettra ou elle devra revoir plus à fond son attribution des places.
Disposer le bureau de l'enseignant et organiser les autres zones très fréquentées	Depuis toujours, l'enseignante avait disposé son bureau près de la porte d'entrée à l'avant sur le côté droit de la classe. Il lui était plus facile d'accueillir les visiteurs ou encore d'écouter les messages à l'intercom situé près de la porte. Toutefois, il lui arrivait de sentir une certaine désorganisation chez les élèves assis dans la dernière rangée à l'arrière de la classe. Des sourires, des chuchotements provenaient de cette zone. En accord avec les résultats de recherche, cette année, l'enseignante a placé son bureau à l'arrière de la classe. Elle constate qu'il lui est beaucoup plus facile de superviser l'ensemble des élèves. Les visiteurs attendent patiemment quelques secondes de plus qu'elle leur ouvre la porte et elle entend très bien les messages même si elle se trouve au fond de la classe, car les élèves gardent toujours le silence pendant toute la durée des communications.

5. Enseignement efficace qui favorise la réussite du plus grand nombre	
Interventions	**Exemples**
Utiliser l'enseignement explicite	L'enseignante constate que les apprentissages de ses élèves en mathématiques progressent peu. Elle n'est pas satisfaite des explications qu'elle donne et trouve que les objectifs poursuivis ne sont pas clairs pour les élèves. Après avoir pris connaissance des résultats de recherche à propos de l'enseignement explicite, elle décide de faire usage de cette stratégie. L'enseignante consulte donc des ouvrages portant sur cette stratégie pédagogique et elle se forme en ce sens. Elle planifie et dispense son enseignement en accord avec les principes qui y sont liés dans le but de favoriser les apprentissages de ses élèves Son enseignement se distingue par son caractère structuré, explicite, dans lequel le modelage et la pratique tiennent un grand rôle. Après quelques mois, elle constate des améliorations. Elle précise toujours clairement les objectifs visés aux élèves qui savent exactement à quoi s'attendre. Les stratégies mises de l'avant portent leurs fruits et les résultats des élèves en mathématiques s'améliorent.

Tableau 3.6 | Les interventions préventives : interventions et exemples (*suite*)

Interventions	Exemples
Faire usage de l'enseignement réciproque	Pour bonifier son enseignement, en accord avec les résultats de recherche, l'enseignante décide de faire appel à l'enseignement réciproque. Elle se forme donc à cette stratégie avant de l'enseigner explicitement à ses élèves. Elle précise ce qu'elle attend d'eux pendant les périodes de tutorat, elle modèle ce qui est attendu. Elle s'assure que tous les élèves maîtrisent ce qu'ils doivent faire et leur propose plusieurs occasions de pratique avant de les laisser travailler en dyade. Même après avoir été formée, l'enseignante supervise constamment le travail des élèves pour s'assurer que les activités se déroulent comme il se doit.

Le tableau 3.7 présente les stratégies recommandées par le modèle PIC[13] de gestion de classe pour prévenir l'apparition de comportements inappropriés au cours de l'année scolaire (*voir également l'annexe 1*).

Tableau 3.7 | Les stratégies pour prévenir l'apparition de comportements inappropriés au cours de l'année scolaire

À faire avant le début de l'année scolaire	À faire au début de l'année scolaire	À faire au cours de l'année scolaire
S'informer au sujet des élèves qui seront dans ma classe, lire les dossiers les concernant.	Vérifier la fonctionnalité de l'organisation physique de la classe.	Réajuster au besoin l'organisation physique de la classe.
Planifier l'organisation physique de la classe.	Enseigner de manière systématique et explicite les routines et les attentes comportementales.	Réenseigner et revoir au besoin les attentes comportementales et les routines.
Établir et définir les routines.	Établir de bonnes relations avec les élèves.	Maintenir de bonnes relations avec les élèves.
Déterminer les attentes comportementales (règles).	Encadrer et superviser les élèves :	Encadrer et superviser constamment les élèves :
Planifier l'enseignement explicite des comportements attendus.	• Superviser de façon constante.	• Revoir les règles périodiquement.
Planifier un système de renforcement.	• Marcher dans la classe.	• Superviser de façon constante.
Planifier un enseignement explicite des contenus.	• Placer les élèves difficiles près de l'enseignant.	• Marcher dans la classe.
	• Assurer l'implication des élèves.	• Placer les élèves difficiles près de l'enseignant.
	• Utiliser le système de renforcement.	• Augmenter l'implication des élèves.
	Enseigner explicitement les contenus.	• Ajuster un système de renforcement.
		Maintenir des stratégies d'enseignement explicite des contenus.
		Maintenir un rythme d'enseignement soutenu.

---

13. Planification, Interaction, Consolidation.

En terminant, comme nous l'avons mentionné précédemment, à chacune des interventions préventives présentées correspond un ensemble de stratégies et de moyens. Ces derniers représentent les gestes et les actions concrètes que l'enseignant doit accomplir au quotidien pour prévenir les écarts de conduite des élèves et favoriser l'adoption de comportements positifs, comme en témoigne le tableau-synthèse présenté en ouverture de chapitre (*voir le tableau 3.1, p. 56*).

Vous trouverez aux annexes 2 et 3 une synthèse et un inventaire détaillé des interventions préventives et correctives.

De plus, il importe de signaler que le recours aux interventions correctives présentées au chapitre suivant prend appui sur la mise en place des interventions préventives. Par exemple, un élève acceptera plus facilement d'assumer une conséquence liée à son comportement inadéquat, si son enseignant a établi avec ce dernier une relation positive. Par conséquent, l'efficacité des interventions correctives est fortement influencée par la mise en œuvre des interventions préventives.

CHAPITRE 4

Les interventions correctives

Ce n'est pas parce que les choses sont difficiles que nous n'osons pas.
C'est parce que nous n'osons pas qu'elles sont difficiles.

Sénèque (-4 av. J.-C.–65)

4.1 Les écarts de conduite et la gestion de classe

Comme nous l'avons vu précédemment, une gestion de classe et des comportements des élèves efficace implique que 80 % des interventions sont de nature préventive et que 20 % d'entre elles sont de nature corrective (curative). Pour favoriser une gestion de classe efficace, la majorité des interventions de l'enseignant doit donc être préventive ou proactive : ces interventions ont pour but d'inciter les élèves à adopter de bons comportements (Knoster, 2008). Toutefois, l'enseignant doit également faire usage des interventions correctives. Moins fréquemment utilisées, elles visent à gérer un ou plusieurs écarts de conduite.

Autrement dit, quoiqu'il faille cibler en priorité les interventions préventives, il s'avère également nécessaire d'utiliser des interventions correctives auprès des élèves qui présentent des écarts de conduite. Comment intervenir de manière efficace vis-à-vis des différents comportements inadéquats des élèves ? Pour faire un choix d'interventions efficaces en cas de problèmes disciplinaires, il faut recourir à diverses stratégies correctives que résume la figure 4.1 (*voir p. 102*).

Figure 4.1 La gestion de classe et des comportements : comment prévenir et intervenir ?

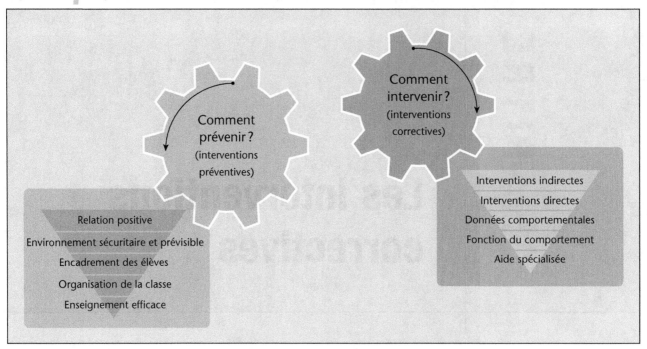

Source : S. Bissonnette et M. Richard, 2001, *Comment construire des compétences en classe*, Montréal : Chenelière.

Voici les cinq interventions correctives à utiliser en classe :

1. Le recours aux interventions indirectes ;

2. Le recours aux interventions directes ;

3. L'accumulation de données comportementales ;

4. Le questionnement sur la fonction du comportement ;

5. Le recours à de l'aide spécialisée.

Comme pour les interventions préventives, nous tenons à mettre l'accent sur l'importance du caractère gradué de ces interventions. Ainsi, nous rappelons qu'il est fortement préférable de commencer la gestion des écarts de conduite en utilisant d'abord les interventions indirectes et directes plutôt que des stratégies plus lourdes comme l'accumulation de données comportementales (Missouri Schoolwide Positive Behavior Support, 2012).

Aussi, il est fondamental de comprendre que les interventions correctives à réaliser dépendent du type d'écart de conduite des élèves. En effet, les écarts de conduite se subdivisent en deux types, mineurs ou majeurs, et les interventions à effectuer découlent du degré de gravité de l'écart de conduite diagnostiqué.

Quelle est la différence entre ces deux types de comportements problématiques ?

• Un écart de conduite mineur est un manquement aux attentes comportementales préalablement enseignées qui :

  – ne nuit pas au bon fonctionnement de la classe ni à l'apprentissage des élèves,

  – mais dérange l'élève lui-même ou quelques élèves autour de lui.

- Un **écart de conduite majeur** est soit :
  - un manquement aux attentes comportementales préalablement enseignées qui nuit au bon fonctionnement de la classe, à l'enseignement du maître et, par conséquent, à l'apprentissage des autres élèves,
  - un comportement dangereux, illégal, illicite (violence, intimidation, drogue, vol, etc.),
  - un **écart de conduite mineur** qui persiste malgré diverses interventions réalisées.

Ainsi, les inconduites mineures sont gérées par des interventions indirectes et directes, alors que les écarts de conduite majeurs feront l'objet de stratégies davantage élaborées de la part de l'enseignant. Devant ce dernier type de comportements, l'enseignant doit d'abord accumuler des données comportementales, se questionner sur la fonction du comportement observé pour ensuite recourir le cas échéant à de l'aide spécialisée si le problème persiste malgré toutes les interventions qu'il a faites jusqu'alors. Le tableau 4.1 résume l'ensemble des interventions correctives qui s'offrent aux enseignants.

Tableau 4.1 Les écarts de conduite et les interventions correctives

Écarts de conduite mineurs	Écarts de conduite majeurs
1. Recours aux interventions indirectes	3. Accumulation de données comportementales
2. Recours aux interventions directes	4. Questionnement sur la fonction du comportement
	5. Recours à de l'aide spécialisée

Pour terminer en ce qui a trait à la gradation des interventions, il est à noter que lorsque 25 % et plus des élèves de la classe manifestent des écarts de conduite persistants, l'enseignant doit reconsidérer (ou réexaminer) sa façon de recourir aux interventions préventives ou proactives avant d'utiliser celles de type correctif (Lane, Gresham et O'Shaughnessy, 2002). Toutefois, des comportements communs de courte durée et (ou) qui ne nuisent en rien aux activités d'enseignement et d'apprentissage (être brièvement inattentif, être dans la lune, être nonchalant pendant les transitions, arrêter de travailler un peu avant la fin prévue, etc.) devraient se corriger d'eux-mêmes. *Accorder trop d'importance à ces comportements pourrait interrompre le déroulement fluide des activités pédagogiques et rendre le climat de la classe moins positif.*

Par ailleurs, la fréquence ou l'intensité d'un comportement négatif augmentera si celui-ci n'est pas géré convenablement. Il faut donc intervenir avec diligence et pertinence. Entre autres, afin d'intervenir efficacement, il s'avère nécessaire de déterminer préalablement, en équipe-école, ce qui est considéré comme un écart de conduite majeur (MSPBS, 2012). *À ce sujet, nous désirons ajouter qu'une école efficace est une école qui dispose d'une politique claire en ce qui concerne la gestion des écarts de conduite majeurs.* Dans ces écoles, les enseignants peuvent gérer adéquatement les comportements des élèves, car les motifs pour lesquels un élève doit être retiré de son milieu d'apprentissage ont été définis précisément[1]. L'absence d'une telle politique laisse place à toutes sortes d'interprétations liées aux perceptions de chaque enseignant. Ce faisant, des élèves sont retirés de la classe sans motif valable ou, au contraire, sont tolérés en classe, alors qu'ils devraient en être retirés, car ils compromettent le travail de l'enseignant et, en conséquence, l'apprentissage des autres élèves.

Le tableau 4.2 présente en détail les interventions qui s'offrent à l'enseignant dans le cadre d'une intervention corrective. Il permet de se faire une idée globale de toutes les stratégies possibles. Ces stratégies sont explicitées de manière détaillée dans les sections qui suivent.

Tableau 4.2 | **Les interventions correctives**

Interventions correctives (curatives)	Écarts de conduite mineurs	1. Recours aux interventions indirectes	1.1 Contrôler par la proximité. 1.2 Contrôler par le toucher. 1.3 Donner des directives non verbales. 1.4 Ignorer intentionnellement et renforcer de manière différenciée.
		2. Recours aux interventions directes	2.1 Rediriger. 2.2 Réenseigner. 2.3 Offrir un choix à l'élève. 2.4 Recourir aux conséquences formatives. 2.5 Utiliser la technique «Montre-moi cinq élèves…». 2.6 Rencontrer l'élève individuellement.
	Écarts de conduite majeurs	3. Accumulation de données comportementales	3.1 Accumuler des données sur les comportements inadéquats. 3.2 Accumuler des données sur les comportements adéquats.
		4. Questionnement sur la fonction du comportement	4.1 Identifier la fonction du comportement négatif.
		5. Recours à de l'aide spécialisée	5.1 Chercher l'aide appropriée pour l'élève.

Les interventions correctives visent à gérer des écarts de conduite d'ordre mineur ou majeur. De manière générale, le principe directeur des interventions est le suivant: l'enseignant doit toujours viser à intervenir au moindre «coût» (MSPBS, 2012). Par exemple, si les problèmes de comportement sont mineurs, l'enseignant doit d'abord recourir aux interventions indirectes avant de tenter des interventions plus exigeantes de sa part.

Qu'est-ce qu'une **intervention indirecte**? Une intervention indirecte est une intervention non verbale, non intrusive et qui sollicite l'élève indirectement. À titre d'exemple, l'enseignant peut tenter de contrôler la conduite de l'élève par

---

1. Un élève qui manifeste mensuellement de deux à cinq écarts de conduite majeurs, qui ont entraîné des retraits de la classe ou de l'endroit où il se trouve, a besoin d'interventions supplémentaires et ciblées faisant appel aux services complémentaires de l'école (psychologue, psychoéducateur, technicien en éducation spécialisée, travailleur social, etc.). De plus, un élève qui manifeste six écarts de conduite majeurs ou plus mensuellement est généralement un élève présentant un trouble de conduite nécessitant la mise en œuvre d'un plan d'intervention et d'un suivi individuel par des professionnels.

la proximité. Il peut aussi lui donner des directives non verbales. Finalement, il peut ignorer intentionnellement le comportement inapproprié de l'élève et renforcer le comportement désiré qui a été manifesté par un autre élève.

Si ces interventions ne portent pas leurs fruits, l'enseignant passe alors à l'étape suivante et fait usage d'une stratégie plus exigeante pour tenter de résoudre un écart de conduite mineur, à savoir l'utilisation des interventions directes. Une **intervention directe** est une intervention verbale qui interpelle directement l'élève qui manifeste un écart de conduite. Dans cette perspective, l'enseignant peut tenter de rediriger l'élève, de réenseigner le comportement ou encore d'offrir un choix à l'élève. Si toutes ces tentatives échouent, l'enseignant peut alors recourir aux conséquences formatives ou à la technique «Montre-moi cinq élèves…» (*voir la page 114*). Ultimement, pour gérer un écart de conduite mineur à l'aide d'une intervention directe, l'enseignant peut planifier une rencontre individuelle avec l'élève.

Dans le cas d'écarts de conduite majeurs, l'enseignant peut faire appel, dans l'ordre, à trois actions supplémentaires :

1. Il doit tenter d'accumuler des données sur les comportements inadéquats ainsi que sur les comportements adéquats afin de définir des interventions possibles.

2. Si le problème persiste, il doit s'interroger sur la fonction du comportement négatif, et ce, afin de comprendre les raisons pouvant expliquer ce comportement négatif et choisir ainsi une intervention adéquate.

3. Si toutes ces démarches ont échoué, il est maintenant temps pour l'enseignant d'avoir recours à de l'aide spécialisée.

La figure 4.2 à la page 106 reprend ces mêmes informations, mais de manière synergique.

Cela dit, il est maintenant temps de préciser chacune de ces interventions correctives en détail dans les sections suivantes. Dans le but de respecter le caractère gradué des interventions, nous présenterons les interventions indirectes et directes destinées aux écarts de conduite mineurs avant celles visant à gérer les écarts de conduite majeurs. Nous soulignons encore une fois qu'il est préférable d'utiliser ces deux types d'interventions de manière graduée, c'est-à-dire de recourir aux interventions indirectes avant d'opter pour les interventions directes (MSPBS, 2012). En effet, les interventions indirectes sont plus discrètes et non intrusives : elles n'interpellent pas directement et verbalement l'élève qui présente un écart de conduite.

À noter

L'utilisation fréquente des interventions indirectes et directes est habituellement suffisante pour gérer efficacement la majorité des écarts de conduite mineurs (Knoster, 2008). Toutefois, si ces écarts de conduite persistent ou deviennent plus graves, il importe d'accumuler des données comportementales, puis de s'interroger sur la fonction des comportements dérangeants et, s'il y a lieu, de demander de l'aide spécialisée.

Figure 4.2 Les interventions correctives

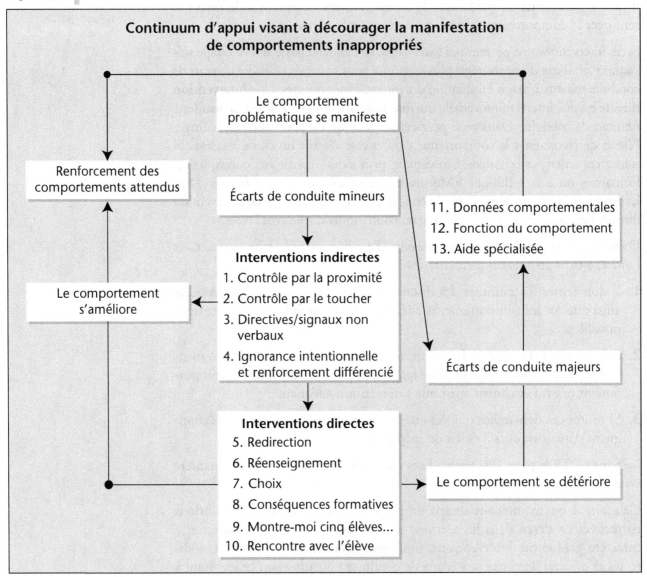

Source : Bissonnette et Paquette-Côté, 2014, « Continuum d'appui visant à décourager la manifestation de comportements inappropriés »,
EDU 6011-A : *Gestion efficace des comportements : volet Enseignement*, Québec : TÉLUQ. Récupéré de educ6011-a.teluq.ca

4.2 La gestion des écarts de conduite mineurs

Dans les pages suivantes, nous présentons l'ensemble des stratégies à utiliser de manière graduée en ce qui a trait aux interventions indirectes et directes. Il est à noter que nous nous contentons de décrire chacune des stratégies. Des exemples pour chacune d'elles se trouvent au tableau 4.3 à la page 117. D'autres tableaux (*voir les tableaux 4.4 et 4.5, p. 118-119*) donnent également une vue d'ensemble des stratégies qui s'offrent à l'enseignant.

4.2.1 Le recours aux interventions indirectes

Les interventions indirectes sont au nombre de quatre (MSPBS, 2012). L'enseignant peut :

1. Contrôler par la proximité.

2. Contrôler par le toucher.

3. Donner des directives non verbales.

4. Ignorer intentionnellement et renforcer de manière différenciée.

Voyons de manière détaillée en quoi consistent ces stratégies.

Contrôler par la proximité

Tous les enseignants savent que le simple fait de s'approcher d'un élève qui présente un comportement problématique est efficace. Cette technique vise à encourager la manifestation de comportements positifs de la part de l'élève. En effet, de par sa proximité, l'enseignant devient une source de force et d'inspiration qui aide l'élève à maîtriser ses pulsions. L'avantage de cette stratégie est qu'elle s'utilise discrètement, sans interrompre le flot des activités.

Dans sa planification de l'organisation de sa classe, l'enseignant s'assure donc de garder les zones de circulation libres de toutes entraves. Il prévoit un espace suffisant entre les pupitres des élèves afin de circuler facilement. Il planifie les activités de façon à ne pas devoir demeurer au même endroit pendant un long moment et à disposer de la latitude nécessaire pour bouger dans la classe en tout temps.

En présence des élèves, l'enseignant se rapproche physiquement de l'élève désorganisé. Il fait usage de la proximité de façon à faire cesser le comportement inapproprié sans interrompre la leçon. Autrement dit, même dans le feu de l'action, il ne se laisse pas distraire par les événements et il garde toujours en tête l'importance de ne pas laisser un problème dégénérer. En occupant tout l'espace disponible dans la classe, il lui est possible de se déplacer afin d'intervenir rapidement et efficacement auprès d'un élève qui se désorganise.

Aussi, après avoir demandé aux élèves d'effectuer une tâche, l'enseignant supervise attentivement leur travail (DePry et Sugai, 2002). Évidemment, il est difficile pour l'enseignant de superviser la progression des travaux et les comportements des élèves lorsqu'il est assis à son bureau ou d'un endroit dont il ne peut bouger facilement. L'enseignant évite donc de passer beaucoup de temps à la même place. Il ne commence pas immédiatement à travailler à son bureau ou à interagir individuellement avec un élève sans s'être d'abord assuré que tous les élèves sont à l'œuvre et en mesure d'effectuer le travail demandé. En l'absence de cette supervision immédiate, certains élèves ne se mettront pas à la tâche ou d'autres prendront un mauvais départ (Simonsen, Fairbanks, Briesh, Myers et Sugai, 2008).

Même lorsque tous les élèves semblent bien travailler, l'enseignant maintient son attention et circule régulièrement dans la classe afin de s'assurer que tous les élèves sont effectivement centrés sur la tâche. Il vérifie régulièrement l'état d'avancement du travail de chaque élève. Si l'enseignant doit travailler à son bureau, il se lève souvent et circule dans la classe afin d'être près des élèves. S'il doit aider un élève plus longtemps (plus d'une ou deux minutes), l'enseignant évite de rester à proximité du pupitre de l'élève, à moins qu'il ne puisse observer toute la classe de cet endroit.

Par cette proximité physique avec les élèves, il lance le message clair qu'il est aux aguets et veille au grain. Ce faisant, il soutient particulièrement le travail et le comportement des élèves qui sont sujets à la confusion ou à la distraction. Souvent, le seul fait d'être physiquement près d'un élève qui serait tenté de se désorganiser permet de désamorcer la situation rapidement et simplement (Lampi, Fenty et Beaunae, 2005). De plus, en étant physiquement près des élèves, l'enseignant peut offrir rapidement une rétroaction corrective, ce qui les encourage à bien travailler et à se comporter correctement.

Superviser les comportements des élèves pendant les explications en grand groupe exige aussi de l'enseignant qu'il voie le visage de tous ses élèves. Pour ce faire, pendant les explications, il peut être efficace que l'enseignant se déplace et regarde ce qui se passe dans la classe (Simonsen et coll., 2008). Grâce à cette proximité physique, il peut noter que certains élèves semblent perturbés. C'est le signe que sa supervision n'a pas été assez étroite et que quelque chose lui a échappé. Cette situation peut arriver lorsque l'enseignant fait porter son attention sur un nombre limité d'élèves (habituellement ceux assis dans le milieu ou à l'avant de la classe) ou lorsqu'il écrit au tableau (et tourne le dos aux élèves). Dans les deux cas, l'enseignant ne perçoit pas globalement l'attention des élèves envers ses explications et il n'est pas conscient de ce qui se passe dans toutes les zones de la classe. Faire usage de la proximité physique permet de remédier rapidement, simplement et de manière efficace à cette situation.

Contrôler par le toucher

Le fait de toucher légèrement l'épaule d'un élève ou le dossier de sa chaise pendant que l'enseignant marche sa classe peut servir à rediriger cet élève vers la tâche à réaliser (Darch et Kame'enui, 2004).

Parfois, toucher doucement un élève sur le bras ou l'épaule lui rappelle la présence de l'enseignant, ce qui a un effet calmant. Lorsqu'il prépare ses cours, l'enseignant réfléchit donc aux gestes qu'il croit nécessaire de poser auprès de ses élèves pour les ramener à l'ordre au besoin.

Par ailleurs, l'enseignant ne doit jamais toucher un élève si lui ou l'élève est en colère. Dans ce cas, le contact physique pourrait amener la situation à dégénérer. De plus, l'enseignant doit à tout prix éviter les contacts physiques inappropriés. Point n'est besoin d'insister sur les nombreux cas d'enseignants traduits en justice pour attirer l'attention sur la prudence nécessaire en la matière.

Tout comme pour le contrôle par la proximité, l'enseignant doit maintenir sa vigilance en tout temps, même lorsque tout semble bien aller. Comme une classe peut se désorganiser rapidement, il doit constamment demeurer en alerte, et un simple geste de sa part peut désamorcer un événement qui autrement pourrait dégénérer.

Donner des directives non verbales

Les enseignants ont élaboré au fil du temps une variété de signaux qui permettent de communiquer leurs attentes aux élèves. Ces simples gestes transmettent à l'élève le message que l'enseignant sait ce qui se passe et qu'il est prêt à intervenir si l'élève ne change pas son comportement (Darch et Kame'enui, 2004).

Ces techniques de communication non verbale incluent des gestes comme le contact visuel, le signe de la main, frapper dans ses mains, claquer des doigts, faire des bruits de gorge (Hum! hum!), etc. De même, mettre un doigt sur les lèvres ou bouger la main peut indiquer subtilement, rapidement et simplement aux élèves qu'un comportement doit cesser. Parfois, ces gestes simples et subtils suffisent à interrompre un comportement inapproprié. Toutefois, la signification de ce type de signal doit être précisée explicitement, voire enseignée, surtout avec les élèves plus jeunes afin qu'ils y réagissent comme il se doit.

Faire une brève pause dans son discours représente une autre stratégie non verbale efficace. En effet, lorsque l'enseignant constate qu'un élève perturbe le déroulement des activités en cours, il peut arrêter de parler et regarder l'élève fautif. Le silence inconfortable qui s'installe ainsi que les regards de tous les élèves qui se tournent vers celui qui dérange agissent souvent comme un puissant levier motivant ce dernier à cesser le comportement inapproprié. L'enseignant doit toutefois employer cette stratégie avec prudence et être prêt à intervenir verbalement. En effet, certains élèves adoptent des comportements inadéquats justement pour obtenir de l'attention. Si tel est le cas, l'enseignant doit faire usage de stratégies différentes (MSPBS, 2012).

Bref, avant d'interagir avec les élèves, il s'avère donc nécessaire pour l'enseignant de prévoir le(s) geste(s) à adopter afin de lancer des messages clairs. Au besoin, particulièrement avec les élèves plus jeunes, il précise explicitement la signification des directives non verbales dont il fait usage. Dans l'action, il reste vigilant et alerte. Rapidement, il repère les perturbations et pose le(s) geste(s) prévu(s) afin d'aviser l'élève qu'il est au courant de ce qui se passe et qu'il sent le besoin d'intervenir afin de rétablir l'ordre.

Ignorer intentionnellement et renforcer de manière différenciée

Cette technique est basée sur le pouvoir des renforcements et des rétroactions positives. L'enseignant reconnaît et renforce le comportement d'un élève qui répond à ses attentes, mais qui se trouve à proximité d'un autre élève qui ne les satisfait pas. La reconnaissance et le renforcement servent alors à inciter indirectement l'élève qui ne se comporte pas bien à le faire tout en reconnaissant les efforts de celui qui répond à ses attentes. Une reconnaissance et un renforcement sont ensuite donnés à l'élève qui obtempère et adopte les comportements attendus (Knoster, 2008).

Dans sa planification de cours, l'enseignant prévoit la(les) manière(s) dont il reconnaîtra et renforcera les bons comportements des élèves qui se conduisent correctement dès le départ. Il pense aussi aux stratégies à utiliser afin de faire du renforcement auprès des élèves qui réagissent à ses interventions et corrigent leurs comportements.

Pour utiliser l'ignorance intentionnelle combinée à un renforcement différencié, l'enseignant doit:

• Ignorer le comportement inapproprié de l'élève fautif.

• Renforcer positivement le bon comportement d'un autre élève qui se trouve à proximité de celui qui manifeste l'écart de conduite.

- Fournir un renforcement positif à l'élève à proximité qui agit de façon appropriée dans les cinq secondes suivant l'adoption du comportement recherché.

- Fournir un renforcement positif dans les cinq secondes suivantes dès que l'élève ayant un comportement indésirable adopte le comportement souhaité.

- Éviter de réagir verbalement au comportement indésirable de l'élève, car c'est lui accorder trop d'attention (par exemple : «Arrête d'avoir ce comportement immédiatement!» ou «Cesse de faire cela!»).

- Éviter de réagir de façon non verbale au comportement indésirable de l'élève car, encore une fois, c'est attirer l'attention sur ce comportement (par exemple : rouler les yeux, tourner autour de l'élève, croiser les bras et regarder l'élève, etc.).

L'enseignant ne tient rien pour acquis. Il fait usage de cette stratégie (ignorance intentionnelle couplée au renforcement différencié) de manière constante afin de cultiver les bonnes habitudes chez ses élèves. Si les renforcements utilisés produisent moins d'effets, il veille à trouver de nouvelles façons de faire afin de maintenir la motivation des élèves à bien se comporter.

À noter

Se rappeler de réaliser de façon graduée ces quatre interventions indirectes pour gérer les écarts de conduite mineurs.

Malheureusement, il arrive que les interventions indirectes que nous venons de décrire ne donnent pas les résultats attendus. Il devient alors nécessaire de recourir à d'autres types de stratégies, à savoir les interventions directes.

4.2.2 Le recours aux interventions directes

Six interventions directes peuvent être utilisées de façon progressive pour gérer les écarts de conduite mineurs. En effet, l'enseignant peut :

1. Rediriger.

2. Réenseigner.

3. Offrir un choix à l'élève.

4. Recourir aux conséquences formatives.

5. Utiliser la technique «Montre-moi cinq élèves...».

6. Rencontrer l'élève individuellement.

Ces stratégies sont décrites dans les paragraphes qui suivent.

Rediriger

Cette intervention est un rappel verbal bref, clair et fait individuellement, qui a pour but de souligner le comportement attendu (MSPBS, 2012). La redirection implique un rappel précis des attentes de la salle de classe ou de l'école, le cas échéant. De plus, elle met l'accent sur le *quoi* du comportement et non sur le *pourquoi*. Autrement dit, l'enseignant précise brièvement ce à quoi il s'attend («Pierre, range ton livre de lecture et sors ton cahier d'exercices!»). Il ne s'agit pas de donner ici de longues explications sur les raisons justifiant cette intervention.

Pour faire un usage efficace de cette stratégie, l'enseignant doit se préparer à intervenir rapidement. Plus sa réaction est rapide face au comportement inapproprié, plus son intervention sera mineure. L'enseignant reste donc vigilant et alerte afin de cerner les problèmes dès leur apparition. Aussi, il peut se rappeler, avant l'arrivée des élèves, le nom de ceux qui se désorganisent plus facilement afin de les surveiller plus attentivement.

Lorsque les élèves ne sont pas centrés sur la tâche, l'enseignant leur rappelle le comportement approprié (par exemple: «Chacun devrait écrire sa réponse maintenant!» ou «Assurez-vous que votre groupe discute du plan!» ou encore «Tout le monde devrait être assis en silence!»). Si seulement un ou deux élèves agissent de manière inappropriée, un commentaire fait en privé à ces élèves n'interrompra pas les activités de toute la classe et ne dirigera pas l'attention de tous les élèves sur ces comportements fautifs. Une stratégie qui fonctionne bien, surtout avec les élèves plus jeunes (premier cycle du primaire), est d'utiliser le renforcement public, soit pour tout le groupe ou pour certains élèves en particulier. Par exemple, si plusieurs élèves parlent et sont inattentifs au début d'une activité, l'enseignant identifie les élèves qui se comportent correctement («Maxime écoute bien! Lily-Rose est très attentive aussi! Oh! Gabriel et Arianne sont maintenant prêts aussi!»). La plupart du temps, les élèves qui ne sont pas à la tâche se préparent rapidement pour être prêts eux aussi.

Par la suite, l'enseignant fait, de manière continue, du renforcement positif pour les comportements appropriés afin que les élèves les maintiennent. Il félicite rapidement les élèves désorganisés qui adoptent le comportement désiré à la suite de son intervention.

Réenseigner

Après avoir tenté de rediriger l'élève, l'enseignant peut opter pour le réenseignement de type soit verbal, soit concret. Cette stratégie consiste à enseigner de nouveau les routines et les comportements attendus (MSPBS, 2012). En effet, lorsqu'il constate des écarts de conduite, il doit enseigner de nouveau le comportement visé aux élèves. Cet enseignement doit vraiment se faire de manière explicite; se limiter à dire aux élèves ce qui est attendu ne suffit pas. Le réenseignement verbal consiste à présenter de façon détaillée toutes les étapes nécessaires à l'accomplissement d'une tâche ou du comportement à adopter. Par exemple, l'enseignant réenseigne verbalement à Samuel ce qu'il doit faire pour commencer son travail en mathématiques. C'est-à-dire:

1. Ranger le matériel non nécessaire;

2. Sortir le cahier de mathématiques;

3. Ouvrir le cahier à la page 27;

4. Faire les exercices 1 à 5.

De plus, il est également possible de procéder au réenseignement concret avec l'enseignement explicite. Pour ce faire, l'enseignant présente l'habileté, l'enseigne et la modélise. Il la met en pratique avec l'élève et donne à ce dernier l'occasion de s'exercer en pratique. Une reconnaissance des efforts devrait suivre l'adoption future du comportement.

Il va sans dire que cette stratégie nécessite une préparation. Avant de rencontrer l'élève désorganisé, l'enseignant pense aux mots qu'il va utiliser afin de présenter une nouvelle fois le comportement désiré. Il doit utiliser des termes simples et clairs, faciles à comprendre pour l'élève. Il pense aux questions qu'il posera afin de vérifier la compréhension de l'élève et à d'autres façons de dire les choses si le besoin se fait sentir. L'enseignant prévoit aussi ce qu'il fera afin de modeler le comportement devant l'élève. Si du matériel particulier s'avère nécessaire, il le prépare. Il planifie également ce qu'il demandera de faire à l'élève afin de lui offrir une occasion de pratiquer. L'enseignant peut même prévoir un moment de pratique supplémentaire afin de s'assurer de la bonne compréhension de l'élève.

Nous insistons sur le fait que l'enseignant doit utiliser des mots et des actions aussi précis que possible pour expliquer de nouveau aux élèves les comportements acceptables et ceux qui ne le sont pas. Par exemple, l'enseignant ne se contente pas de dire qu'il s'attend à ce que ses élèves se comportent «bien» quand il s'absente de la classe. Il doit préciser explicitement ce qu'est un bon comportement: rester assis, garder le silence et continuer de travailler.

Par ailleurs, spécialement durant les périodes de travail individuel, des comportements inappropriés peuvent survenir lorsque les élèves ne comprennent pas ce qu'ils doivent faire. Dans ces situations, l'enseignant vérifie le travail effectué, pose des questions afin d'évaluer la compréhension des élèves et fournit les explications nécessaires de façon à ce que ces derniers puissent effectuer seuls leur travail. Si plusieurs élèves n'y parviennent pas, l'enseignant interrompt l'activité et donne des explications à tout le groupe. L'enseignant s'assure ensuite que les élèves ont bien compris les consignes avant de recommencer à travailler individuellement afin d'éviter les problèmes de comportement.

Il faut bien comprendre que les comportements, surtout les plus exigeants, peuvent devoir faire l'objet de nombreuses pratiques avec certains élèves. De plus, le fait que les élèves se comportent une fois de la manière attendue ne signifie pas qu'ils appliqueront ces procédures avec constance. L'enseignant doit les superviser et être prêt à intervenir en tout temps.

Offrir un choix à l'élève

Cette intervention peut être réalisée lorsque les deux précédentes n'ont pas fonctionné. Elle consiste à donner deux possibilités à l'élève: adopter le comportement attendu ou opter pour une seconde solution moins attrayante (MSPBS, 2012). Puis, après avoir présenté le choix à l'élève, l'enseignant lui accorde un moment de réflexion. Souvent, lorsqu'on offre la possibilité à l'élève de choisir, il opte pour le comportement attendu. Par la suite, si l'élève fait le bon choix, l'enseignant lui donne un renforcement positif.

Avec cette stratégie, il est très important pour l'enseignant de planifier le choix qu'il donnera à l'élève. En effet, dans le feu de l'action, il est parfois difficile de trouver une option moins attrayante à un comportement inapproprié. Après avoir effectué cette intervention, l'enseignant tient l'élève à l'œil et lui donne des rétroactions non verbales sur son comportement (pouce en l'air ou en bas, sourires, etc.).

Recourir aux conséquences formatives

Contrairement à la punition, qui est une conséquence désagréable sans lien logique avec le comportement dérangeant (demander à l'élève d'aller dans le coin parce qu'il a bavardé), la **conséquence formative** est liée au comportement négatif de l'élève (par exemple, demander à l'élève de prendre la parole devant la classe parce qu'il a bavardé). Cette conséquence, contrairement à l'autre, est liée logiquement au comportement fautif (MSPBS, 2012). La conséquence formative vise la diminution ou l'élimination d'un comportement inapproprié chez l'élève, mais également à lui enseigner le comportement désiré. L'avantage de cette approche est que l'élève s'exerce à pratiquer le comportement adéquat. Comme le soulignent Veillet et ses collaborateurs (2011, module 7, p. 3) : « La conséquence logique et éducative met l'accent sur la construction d'une solution plutôt que sur la faute. » Il est à noter que la pratique du comportement souhaité est l'une des conséquences formatives les plus puissantes.

Dans la même foulée, il est également possible d'utiliser le geste réparateur. Dans ce cas, l'élève fautif doit réparer les torts qu'il a causés : s'il a brisé le bricolage d'un autre élève, l'enseignant peut lui demander de le réparer en plus de présenter des excuses à l'élève visé. Il faut garder en tête que les conséquences doivent être logiques et favoriser l'adoption des comportements souhaités.

Si le lien entre le comportement et la conséquence n'est pas évident et trop éloigné, cette dernière n'est probablement ni logique ni adaptée et elle n'aura pas l'effet escompté. Il est donc particulièrement crucial pour l'enseignant de prévoir quelques conséquences formatives en accord avec les problèmes les plus courants qu'il rencontre dans sa classe. Par exemple, si l'enseignant constate qu'un élève déchire une page d'un livre, l'enseignant lui demande de réparer son livre. Si un élève barbouille son pupitre, l'enseignant lui demande de le laver. Si un élève lance de la nourriture dans la cafétéria, il lave le dégât qu'il vient de faire. Bref, l'important est de demander à l'élève de corriger le « tort » qu'il a causé par son comportement inapproprié.

Inversement, comment l'élève qui a renversé un pot de peinture ou la jeune fille qui écrit dans son agenda peuvent-ils interpréter le geste de l'enseignant qui leur impose de se retirer dans le coin ou de s'en aller dans le local de retrait ? Selon Veillet et ses collaborateurs (2011, module 7, p. 3) : « Ces élèves peuvent interpréter et réagir négativement à ces conséquences sans avoir appris quoi que ce soit. Ils peuvent, par exemple, développer de l'hostilité envers l'adulte qui leur a attribué la conséquence ou même envers l'école entière pour son manque de logique.» Dans ces situations, comme nous l'avons mentionné précédemment, la meilleure décision consiste à recourir aux conséquences formatives.

> ## Questions à se poser lors d'un choix de conséquences :
> - Qu'est-ce que je veux que l'élève apprenne en lui donnant cette conséquence ?
> - Comment vais-je m'assurer qu'il a appris le comportement désiré ?

Toutefois, il faut noter que les comportements n'ont pas nécessairement tous des conséquences logiques et que l'intervention la moins efficace pour gérer les écarts de conduite des élèves est le laisser-faire (MSPBS, 2012). Dans un tel contexte, l'enseignant transmet aux élèves le message que le comportement négatif est acceptable, puisqu'il juge qu'il n'est pas nécessaire d'intervenir. Par conséquent, il est préférable d'intervenir en donnant une punition que de ne pas intervenir du tout! En effet, bien qu'il faille privilégier les conséquences formatives, il arrive parfois qu'il soit nécessaire de donner une punition, si l'enseignant ne trouve pas une forme de conséquence formative appropriée à la faute commise.

> ## À noter
> La punition incite un élève à cesser d'adopter un comportement indésirable, mais elle ne lui enseigne pas le comportement souhaitable. Il faut donc l'utiliser le moins souvent possible.

Dans les lignes qui suivent, nous poursuivons avec les deux dernières interventions directes pour gérer les écarts de conduite mineurs des élèves. La technique «Montre-moi cinq élèves…» et la rencontre individuelle avec l'élève feront l'objet de notre propos. Nous soulignons qu'à ce stade-ci, bien que les comportements indésirables soient toujours considérés comme mineurs, ils commencent à s'apparenter à des écarts de conduite majeurs en raison de leur persistance. Dans ce contexte, l'enseignant demeure vigilant et gradue ses interventions en conséquence.

Utiliser la technique «Montre-moi cinq élèves…»

Cette intervention est une autre forme de conséquence formative à privilégier. Elle est inspirée des travaux de Bandura[2] sur l'apprentissage vicariant, qui

---

2. Albert Bandura est un psychologue canadien connu pour sa théorie de l'apprentissage social et son concept d'auto-efficacité. Après avoir été influencé par le courant béhavioriste, il s'en est radicalement détourné, en soulignant l'importance des facteurs cognitifs et sociaux dans ses recherches. Il est, au début du XXIe siècle, l'un des chefs de file du courant de la psychologie sociale en Amérique du Nord (Wikipédia, 2015).

montre que l'enfant apprend par imitation. Cette façon de faire consiste à mettre à l'écart du groupe l'élève ayant manifesté un écart de conduite. Lors de ce retrait, l'élève prêtera attention aux bons comportements à adopter en observant ses pairs (Kelm et McIntosh, 2012).

Un avantage de cette stratégie est qu'elle n'exige que peu ou pas de préparation de la part de l'enseignant. Toutefois, avant d'adopter cette façon de faire, l'enseignant doit s'assurer que l'élève sera en mesure de reconnaître relativement facilement cinq élèves qui démontrent le comportement attendu et qu'il n'interférera pas avec le flot des activités pour l'ensemble du groupe. Par exemple, si un élève ne lève pas la main avant de prendre la parole, il peut être difficile d'utiliser cette stratégie sans interrompre les activités du grand groupe.

En présence des élèves, l'enseignant qui constate un comportement inapproprié accomplit les actions suivantes:

1. Il met l'élève à l'écart du groupe en raison de son écart de conduite;

2. Il rappelle à l'élève les attentes comportementales souhaitées;

3. Il demande à l'élève d'observer et d'identifier cinq camarades qui satisfont les attentes comportementales désirées, puis de les lui signaler;

4. Il demande alors à l'élève s'il est en mesure de fournir des exemples concrets d'attentes comportementales désirées. Si oui, l'enseignant discute avec l'élève de ses exemples;

5. Il demande à l'élève s'il est prêt à adopter ces mêmes comportements. Si tel est le cas, ce dernier peut réintégrer son groupe.

À noter

Il est possible d'adapter cette stratégie en fonction de l'âge et des besoins de l'élève. Par exemple, avec un élève du préscolaire, le nombre de camarades à observer sera d'un ou de deux seulement. Ce n'est pas le nombre de pairs à observer qui importe, mais plutôt les comportements souhaités.

L'enseignant veille à ce que l'élève mette en pratique les comportements attendus dès son retour aux activités en classe. Il lui donne rapidement une rétroaction positive s'il agit tel que désiré.

Rencontrer l'élève individuellement

Une rencontre individuelle avec l'élève peut s'avérer nécessaire lorsque le comportement problématique persiste, et ce, malgré les diverses interventions directes réalisées. Cette stratégie permet un réenseignement plus approfondi ou offre la possibilité de résoudre le problème lorsque les comportements sont plus fréquents et sérieux.

L'enseignant planifie soigneusement le moment et le lieu de la rencontre. Autant que possible, il choisit un moment où lui et l'élève seront calmes et reposés. Le début de journée est particulièrement indiqué, car les deux parties n'ont pas à faire abstraction des événements de la journée qui ont pu être difficiles. L'enseignant mène la rencontre dans un endroit où lui et l'élève ne risquent pas d'être dérangés et où ils peuvent parler en toute tranquillité et liberté, sans oreilles indiscrètes.

Avant la rencontre, l'enseignant réfléchit au plan d'action qu'il proposera à l'élève afin que ce dernier adopte le comportement attendu. Il discute ensuite du comportement dérangeant avec l'élève, il essaie de comprendre ce qui ne va pas. Puis, il lui enseigne le comportement attendu, explore les raisons pour lesquelles le comportement est attendu et élabore un plan afin que l'élève adopte dorénavant le comportement désiré. La rencontre avec l'élève doit inclure une mise en pratique du comportement visé. De plus, l'enseignant doit communiquer avec les parents afin de les informer de sa démarche. L'enseignant et les parents discutent également, le cas échéant, du comportement difficile de l'élève dans la perspective d'essayer de comprendre la situation et de préciser le ou les comportements attendus.

Si l'élève participe activement et sincèrement à la rencontre, l'enseignant le félicite pour sa bonne volonté. Dans les jours qui suivent la rencontre, il renforce positivement l'élève pour tout signe d'amélioration, si petit soit-il. S'il en a le temps, l'enseignant appelle les parents pour leur faire part de l'évolution de la situation. Les parents apprécient particulièrement le fait de recevoir ce type d'appels.

Pour conclure cette section portant sur la gestion des écarts de conduite mineurs, nous présentons ci-dessous un tableau qui résume sommairement l'ensemble des interventions indirectes et directes à réaliser de façon graduée (*voir le tableau 4.3 , page 117*). Il permet au lecteur de se faire une idée globale des interventions possibles face à une situation problématique.

De plus, afin de concrétiser davantage nos propos, nous reprenons dans les tableaux suivants les dix interventions visant à gérer les écarts de conduite mineurs. Pour chacune, nous offrons un exemple de ce que représente l'utilisation de cette intervention, en classe, dans le quotidien d'un enseignant. Plus précisément, le tableau 4.4 donne des exemples concernant les quatre interventions indirectes, alors que le tableau 4.5 donne un exemple pour chacune des six interventions directes. Nous reprenons dans ces deux tableaux la numérotation utilisée au tableau 4.2 (*voir la page 104*) pour présenter les différentes interventions.

Tableau 4.3 | Les interventions correctives indirectes et directes pour gérer les écarts de conduite mineurs

	L'élève...	Je...
Interventions indirectes	... n'accomplit pas la tâche demandée.	**1. Contrôle par la proximité** ... m'approche de l'élève.
		2. Contrôle par le toucher ... touche son épaule ou le dossier de sa chaise.
	... n'accomplit pas la tâche demandée et dérange quelques élèves autour de lui.	**3. Directives au moyen de signaux non verbaux** ... communique mes attentes par un signal non verbal.
		4. Ignorance intentionnelle et renforcement différencié ... ne prête pas attention au comportement inapproprié et renforce le comportement attendu.
	... n'accomplit pas la tâche demandée et dérange plusieurs élèves autour de lui.	**5. Redirection** ... rappelle verbalement le comportement attendu.
		6. Réenseignement ... présente le comportement attendu, l'enseigne et le mets en pratique avec l'élève.
	... n'accomplit pas la tâche demandée, dérange beaucoup d'élèves autour de lui et nuit au bon déroulement de la tâche à réaliser.	**7. Choix** ... donne deux options à l'élève : le comportement attendu OU une solution moins attrayante.
		8. Recours aux conséquences formatives ... donne une conséquence logique et éducative qui lui permet de réparer ses torts.
	... agit de façon inappropriée, nuit au bon déroulement de la tâche à réaliser et ne semble pas connaître le comportement à adopter.	**9. « Montre-moi cinq élèves... »** ... mets l'élève en retrait et lui demande d'observer le comportement attendu chez ses pairs.
		10. Rencontre avec l'élève ... rencontre l'élève pour lui réenseigner de façon approfondie le comportement attendu.

Source : Bissonnette et Paquette-Côté, 2014, « Des interventions indirectes et directes à réaliser de façon graduée en classe pour gérer des écarts de conduite mineurs », EDU 6011-A : *Gestion efficace des comportements : volet Enseignement*, Québec : TÉLUQ. Récupéré de http://educ6011-a.teluq.ca

Tableau 4.4 | Les interventions correctives : quatre interventions indirectes pour des écarts de conduite mineurs

Intervention	Exemple
1.1 Contrôler par la proximité	Quand Alexis n'accomplit pas la tâche demandée ou qu'il est en train de jaser, l'enseignant continue d'enseigner au groupe entier tout en s'approchant de lui et en demeurant près de lui pendant une courte période de temps. Quand Alexis reprendra son travail, une courte rétroaction positive l'aidera à maintenir le comportement attendu : « Merci Alexis, ton attention démontre du respect pour le groupe ! »
1.2 Contrôler par le toucher	Denis tape du pied et brasse ses feuilles. L'enseignant s'approche de Mathis (proximité) et met doucement sa main sur son épaule. Lorsqu'il est calme, l'enseignant souligne le comportement qui démontre qu'il est attentif (assis droit, calme, accomplit le travail demandé, etc.).
1.3 Donner des directives non verbales	Lorsque Sarah commence à parler avec son voisin, l'enseignant lance un regard dans sa direction et le maintient jusqu'à ce qu'elle soit de nouveau attentive et réalise la tâche. Ensuite, l'enseignant renforce le fait que Sarah est attentive.
1.4 Ignorer intentionnellement et renforcer de manière différenciée	Pendant la période de travail individuel, Félix ne fait pas ce qui est demandé. L'enseignant l'ignore brièvement et renforce le comportement d'un élève qui est au travail et qui est près de Félix : « Bon travail Vincent, tu es concentré sur ce qui est demandé ! » Lorsque Félix se met à la tâche, l'enseignant reconnaît ses efforts immédiatement : « Merci de te mettre à la tâche, Félix ; tu arriveras à effectuer ton travail ! »

Tableau 4.5 | Les interventions correctives : six interventions directes pour des écarts de conduite mineurs

Intervention	Exemple
2.1 Rediriger	« Léa, commence ton travail, s'il te plaît ! » (Plus tard) « Bravo, Léa ! Tu as commencé ton travail ! »
2.2 Réenseigner	« William, tu dois faire ton travail. Ça veut dire qu'il n'y a sur ton bureau que ton livre et ton cahier, que tu commences à travailler immédiatement, que tu continues à travailler jusqu'à ce que ton travail soit terminé et que, si tu as besoin d'aide, tu lèves ta main. » (Pause) « Très bien, William. Tu sembles être prêt à travailler. Lève la main si tu as besoin d'aide. »
2.3 Offrir un choix à l'élève	« Alice, tu dois commencer ton travail ou, si tu le préfères, tu pourras le terminer pendant l'activité de cet après-midi. » ou « Alice, tu peux t'organiser et te mettre à la tâche ici, à ton bureau, ou, si tu le préfères, travailler dans l'isoloir. »
2.4 Recourir aux conséquences formatives	Si deux élèves se disputent pour avoir un livre ou une revue, l'enseignant enlève l'objet en question et ni l'un ni l'autre ne peut lire ce document ce jour-là.

Tableau 4.5 Les interventions correctives : six interventions directes pour des écarts de conduite mineurs (*suite*)

Intervention	Exemple
2.5 Utiliser la technique « Montre-moi cinq élèves… »	1. L'enseignant demande à Maxime de venir le rejoindre à l'avant pendant la période de jeu, car cet élève crie et court. 2. L'enseignant lui rappelle que, lors de la période de jeu, le ton de sa voix doit rester calme et qu'il doit circuler calmement. 3. L'enseignant demande à Maxime d'observer et d'identifier cinq camarades de classe qui agissent selon le code comportemental. 4. Lorsque l'élève a identifié les cinq élèves, il les signale à l'enseignant. Ce dernier lui demande alors de fournir des exemples concrets d'attentes comportementales désirées. L'enseignant en discute avec l'élève. 5. L'enseignant demande à l'élève s'il est prêt à adopter ces mêmes comportements, puis ce dernier réintègre son groupe.
2.6 Rencontrer l'élève individuellement	« Jason, j'ai dû te rappeler de te mettre à la tâche plusieurs fois aujourd'hui. Lorsqu'un travail t'est donné, tu dois… » **ou** « Lorsque tu procèdes de cette façon, tu peux terminer plus rapidement et entreprendre des tâches que tu préfères accomplir. Dis-moi ce que tu feras lorsque je te donnerai un travail à réaliser. Mettons cela en pratique ensemble. Comment puis-je t'aider à le faire ? » **ou** « Peux-tu t'engager à faire les choses que nous avons vues ensemble ? »

4.2.3 Des facteurs à considérer

Pour conclure cette partie, il importe de mentionner que, quel que soit le type d'intervention choisi par l'enseignant, certains facteurs sont à considérer, car ils influent sur l'obéissance de l'élève. Ces facteurs et leur description, tirés de Veillet et ses collaborateurs (2011), sont à notre avis d'une importance fondamentale. Nous les reprenons donc dans leur ensemble bien que quelques-uns d'entre eux recoupent certaines interventions que nous venons de présenter.

La manière de formuler la consigne. L'enseignant évite de poser une question, car cela ouvre la porte aux négociations et au refus d'obéir. Par exemple : « Marc, veux-tu commencer ton travail ? » Il a plutôt recours à un énoncé qui contient une amorce d'action : « Marc, commence ton travail immédiatement à la page 4. » Il indique également à l'élève ce qu'il veut qu'il fasse plutôt que ce qu'il doit cesser de faire.

Le délai. L'enseignant laisse approximativement de trois à cinq secondes à l'élève pour qu'il puisse réagir. Pendant ce temps, il ne dit rien à l'élève et renforce un élève qui fait le comportement demandé à proximité.

La répétition. L'enseignant limite le nombre d'avertissements à deux et passe à une autre intervention s'il y a lieu. Lors d'une seconde requête, il utilise la formule : « Tu dois… » Il s'éloigne de l'élève et renforce quelques élèves à la tâche.

La distance. L'enseignant s'installe à moins d'un mètre de l'élève lorsqu'il donne son avertissement, sinon ce dernier aura moins d'effet. De plus, lorsqu'il intervient, l'enseignant évite de se placer face à l'élève, cette position favorisant la provocation ; il se place plutôt en biais avec ce dernier (45 degrés).

Le déplacement dans la classe. Plus l'enseignant circule dans la classe, plus l'élève sent sa présence et sera porté à répondre à ses demandes.

Le contact visuel. L'enseignant établit un contact visuel avec l'élève ; il obtiendra ainsi une plus grande attention de sa part.

Le toucher. Le fait de toucher légèrement l'épaule d'un élève contribue à obtenir son attention. Il faut toutefois utiliser cette stratégie avec prudence au secondaire et avec certains élèves en révolte ou au tempérament explosif.

Le ton de voix. L'enseignant formule ses demandes d'une voix ferme en évitant de crier, de plaisanter ou de cajoler. Un ton neutre est plus efficace qu'un avertissement chargé d'émotions.

La technique du disque brisé. Lorsque l'élève argumente sans cesse, l'enseignant a avantage à ne pas embarquer dans ce jeu sans fin. Plutôt, celui-ci indique à l'élève : « Je comprends ta frustration mais, quoi qu'il en soit, la conséquence est… » Lorsque l'élève argumente à nouveau, l'enseignant reprend : « Je comprends ta grande frustration mais, quoi qu'il en soit, la conséquence est… » L'enseignant reprend la même formulation encore et encore ! L'élève cessera inévitablement d'argumenter voyant que son comportement ne mène à rien.

Afin de mieux comprendre nos propos, imaginons les interventions de l'enseignant de Samuel, un élève fictif, qui fait autre chose que le travail demandé.

1. L'enseignant s'approche de Samuel (environ 1 mètre), se penche vers lui de biais et non de face (pour éviter la provocation), le regarde dans les yeux et lui dit sur un ton neutre et calme :

   « Samuel, commence ton travail immédiatement. » (L'enseignant ne dit rien, attend cinq secondes et renforce le bon comportement du voisin.) Si l'élève obéit, l'enseignant le remercie (renforcement). Sinon…

2. L'enseignant se penche vers lui (de biais et non de face), le regarde dans les yeux et lui dit sur un ton neutre et calme :

   « Samuel, *tu dois* commencer ton travail immédiatement. » (L'enseignant ne dit rien de plus, s'éloigne et renforce le bon comportement de plusieurs élèves autour pendant environ 15 secondes.) Si l'élève obéit, l'enseignant le remercie (renforcement). Sinon…

3. L'enseignant se penche vers lui (de biais et non de face), le regarde dans les yeux et lui dit sur un ton neutre et calme :

   « Samuel, tu as le choix de commencer ton travail maintenant ou de recevoir une conséquence. Tu vas rester avec moi après l'école pour faire ton travail. Quel est ton choix ? » (L'enseignant ne dit rien, attend de 5 à 10 secondes.) Si l'élève obéit, l'enseignant le remercie (renforcement). Sinon, il applique la conséquence.

L'exemple de Samuel conclut la section sur les interventions indirectes et directes à réaliser pour gérer des écarts de conduite mineurs. Toutefois, lorsque des écarts de conduite persistent malgré le recours à ces interventions ou lorsque les comportements de l'élève nuisent au bon fonctionnement de la classe, à l'enseignement et à l'apprentissage des autres élèves, l'enseignant doit envisager l'utilisation des interventions permettant de gérer des écarts de conduite dits « majeurs ».

4.3 La gestion des écarts de conduite majeurs

Lorsque le recours aux interventions indirectes et directes ne modifie pas les écarts de conduite mineurs des élèves, ou lorsqu'il y a écart de conduite majeur, il importe de passer à une étape ultérieure. En effet, l'enseignant doit alors accumuler des données comportementales afin de documenter la situation des élèves récalcitrants.

4.3.1 L'accumulation de données comportementales

Il s'avère nécessaire d'accumuler des données comportementales lorsqu'un élève éprouve des difficultés ou manifeste des écarts de conduite persistants malgré les diverses stratégies mises de l'avant par l'enseignant (MSPBS, 2012). Tout comme les données recueillies sur l'apprentissage renseignent sur les compétences scolaires de l'élève (la lecture, l'écriture, les mathématiques), celles qui sont colligées sur son comportement fournissent de précieuses informations sur ses compétences comportementales. Les données accumulées à propos d'un élève sur le plan scolaire permettent à son enseignant de savoir quelles sont les notions que cet élève maîtrise et lesquelles il faut revoir avec lui. Il en va de même sur le plan comportemental.

Recueillir des données sur l'apprentissage des élèves est un geste qui doit faire partie du quotidien en enseignement et il doit en être de même pour les comportements. Pour ce faire, l'enseignant, d'une part, note systématiquement les contextes dans lesquels les écarts de conduite de l'élève se manifestent et, d'autre part, ceux dans lesquels l'élève adopte les comportements souhaités (*voir le tableau 4.6, p. 122*). Procéder de la sorte permet à l'enseignant de préciser, pour un élève en particulier, ce qui va mal, mais aussi ce qui va bien sur le plan comportemental, car un élève ne peut pas se comporter toujours mal, même si l'enseignant, quand il est exaspéré, ne remarque à première vue que ce qui le dérange.

Tableau 4.6 | **L'accumulation de données comportementales**

Comportement indésirable (exemple : parle lors des présentations de l'enseignant)	Comportement désiré (exemple : garde le silence pendant les présentations de l'enseignant)
Contextes	Contextes
Leçon de lecture :	Leçon de lecture :
Lundi	*Lundi*
Mardi	*Mardi*
Mercredi	*Mercredi*
Jeudi	*Jeudi*
Vendredi	*Vendredi*
Leçon d'écriture :	Leçon d'écriture :
Lundi	*Lundi*
Mardi	*Mardi*
Mercredi	*Mercredi*
Jeudi	*Jeudi*
Vendredi	*Vendredi*
Leçon de mathématiques :	Leçon de mathématiques :
Lundi	*Lundi*
Mardi	*Mardi*
Mercredi	*Mercredi*
Jeudi	*Jeudi*
Vendredi	*Vendredi*

Généralement, les contextes dans lesquels un élève se comporte adéquatement (l'absence de comportements problématiques ciblés pour l'observation) fournissent à l'enseignant des renseignements importants sur les interventions efficaces à réaliser pour favoriser l'adoption des comportements souhaités. Souvent, l'enseignant remarque davantage les comportements problématiques, car ils perturbent son travail. Toutefois, il doit faire un effort supplémentaire pour prêter une attention particulière aux contextes où l'élève se comporte adéquatement.

Puisque c'est généralement ce qui le préoccupe le plus, nous précisons comment l'enseignant peut recueillir des données comportementales sur les comportements inadéquats et ensuite sur ceux qui sont adéquats. Rappelons qu'à cette étape, les comportements inappropriés présentés par l'élève sont considérés comme des écarts de conduite majeurs.

Accumuler des données sur les comportements inadéquats

L'enseignant doit élaborer un outil structuré de consignation des données. Cet outil doit pouvoir s'utiliser facilement et rapidement. En tout temps, en classe, en interaction avec les élèves, l'enseignant garde cet outil sous la main afin de noter ses observations en temps réel. Comme la mémoire est une faculté qui oublie, il s'avère nécessaire, autant que faire se peut, de consigner au fur et à mesure les observations quand elles se produisent. Une grille d'observation peut être particulièrement utile à cet effet (*voir le tableau 4.6*). Un cahier peut aussi faire l'affaire, mais il peut être plus long d'y consigner des informations.

Dans la classe, l'enseignant suit une démarche en trois étapes pour accumuler des données sur les comportements inadéquats d'un élève qui manifeste des écarts de conduite majeurs :

1. Cibler au plus trois comportements problématiques à observer, idéalement un ou deux comportements sur lesquels il faut recueillir des données ;

2. Donner la priorité, pour l'observation, aux comportements les plus dérangeants pour l'ensemble de la classe, soit ceux qui nuisent à l'enseignement et aux apprentissages des autres élèves ;

3. Observer ces comportements pendant environ deux semaines afin d'obtenir un portrait complet de la situation de l'élève[3].

Il importe de noter que les comportements à observer doivent être concrets et mesurables, et ne pas laisser place à l'interprétation. Ainsi, plutôt que de prêter attention au fait que l'élève est *irrespectueux*, l'enseignant doit observer un comportement précis comme pousser les autres. Par exemple, dans le cas du petit Samuel, sur le thème du manque de respect, l'enseignant pourrait observer les deux comportements suivants :

• Arriver en retard et entrer dans le local sans demander la permission ;

• Pousser les autres.

Pour accumuler des données à ce sujet, l'enseignant doit observer également les contextes dans lesquels Samuel adopte ces comportements. L'enseignant mène donc ses observations systématiquement tous les jours pendant deux semaines. Il est important de noter que l'enseignant ne doit pas relâcher son attention pendant toute cette période afin d'obtenir un portrait complet de la situation. Par ailleurs, si les autres enseignants qui interviennent auprès de l'élève acceptent, il est intéressant de leur demander d'utiliser eux aussi l'outil afin qu'ils y consignent également les comportements de l'élève pendant cette même période. Ainsi, l'enseignant de musique, d'éducation physique ou d'anglais peut également participer à l'accumulation de données comportementales.

---

3. Les béhavioristes recommandent une période d'observation de deux semaines afin d'avoir une bonne représentativité de la situation.

Accumuler des données sur les comportements adéquats

La démarche proposée est en tout point semblable à celle présentée pour les comportements inadéquats. Trois étapes ci-dessous suffisent pour accumuler des données sur les comportements adéquats d'un élève qui manifeste des écarts de conduite majeurs:

1. Cibler au plus trois comportements attendus à observer (les comportements qui remplacent ceux non désirés de l'étape précédente), idéalement un ou deux comportements sur lesquels il faut recueillir des données;

2. Donner la priorité, pour l'observation, aux comportements attendus les plus importants, soit ceux qui favorisent l'enseignement et les apprentissages de l'élève et de ses pairs;

3. Observer ces comportements en même temps que ceux ciblés précédemment, et ce, pendant la même période de temps recommandée, soit environ deux semaines afin d'obtenir un portrait global de la situation de l'élève.

Les comportements adéquats à observer doivent également être concrets et mesurables et ne pas laisser place à l'interprétation. Plutôt que de prêter attention au fait que l'élève est *respectueux*, l'enseignant observe le comportement précis suivant, à savoir: « L'élève utilise la parole pour régler ses conflits. »

Dans notre exemple de Samuel, l'enseignante a accumulé pendant deux semaines des données comportementales à propos des comportements négatifs « Arriver en retard et entrer dans le local sans demander la permission » et « Pousser les autres ». Pendant cette même période de temps, elle (et les autres enseignants qui ont accepté de participer à l'exercice d'observation) a aussi noté les comportements positifs « Arriver à l'heure » et « Utiliser la parole pour régler les conflits ». Or, à la lumière de ces observations, force est de constater que Samuel n'arrive pas toujours en retard. Il arrive à l'heure le matin, mais c'est principalement après la période du dîner qu'il se fait attendre. Après discussion de ces observations avec Samuel, l'enseignante en vient à comprendre que depuis que ses parents sont séparés, la mère de Samuel vient le porter le matin à l'école (il est donc à l'heure) et il va dîner chez sa grand-mère. Cette dernière habite un peu plus loin de l'école et il marche lentement: il arrive donc en retard pour la période suivant le dîner. Il s'engage donc à remédier à la situation, soit en marchant plus vite, soit en dînant à l'école, soit en partant plus tôt de chez sa grand-maman. En ce qui a trait aux bousculades avec les autres élèves, les observations indiquent qu'elles ont souvent lieu avant les récréations, après une longue période en classe. En y réfléchissant, l'enseignante constate que cet élève est très actif et qu'il a besoin de bouger. Elle tente donc de lui permettre de se lever et de bouger dans la classe en lui demandant d'accomplir certaines tâches en fin de période (avant les récréations) afin de faire sortir le trop-plein d'énergie. Cet exutoire pour l'énergie débordante de Samuel est suffisant pour lui éviter de pousser les autres à la sortie de la classe.

Pour conclure à propos de l'accumulation de données comportementales par l'enseignant, nous voulons souligner que, même s'il peut sembler astreignant de s'y plier, il s'agit d'une stratégie dont l'enseignant ne veut plus se passer lorsqu'il a pris l'habitude de le faire. En effet, elle permet de bien comprendre une situation problématique et d'intervenir efficacement. Encore une fois, si d'autres enseignants concernés acceptent d'utiliser l'outil de consignation et de participer à l'observation et à l'accumulation de données comportementales, le portrait n'en sera que plus complet.

Toutefois, malgré toutes les stratégies utilisées, certains problèmes peuvent subsister. Que faire si certains élèves résistent encore à toutes les stratégies mises de l'avant? Que faire si un comportement inapproprié persiste malgré le recours à des interventions correctives inspirées de l'observation systématique des comportements? L'enseignant devra alors s'interroger sur la fonction du comportement.

4.3.2 Le questionnement sur la fonction du comportement

Comprendre la fonction d'un écart de conduite, c'est essayer de comprendre la raison pour laquelle l'élève se comporte d'une telle façon. C'est formuler une hypothèse sur les motifs de son comportement. Lorsqu'une situation d'apprentissage est ardue, certains élèves veulent l'éviter. Ils abandonnent la tâche, font autre chose que ce qu'on leur demande de faire ou adoptent un comportement inapproprié, comme bavarder ou déranger les autres. Dans une telle situation, une chaîne comportementale se forme. Or, il convient de comprendre cet enchaînement afin d'intervenir efficacement. La figure 4.3 suivante illustre cette chaîne comportementale.

Ce schéma illustre le lien existant entre le comportement de l'élève et son apprentissage. Dans la situation illustrée, l'élève adopte un comportement dérangeant pour éviter de réaliser la tâche demandée, car il se sent incompétent et incapable d'y arriver. Par la suite, l'évitement de la tâche engendre des retards dans ses apprentissages. Les retards ainsi accumulés renforcent davantage le sentiment d'incompétence et le cycle recommence.

À ce sujet, les résultats de recherche indiquent que les difficultés d'ordre comportemental et les difficultés d'apprentissage semblent former un couple indissociable. En effet, les études empiriques montrent que 75 % des élèves éprouvant des difficultés d'apprentissage présentent un déficit quant à leurs habiletés sociales (National Dissemination Center for Children with Disabilities, 2008). Inversement, plus de 80 % des élèves ayant un trouble du comportement éprouvent des difficultés en lecture (Vannest et Harrison, 2008).

De plus :

- 38 % des élèves ayant un trouble du comportement ont redoublé avant leur entrée au secondaire ;

Figure 4.3 | La chaîne comportementale

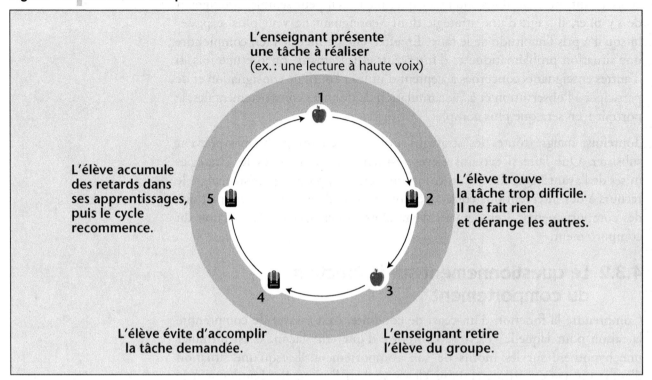

- la majorité des élèves qui ont un trouble du comportement accusent un retard d'apprentissage variant de 1,5 à 3 années, comparativement aux élèves du même âge ;

- plus de 60 % des élèves du primaire et du début du secondaire (1 et 2) ayant un trouble du comportement éprouvent des difficultés en lecture. Leurs résultats en cette matière les situent dans le dernier quartile[4] (Vannest et Harrison, 2008).

Par conséquent, certains élèves adoptent des comportements négatifs pour éviter de réaliser les tâches scolaires dans lesquelles ils se sentent incompétents.

À noter

Pour l'élève en difficulté :

- être reconnu comme un élève drôle ou avoir l'air d'un clown est acceptable à ses yeux ;

- être reconnu comme un élève rebelle est acceptable à ses yeux ;

- être reconnu comme un incompétent est inacceptable !

---

4. Un quartile correspond à chacune des valeurs qui divisent les données triées en quatre parts égales, de sorte que chaque partie (ou quartile) représente un quart de l'échantillon.

Identifier la fonction du comportement négatif

L'*évitement* est l'une des deux fonctions du comportement, alors que l'autre est l'*obtention*. Bien qu'il existe diverses fonctions du comportement en milieu scolaire, l'évitement des tâches et l'obtention de l'attention de l'adulte ou des pairs sont les fonctions du comportement les plus souvent observées.

La figure 4.4 résume bien ces deux fonctions du comportement.

Si l'enseignant parvient à comprendre la fonction d'un comportement néga-tif, il peut alors proposer à l'élève un comportement de remplacement. La fonction d'un comportement constitue donc une information très utile pour déterminer le type d'intervention qui sera le plus efficace pour modifier ce comportement.

Figure 4.4 Les deux fonctions du comportement les plus fréquentes

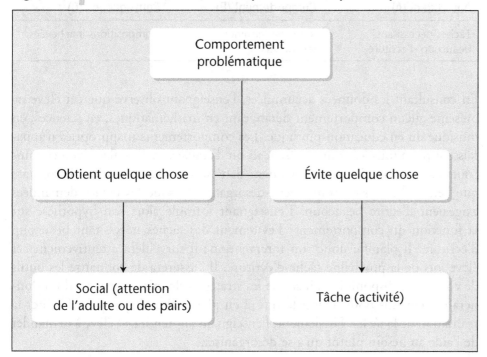

Il est nettement plus facile d'identifier la fonction du comportement problé-matique si l'enseignant analyse systématiquement les données accumulées, comme nous le proposions dans la section précédente. Un examen minutieux des contextes dans lesquels l'élève adopte le comportement négatif fournit des informations facilitant la formulation d'une hypothèse sur la fonction poten-tielle du comportement indésirable.

Ainsi, afin d'identifier la fonction d'un comportement négatif, il importe d'analyser ce que l'on nomme l'antécédent (A), c'est-à-dire ce qui déclenche le comportement négatif (B), ainsi que ce qui survient à la suite de l'adoption du comportement en question, soit la conséquence (C). Une analyse des antécédents et des conséquences associées au comportement indésirable fournit des informations indispensables pour formuler une hypothèse valable sur la fonction du comportement et déterminer les interventions possibles. Le tableau 4.7 présente un exemple pour illustrer notre propos.

Dans ce tableau, un élève refuse de terminer ses travaux (B). Plus précisément, il n'accomplit pas les tâches lorsque celles-ci nécessitent beaucoup d'écriture (A). La conséquence: ses compositions ne sont pas terminées (C).

Tableau 4.7 Antécédent, comportement et conséquence

Antécédent (A)	Comportement (B)	Conséquence (C)
Tâches nécessitant beaucoup d'écriture	Refus de terminer les travaux	Compositions inachevées

En consultant les données accumulées, l'enseignant observe que cet élève ne présente aucun comportement dérangeant en mathématiques, en sciences, en musique ou en éducation physique. Les comportements inappropriés n'apparaissent pas à tous les cours de français ou d'anglais, mais seulement à certains cours dans ces matières. En regardant dans son cahier de gestion, il constate que l'élève s'est systématiquement désorganisé lorsque les tâches demandées exigeaient d'écrire beaucoup. L'enseignant formule alors son hypothèse sur la fonction du comportement: l'évitement des tâches nécessitant beaucoup d'écriture. Il planifie donc son intervention: il surveillera attentivement cet élève lors de la prochaine tâche d'écriture. Il s'assurera de connaître les outils de correction disponibles, ainsi que les stratégies de mise en pages. Il lui donnera des conseils pour diviser le travail en plus petites étapes pour faciliter la réalisation de la tâche. Finalement, l'enseignant apprendra à l'élève à demander de l'aide au besoin plutôt qu'à se désorganiser.

Dans les lignes qui suivent, nous détaillons les deux principales fonctions du comportement observées en milieu scolaire et suggérons des interventions possibles.

1. La fonction d'évitement des activités, des tâches ou des personnes déplaisantes

Selon le rapport de Alberta Education (2009, p. 40), lorsque l'enseignant réalise qu'un élève adopte un comportement inapproprié pour éviter des tâches ou des personnes, il prend les mesures suivantes:

• Renforcer un élève qui suit les directives;

• Apprendre à l'élève à demander de l'aide;

• Enseigner des solutions acceptables pour remplacer l'évitement;

- Renforcer l'élève pour l'absence de problème (c'est-à-dire le « surprendre » pendant qu'il se comporte bien) ;

- Commencer par éliminer ou réduire les demandes pour ensuite augmenter graduellement les attentes.

2. La fonction de recherche de l'attention des pairs ou du personnel scolaire

Ce même rapport précise que si l'élève agit de façon inappropriée parce qu'il veut obtenir de l'attention de la part des autres élèves ou d'un membre du personnel de l'école, l'enseignant peut intervenir de diverses façons :

- Accorder davantage d'attention lorsque les comportements sont positifs ;

- Ignorer les comportements problématiques ;

- Enseigner des solutions acceptables pour remplacer l'attention (Alberta Education, 2009, p. 40).

Pour illustrer à quel point l'identification du comportement négatif permet de bien cerner le problème et d'agir efficacement, reprenons la même situation que précédemment, à savoir celle d'un élève qui ne termine pas ses travaux d'écriture. Toujours après avoir accumulé des données sur les comportements, l'enseignant peut constater qu'il a tendance à garder cet élève seul en classe avec lui pendant la récréation pour qu'il termine ses tâches d'écriture si elles ne le sont pas. En y réfléchissant bien, il réalise que pendant qu'il effectue son travail, il échange quelques propos avec lui et lui offre parfois une collation. Il comprend alors que, ce faisant, il encourage l'élève à maintenir son comportement inadéquat, car lorsqu'il n'achève pas les tâches d'écriture à temps, il lui accorde un surplus d'attention ! Dorénavant, lorsque cet élève ne terminera pas sa tâche d'écriture à temps, l'enseignant lui demandera de la compléter pendant la période de jeux libres en fin de journée ou encore lorsqu'il a un moment de libre (par exemple, s'il a terminé le travail dans une autre matière). Il peut aussi lui demander de terminer ce travail en classe, mais en veillant bien à ne pas lui accorder l'attention qu'il recherche. Au contraire, lorsque cet élève accomplit le travail demandé dans la période de temps prévue, l'enseignant le félicite et lui accorde une attention spéciale afin de renforcer le comportement approprié.

Ces exemples illustrent de manière explicite l'importance du questionnement sur la fonction du comportement. En effet, devant une même situation problématique, c'est en identifiant avec précision la fonction du comportement négatif, c'est-à-dire la raison pour laquelle l'élève adopte un comportement inapproprié, qu'il devient possible pour l'enseignant d'intervenir efficacement. En remontant à la source du comportement inadéquat, en mettant au jour la dynamique à l'origine de ce dernier, l'enseignant peut alors y remédier.

Malheureusement, malgré tous les efforts et toutes les stratégies proposées jusqu'à maintenant, une certaine proportion d'élèves maintient encore des comportements inadéquats. Plus précisément, la mise en œuvre des interventions préventives et correctives (curatives) vues jusqu'à maintenant permet à environ 80 % des élèves de la classe d'adopter les comportements désirés. Par conséquent,

20 % des élèves doivent bénéficier d'interventions supplémentaires et ciblées en fonction de leurs besoins. Ces interventions nécessitent une aide spécialisée et l'enseignant doit y avoir recours pour assurer un suivi adéquat de l'élève.

4.3.3 Le recours à de l'aide spécialisée

Les mesures de soutien dont il est question ici nécessitent une aide spécialisée fournie par un professionnel ayant des connaissances approfondies sur les difficultés d'ordre comportemental, tels un psychoéducateur, un psychologue ou un éducateur spécialisé.

Chercher l'aide appropriée pour l'élève

Les enseignants ne possèdent pas les connaissances leur permettant d'intervenir efficacement de manière spécialisée auprès des élèves présentant des besoins particuliers sur le plan comportemental. Toutefois, plusieurs enseignants, par crainte d'être jugés incompétents par leur direction d'école et leurs collègues, s'acharnent à intervenir sans succès auprès des élèves souffrant de difficultés d'ordre comportemental lourdes. Or, comme le souligne le rapport de Alberta Education (2009, p. 59), il est normal que certains élèves aient besoin de mesures supplémentaires :

> « Bien que la majorité des élèves réagissent de manière positive aux classes bien organisées, aux attentes comportementales clairement définies et au renforcement riche et positif, il faut également ajouter des mesures de soutien pour les élèves qui ne s'améliorent pas avec les interventions universelles. »

Dans un tel contexte, s'acharner est une intervention nuisible tant pour l'élève que pour l'enseignant. Alors que l'élève ne bénéficie pas des interventions spécialisées dont il a besoin auprès du personnel des services complémentaires (psychologue, travailleur social, psychoéducateur, technicien en éducation spécialisée), l'enseignant se dirige tout droit vers l'épuisement professionnel. Par conséquent, demander de l'aide spécialisée pour un élève ayant un trouble du comportement est un acte professionnel à accomplir en enseignement et non une stratégie à éviter !

Il est tout à fait légitime pour un enseignant de demander de l'aide spécialisée pour un élève en particulier lorsque :

- les interventions indirectes et directes réalisées sont inefficaces ;

- les données recueillies n'ont pas fourni de renseignements pertinents permettant de réaliser des interventions efficaces ;

- les hypothèses formulées sur la fonction du comportement semblent invalides.

Toujours dans notre exemple d'élève qui ne termine pas ses tâches d'écriture, l'enseignant peut avoir accumulé des données comportementales, puis tenté des interventions auprès de l'élève, sans succès. Il peut aussi s'être interrogé sur la fonction du comportement et avoir émis des hypothèses concernant l'évitement ou la recherche de l'attention. Or, si toutes les stratégies mises de l'avant ne parviennent pas à contrer l'apparition du comportement inadéquat, l'enseignant doit se rendre à l'évidence. Il doit alors reconnaître ses limites et faire appel à un spécialiste pour le soutenir dans son travail. Il pourra alors discuter du problème avec ce dernier et convenir avec lui des mesures à prendre.

Un enseignant n'est pas omniscient; il n'est pas un spécialiste du comportement humain. Son domaine de spécialisation est l'enseignement. Ainsi, il ne viendrait jamais à l'idée d'un médecin généraliste d'effectuer une chirurgie. Ce qui ne fait pas de ce médecin un incompétent! L'enseignant ne doit pas s'épuiser et s'enliser dans une situation qui nécessite des connaissances approfondies sur le comportement humain. Cette reconnaissance de ses limites par l'enseignant, loin d'être une marque d'incompétence, est plutôt une preuve de professionnalisme.

Le tableau 4.8 présente les stratégies recommandées, selon le modèle PIC de gestion de classe, pour corriger les comportements inappropriés au cours de l'année scolaire (*voir également l'annexe 1*).

Tableau 4.8 | **La planification annuelle de la gestion des écarts de conduite**

Stratégies pour corriger les comportements inappropriés au cours de l'année scolaire		
À faire avant le début de l'année scolaire	À faire au début de l'année scolaire	À faire au cours de l'année scolaire
Élaborer un système pour intervenir de manière corrective.	Implanter le système pour intervenir de manière corrective.	Ajuster au besoin le système pour intervenir de manière corrective.
Pour les écarts de conduite *mineurs*: • Planifier des interventions indirectes. • Planifier des interventions directes. Pour les écarts de conduite *majeurs*: • Planifier une stratégie de collecte de données comportementales.	Pour les écarts de conduite *mineurs*: • Recourir aux interventions directes. • Recourir aux interventions indirectes.	Pour les écarts de conduite *mineurs*: • Ajuster les interventions directes. • Ajuster les interventions indirectes. Pour les écarts de conduite *majeurs*: • Accumuler des données comportementales. • Analyser la fonction du comportement négatif. • Recourir à de l'aide spécialisée.

À noter

Lorsqu'un élève manifeste un écart de conduite majeur, il doit être retiré de son milieu, car son comportement perturbe l'enseignement et l'apprentissage des autres. Par conséquent, l'école doit disposer d'une politique claire indiquant aux enseignants la manière de gérer un écart de conduite majeur. Un exemple de politique est présenté au chapitre 5.

En terminant, nous soulignons à nouveau qu'à chacune des interventions correctives présentées correspond un ensemble de stratégies et de moyens. Ces derniers représentent les gestes et les actions concrètes que l'enseignant doit accomplir au quotidien pour gérer les écarts de conduite des élèves et favoriser plutôt l'adoption de comportements positifs, comme en témoigne le tableau-synthèse en ouverture de chapitre (*voir le tableau 4.1, p. 103*).

De plus, comme nous l'avons souligné au chapitre précédent, l'efficacité des interventions correctives est fortement liée à la mise en œuvre des interventions préventives. C'est pourquoi il importe de considérer la gestion de classe et des comportements comme un engrenage comprenant les interventions préventives et les interventions correctives. Si l'une des deux composantes ne tourne pas dans le bon sens, alors c'est la mécanique de la gestion de classe dans son ensemble qui en sera affectée (*voir la figure 4.1, p. 102*). Vous trouverez aux annexes 2 et 3 une synthèse et un inventaire détaillé des interventions préventives et correctives.

Voyons maintenant comment il est possible d'utiliser les interventions préventives et correctives non seulement en classe, mais dans l'école entière en utilisant le système de soutien au comportement positif (SCP).

La gestion efficace des comportements à l'école : le soutien au comportement positif[1]

Il faut tout un village pour éduquer un enfant.

Proverbe africain

Selon le ministère de l'Éducation, du Loisir et du Sport (MELS, 2006), les élèves présentant un trouble du comportement réussiraient moins bien leur cheminement scolaire que ceux ayant une difficulté légère ou grave d'apprentissage. Ils passeraient au total moins d'années en classe ordinaire et ils abandonneraient leurs études plus tôt. Les élèves souffrant d'un trouble du comportement sont également deux fois moins nombreux à obtenir un diplôme après cinq ans que ceux ayant des difficultés d'apprentissage. Statistiquement, les élèves présentant des troubles du comportement représentent donc la clientèle la plus susceptible de quitter l'école sans un diplôme d'études secondaires. Il est donc crucial de mettre en place des interventions préventives auprès des élèves qui risquent de manifester des difficultés comportementales ainsi que des interventions efficaces auprès de ceux qui ont des troubles du comportement. Mais quelles interventions adopter? Comment faire son choix parmi toutes les options possibles? Certaines sont-elles «meilleures» que d'autres? Sur quelle base évaluer les interventions?

Lorsqu'on décide d'adopter des stratégies d'intervention, on cherche habituellement à retenir les stratégies les plus efficaces possible pour atteindre le but fixé. Or, pour être efficaces, les interventions doivent être issues de la recherche en éducation; elles doivent s'appuyer sur des données probantes (Bissonnette, Gauthier et Péladeau, 2010; Brodeur, Dion, Laplante, Mercier, Desrochers et Bournot-Trites, 2010). Autrement dit, plutôt que de prendre appui sur la tradition, sur des recommandations

---

1. Ce chapitre a été écrit avec la collaboration de Carl Bouchard, Ph. D., professeur à l'Université du Québec en Outaouais (UQO).

ou sur d'autres sources plus ou moins fiables, nous sommes d'avis que l'efficacité des interventions doit s'appuyer sur les résultats de la recherche. Les interventions que nous avons proposées dans les chapitres précédents sont de cet ordre.

Comme les retards scolaires, en particulier ceux qu'accumulent les élèves ayant des troubles comportementaux, semblent avoir un impact important sur le décrochage au niveau secondaire, il devient alors essentiel de privilégier la mise en œuvre d'interventions efficaces tout au long de leur scolarité. Il importe ainsi d'implanter des systèmes d'intervention efficaces favorisant la prévention des difficultés comportementales. Les programmes à implanter sont ceux qui ont déjà fait l'objet d'évaluations systématiques afin de déterminer leur efficacité. Comme l'indiquent Lapointe et Freiberg (2006, p. 2) : « Il est généralement plus avantageux pour un milieu scolaire d'adopter un programme qui a fait ses preuves et de faire les traductions nécessaires s'il y a lieu, que de consacrer beaucoup de temps et d'énergie à en développer un nouveau et risquer que ce dernier ne donne pas les résultats souhaités. »

Or, un examen attentif des différents systèmes de prévention des difficultés comportementales nous a permis d'en trouver un fondé sur des données probantes. Il s'agit du système connu sous le nom de *Positive Behavioral Interventions and Supports* (PBIS), qui fait actuellement l'objet d'application dans plus de 22 000 écoles primaires et secondaires étatsuniennes (Office of Special Education Programs on Positive Behavioral Interventions and Supports, 2015). En effet, au cours des 15 dernières années, plus d'une soixantaine d'études ont été publiées au sujet de ce système. Plusieurs d'entre elles, dont deux méta-analyses (Marquis, Horner, Carr, Turnbull, Thompson et Berhens, 2000 ; Solomon, Klein, Hintze, Cressey et Peller, 2012) en ont montré les effets positifs sur le plan comportemental (Barrett, Bradshaw et Lewis-Palmer, 2008 ; Eber, 2006 ; Horner, Sugai, Todd et Lewis-Palmer, 2005 ; Lohrman-O'Rourke, Knoster, Sabatine, Smith, Horvath et Llewellyn, 2000 ; Luiselli, Putnam et Sunderland, 2002 ; Taylor-Greene, Brown, Nelson, Longton, Gassman, Cohen et coll., 1997 ; Taylor-Greene et Kartub, 2000) mais également en matière de rendement scolaire des élèves (Eber, 2006 ; Gottfredson, Gottfredson et Hybl, 1993 ; Kellam, Rebok, Ialongo et Mayer, 1994 ; McIntosh, Chard, Boland et Horner, 2006 ; Nelson, Martella et Marchand-Martella, 2002 ; Putnam, Horner et Algozzine, 2006).

En quoi consiste le système PBIS ? Le système PBIS (en français, Soutien au comportement positif, ou SCP) permet d'assurer le passage d'une gestion efficace des comportements en classe à une gestion efficace des comportements dans toute l'école. Le SCP préconise la mise en place d'un ensemble d'interventions préventives ou proactives permettant de prévenir les écarts de conduite des élèves, mais également de recourir aux stratégies correctives pour intervenir auprès de ceux qui manifestent des comportements d'inconduite. La mise en œuvre des interventions préventives et correctives crée un milieu sécuritaire, ordonné, prévisible et positif, tant pour le personnel scolaire que pour les élèves qui s'y trouvent, ce qui favorise l'enseignement et l'apprentissage. Ainsi, pour prévenir et gérer efficacement l'indiscipline des élèves dans la classe, les enseignants doivent s'appuyer sur les interventions préventives et correctives préconisées au sein même de l'école.

Le système SCP représente également un modèle de réponse à l'intervention comportementale efficace (*voir la section 5.5*). Examinons dans les lignes qui suivent les fondements du système et ses différentes composantes.

5.1 Les fondements du soutien au comportement positif (SCP)

Le SCP est un terme générique qui décrit un ensemble de stratégies et de procédures visant à améliorer les comportements des jeunes au moyen de techniques systématiques, non punitives et proactives (Horner, Dunlap, Koegel, Carr, Sailor et Anderson, 1990). Ce système s'inscrit dans une perspective systémique et propose de fonder les interventions sur l'analyse fonctionnelle du comportement et sur la théorie de l'apprentissage social de Bandura (Sugai et Horner, 2009). Selon Bandura (1976, p. 29), l'apprentissage se fait par l'observation d'autrui: «Les individus sont capables d'apprendre ce qu'il faut faire à partir d'exemples vus, au moins de façon approximative, avant de produire le comportement. Cela leur permet d'éviter beaucoup d'épreuves inutiles.» Autrement dit, les individus ne disposant pas de répertoires innés de comportements ont besoin d'exemples pour apprendre: «La plupart des comportements humains sont appris par observation au moyen du modelage» (p. 29). Le modelage détermine ainsi l'apprentissage grâce à sa fonction d'information. Afin de favoriser l'apprentissage des comportements, Bandura (2003) propose également diverses stratégies telles que la structuration des activités en termes explicites, l'utilisation de modèles reproduisant les comportements à apprendre et la répétition des démonstrations afin de promouvoir le transfert des acquis, de traduire les efforts en termes de récompenses et de favoriser l'influence positive des pairs. Ces stratégies sont les fondements mêmes du SCP et constituent une généralisation à l'ensemble de l'école des interventions préventives et correctives présentées dans les chapitres précédents.

Le SCP propose la mise en place d'un système de soutien sur le plan de la gestion des comportements au sein de l'école afin de créer et de maintenir un milieu propice à l'apprentissage. Le système préconise l'implantation d'une approche à l'échelle de l'école dans laquelle la question de la discipline est abordée de front, les comportements attendus sont définis précisément, enseignés explicitement (au même titre que les matières scolaires) et renforcés systématiquement. De plus, le SCP présente un continuum d'interventions afin de répondre efficacement aux problématiques comportementales et de renforcer l'acquisition des comportements préalablement enseignés. Le système encourage chaque école à déterminer ses propres besoins en recueillant et en analysant de façon systématique des données sur les problèmes comportementaux qui surviennent et en faisant en sorte que le personnel travaille en équipe pour élaborer une approche cohérente et positive de la discipline dans l'école. Plus spécifiquement, le système SCP implique la mise en place d'interventions préventives et d'interventions correctives, et le succès de son implantation nécessite des conditions particulières.

Dans les sections suivantes, nous présenterons les conditions de mise en œuvre du SCP ainsi que les interventions préventives et correctives qui y sont associées.

5.2 Les conditions de mise en œuvre du SCP

Le système SCP demande une restructuration de la gestion des comportements dans l'école entière. Pour y arriver, le personnel scolaire (la direction, les enseignants et les services complémentaires) doit adhérer au changement proposé, former un comité de pilotage, dresser un état de la situation de l'école et, idéalement, être accompagné dans sa démarche par un professionnel du comportement. La figure 5.1 présente brièvement chacune de ces conditions.

Figure 5.1 Les conditions de mise en œuvre du SCP

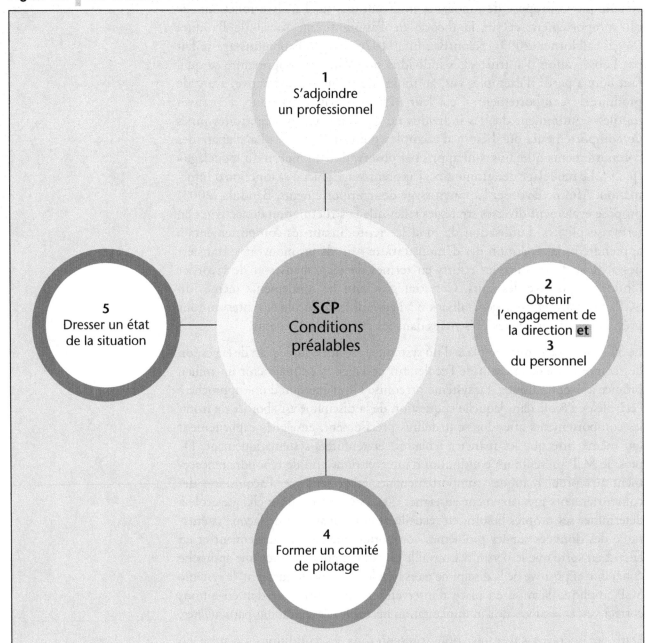

5.2.1 S'adjoindre un professionnel

Une gestion efficace des comportements suppose le passage d'un mode d'intervention réactif, punitif, voire coercitif, à un mode d'intervention préventif, proactif, valorisant et reconnaissant les bons comportements. Ce passage représente un changement important pour bon nombre d'écoles. Pour y arriver, il est nécessaire d'être accompagné par un professionnel du comportement expérimenté en la matière ou qui a reçu une formation dans ce domaine (psychoéducateur, psychologue, etc.), qui pourra guider l'équipe-école dans cette démarche de changement. L'association canadienne SCP-PBIS[2] dispose de personnes-ressources pouvant accompagner les écoles vers un tel changement.

Malheureusement, des programmes ou des changements sont trop souvent introduits dans le milieu scolaire sans un véritable accompagnement professionnel pour y arriver. Si tel est le cas, un échec est possible. Pour éviter une telle situation, il importe de bénéficier de l'accompagnement d'un professionnel qui a reçu une solide formation en gestion des comportements et vécu une expérience de réussite avec le système proposé.

5.2.2 Obtenir l'engagement de la direction

Une restructuration de la gestion des comportements dans l'école exige d'abord que la direction d'établissement croie fermement à ce projet, qu'elle participe activement au changement proposé et qu'elle en assume le leadership. La direction d'école doit donc s'engager dans la démarche à entreprendre. Étant donné l'implication de la direction d'école dans la réalisation d'un projet d'une telle envergure, celle-ci doit être bien informée du fonctionnement du système SCP. Nous recommandons à la direction d'école qui souhaite utiliser le SCP d'assister à une présentation du système, afin de cerner les implications qu'entraînera sa mise en œuvre. Le SCP-PBIS fait régulièrement l'objet de présentations dans divers congrès et colloques en éducation, un peu partout au Canada et aux États-Unis.

Si l'engagement de la direction d'école est une condition *sine qua non* de l'implantation du SCP, il importe également d'obtenir celui du personnel scolaire (les enseignants et les services complémentaires).

5.2.3 Obtenir l'engagement du personnel

Une fois obtenu l'engagement de la direction, le système doit alors être présenté explicitement au personnel scolaire de l'école (enseignants et professionnels) qui devra également s'engager formellement dans le processus. Ainsi, il faut prévoir tenir une séance de présentation du système auprès du personnel de l'école[3]. Par la suite, le personnel scolaire qui a assisté à la séance d'information doit indiquer s'il désire implanter un tel système. Le personnel se prononce anonymement sur la question suivante: *Est-ce que je désire implanter le SCP dans ma classe et dans mon école, oui ou non ?* Le seuil minimal d'adhésion recherché pour implanter le SCP est de 80 %. Étant donné l'ampleur du changement provoqué par une restructuration de la gestion des comportements, il

---

2. www.scp-pbis.com
3. Comme nous l'avons mentionné, l'association canadienne SCP-PBIS dispose de personnes-ressources pouvant faire ces présentations.

est crucial de compter sur une adhésion fortement majoritaire et de s'assurer d'une mise en œuvre à long terme. Il est inopportun d'implanter le système si l'on n'a pas obtenu le seuil d'adhésion visé. L'implantation du SCP est compromise lorsque plus de 20 % du personnel n'adhère pas au changement proposé (Sugai et Horner, 2002). Dans un tel contexte, la résistance au changement est alors trop grande et les risques de sabotage sont élevés.

Une fois obtenu l'engagement du personnel de l'école, il faut former un comité de pilotage afin d'implanter le système dans son intégralité.

5.2.4 Former un comité de pilotage

Une équipe doit être formée afin de piloter le changement. Cette équipe, composée de la direction et de quelques membres représentatifs du personnel scolaire, sera chargée d'élaborer l'ensemble des composantes du système présenté dans les sections suivantes, qui traitent des interventions préventives et correctives. L'élaboration de ces composantes nécessite environ cinq jours de travail avant le début de l'année scolaire durant laquelle le système sera mis en œuvre. Il importe donc de prévoir le temps requis afin que les membres de l'équipe puissent se rencontrer, ainsi que l'accompagnement d'un professionnel du comportement qui connaît bien le système ou qui a reçu une formation pour l'utiliser.

À la suite de l'implantation du système, le comité de pilotage doit se réunir mensuellement (une demi-journée) pour évaluer et analyser le système et les données comportementales qui s'y rattachent.

> ### À noter
>
> Un changement de grande envergure, comme celui que propose le système SCP, devrait être placé sous la responsabilité d'une équipe *ad hoc*, chargée de l'implantation, plutôt que celle de tous, car la responsabilité de tous équivaut généralement à la responsabilité de personne!

Le comité de pilotage doit dresser un état de la situation avant d'implanter le système SCP. Il faut alors déterminer clairement ce qui va bien dans l'école et quels sont les défis à relever.

5.2.5 Dresser un état de la situation

Le comité de pilotage et tous les membres du personnel scolaire remplissent un questionnaire standardisé, comme le *Effective Behavior Support Survey*[4] (Sugai, Horner et Todd, 2000), pour faire l'inventaire des diverses mesures prises dans l'école en matière de discipline. Sinon, ils doivent utiliser un outil du même genre pour brosser un portrait de la gestion des comportements. Cette évaluation de l'école permet au comité de pilotage d'établir les priorités d'action en ce qui concerne la discipline et les comportements.

---

4. Ce questionnaire se trouve à l'annexe 6 du présent ouvrage.

Le fait de tenir compte sérieusement des conditions préalables énoncées favorisera grandement la réalisation des interventions préventives et correctives présentées dans les rubriques suivantes.

5.3 Les interventions préventives préconisées par le SCP

Les interventions préventives ou proactives, tant à l'échelle de l'école qu'à celle de la classe, sont celles qui visent la prévention des écarts de conduite des élèves. Plutôt que de réagir à l'indiscipline, il est possible d'appliquer des interventions préventives, qui favorisent l'adoption de bons comportements et le développement de compétences sociales. Les interventions préventives proposées par le système SCP à réaliser dans l'école sont illustrées dans la figure 5.2.

Figure 5.2 | Les interventions préventives proposées par le SCP

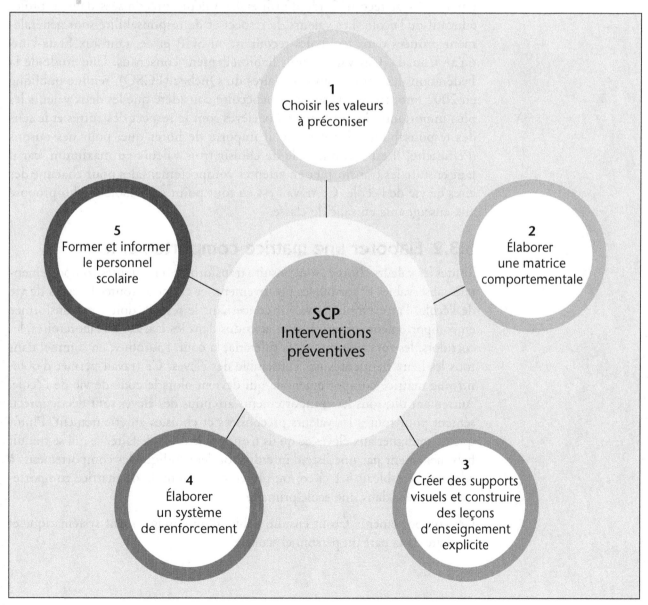

Ces interventions sont donc de cinq types :

1. Choisir les valeurs à préconiser

2. Élaborer une matrice comportementale

3. Créer des supports visuels et construire des leçons d'enseignement explicite

4. Élaborer un système de renforcement

5. Former et informer le personnel scolaire

Le comité de pilotage est chargé d'élaborer chacune des composantes du SCP et d'assurer sa mise en œuvre. Chacune des interventions préventives est décrite ici brièvement.

5.3.1 Choisir les valeurs à préconiser

Le système SCP propose de choisir trois valeurs au maximum qui seront valorisées auprès des élèves, des membres du personnel de l'école et des parents. Il est recommandé d'utiliser les valeurs préconisées dans le projet éducatif de l'école. Les valeurs de respect et de responsabilité sont générale- ment prônées dans les écoles recourant au SCP, et ce, tant aux États-Unis qu'au Canada. Ces valeurs font habituellement consensus. Une étude de la Fédération des commissions scolaires du Québec (FCSQ), rendue publique en 2002, montre que la société québécoise considère que les deux valeurs les plus importantes à transmettre aux élèves sont le respect des autres et le sens des responsabilités. Finalement, il importe de noter que, pour des raisons d'efficacité, il est recommandé de choisir trois valeurs au maximum, car il faut ensuite les transformer en attentes comportementales pour chacune des aires de vie de l'école. Ce travail est en tout point semblable à celui proposé aux enseignants en salle de classe.

5.3.2 Élaborer une matrice comportementale

Toutes les valeurs choisies sont ensuite transformées en attentes comportemen- tales observables et formulées positivement, et ce, pour toutes les aires de vie de l'école. Par exemple, la valeur concernant le respect doit être transformée en comportements observables et attendus dans les classes, les laboratoires, les corridors, les zones de casiers, la cafétéria, la cour, l'autobus ; en somme, dans tous les lieux fréquentés par l'ensemble des élèves. Ce travail permet d'obte- nir une matrice comportementale qui devient alors le code de vie de l'école. Autrement dit, tous les comportements attendus des élèves sont décrits préci- sément pour toutes les valeurs préconisées et choisies antérieurement. Plutôt que de souligner aux élèves ce qu'ils n'ont pas le droit de faire, ce qui se traduit habituellement par une liste d'interdits, on leur indique les comportements à adopter. Le tableau 5.1 ci-contre présente un exemple de matrice comporte- mentale créée dans une école primaire.

Ces comportements feront ensuite l'objet d'un enseignement systématique et explicite de la part du personnel scolaire.

Tableau 5.1 Un exemple de matrice comportementale

Grille d'apprentissage / Attentes	Milieux									
	Classe	Corridors — Heures de cours	Corridors — Entrées et sorties	Toilettes	Labo informatique	Cafétéria	Cour d'école	Gymnase	Service de garde	Autobus
Respect	• Je lève la main pour demander la parole et j'attends mon tour. • J'écoute la personne qui parle. • Je prends soin des autres et du matériel.	• Je suis mes camarades en silence.	• Je m'occupe de moi-même. • Je respecte l'espace des autres.	• Je respecte l'intimité des autres et la mienne. • Je me lave les mains. • Je garde mon environnement propre.	• Je lève la main pour demander de l'aide. • J'adopte le niveau de voix demandé.	• J'entretiens une conversation à voix basse. • Je respecte l'espace des autres. • Je garde mon environnement propre.	• Je fais de bons gestes et j'ai de bonnes paroles envers les autres. • Je garde mon environnement propre.	• J'ai un bon esprit sportif. • J'inclus les autres dans mes jeux. • J'applique les consignes données par l'enseignant.	• J'adopte le niveau de voix demandé. • Je prends soin des autres et du matériel.	• J'entretiens une conversation à voix basse avec politesse. • Je salue et je dis merci au conducteur.
Responsabilités	• Je sors le matériel nécessaire. • J'accomplis un travail de qualité. • Je remets mes devoirs et mes travaux à temps.	• Je prends mon rang habituel. • Je regarde en avant pour circuler. • Je circule à droite en marchant.	• Je parle à voix basse. • Je circule à droite en marchant.	• Je vais directement aux toilettes. • Je retourne rapidement en classe ou dans mon rang.	• Je reste assis à mon ordinateur. • Je me concentre sur mon poste de travail.	• Je reste assis à la place qui m'est assignée. • Je lève la main pour faire une demande.	• Je fais de bons choix de jeux. • Je trouve une solution pacifique à mon conflit : « Je gère mes bottines. » (Je m'éloigne, je me calme et je trouve une solution à mon problème.)	• J'utilise le matériel adéquatement. • Je porte des vêtements appropriés. • Je me change rapidement en respectant l'espace des autres.	• J'applique toutes les attentes des différents milieux de l'école. • Je range le matériel. • J'avise mon éducatrice quand j'arrive et quand je quitte le service de garde.	• Je reste assis à ma place. • J'apporte tous mes effets.
Réussite	• J'applique les consignes données. • Je suis fier, fière de ce que j'accomplis.	• Je garde mon casier propre et en ordre. • J'agis de façon sécuritaire en suivant les files d'attente des corridors.		• Je vais aux toilettes au bon moment (récréation, cloche pipi).	• J'applique les consignes données. • Je respecte le contrat d'utilisation des services informatiques.	• J'ai de bonnes manières. • J'applique les consignes données par les intervenants.	• J'applique les règlements de la cour d'école. • J'applique les consignes données par les intervenants. • J'adopte des comportements sécuritaires.	• J'adopte des comportements sécuritaires. • Je participe activement en étant positif.	• J'applique les consignes données par les intervenants. • Je suis fier, fière de ce que j'accomplis.	• J'applique les directives du conducteur. • Je suis un bon exemple pour les autres.

5.3.3 Créer des supports visuels et construire des leçons d'enseignement explicite

Les attentes comportementales indiquées dans la matrice et la valeur y correspondant doivent être affichées visiblement dans chacune des aires de vie de l'école, afin de rappeler aux élèves et au personnel scolaire les comportements souhaités. Ces supports visuels sont également des outils d'intervention pour le personnel scolaire qui doit composer avec certains élèves qui ont tendance à vouloir négocier les règles à suivre. La figure 5.3 présente des exemples inspirés de supports visuels utilisés dans des écoles francophones au Québec et ailleurs au Canada.

Figure 5.3 | Des exemples d'affiches comportementales

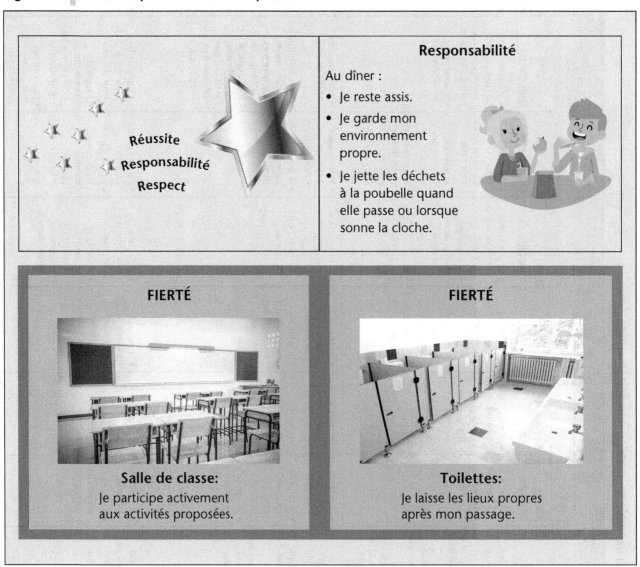

Le système SCP prévoit également l'élaboration de plans de leçon destinés au personnel scolaire, afin d'assurer et d'harmoniser l'enseignement explicite des attentes comportementales auprès de tous les élèves, et ce, en contexte réel. Le comité de pilotage prépare des leçons (*voir un exemple au tableau 5.2*) pour enseigner tous les comportements attendus dans chacune des aires de vie, à l'aide de la démarche en trois étapes de l'enseignement explicite (le modelage, la pratique guidée, la pratique autonome). Ainsi, dans chacune des aires de vie de l'école, les élèves reçoivent un enseignement systématique des comportements attendus liés aux différentes valeurs adoptées par l'école.

Tableau 5.2 | **Le plan d'une leçon d'enseignement explicite pour les comportements attendus dans un autobus**

Étape 1 : présenter le comportement désiré		
Respect	**Responsabilités**	**Réussite**
• Je parle à voix basse et je suis poli. • Je salue le conducteur et je le remercie.	• Je reste assis à ma place. • J'apporte tous mes effets.	• J'applique les directives du conducteur. • Je suis un bon exemple pour les autres.

Étape 2 : fournir les raisons d'enseigner ce comportement
Pour assurer un bon climat. Pour éviter les bousculades et les conflits, et assurer la sécurité des élèves.

Étape 3 : donner des exemples et des contre-exemples	
Exemples de comportements attendus *(à modeler et à pratiquer avec les élèves)*	*Contre-exemples* *(à démontrer par l'adulte seulement)*
1. Je reste assis correctement à ma place durant tout le trajet. 2. Je parle à voix basse. 3. Je salue le conducteur et je le remercie. 4. J'écoute, je suis poli et je respecte le conducteur ainsi que les autres élèves. 5. Au signal, je me dirige vers mon autobus. 6. Je prends soin des plus jeunes. 7. Je respecte les biens des autres. 8. Je prends tous mes effets personnels.	1. Je me lève. 2. Je crie. 3. J'ignore le conducteur. 4. Je suis impoli. 5. Je perds mon temps en me dirigeant vers l'autobus. 6. J'intimide les élèves, je les dérange, etc. 7. Je brise les biens des autres, je bois et je mange dans l'autobus. 8. J'oublie mon sac, ma boîte à lunch, ma casquette, etc.

Étape 4 : pratiquer (activités de jeu de rôle)
• Pratiquer avec les élèves la façon de se comporter dans l'autobus (scénario en contexte réel). • Modeler les contre-exemples par l'adulte seulement.

Étape 5 : réaffirmer les comportements attendus
• Apposer les affiches indiquant les attentes comportementales. • Rappeler aux élèves les comportements attendus.

Étape 6 : vérifier les progrès des élèves
• Renforcer le bon comportement de façon stratégique et espacée. • Reconnaître et renforcer les efforts des élèves d'un même autobus.

L'annexe 4 présente plusieurs leçons d'enseignement explicite.

Les élèves qui adoptent les comportements enseignés doivent être reconnus, encouragés et valorisés. Pour y arriver, le comité de pilotage élabore un système de renforcement.

5.3.4 Élaborer un système de renforcement

Les renforcements positifs sont utilisés afin de reconnaître, de valoriser et d'encourager la manifestation des comportements enseignés. En effet, à l'instar d'autres chercheurs, nous sommes d'avis qu'il y a de fortes chances qu'un comportement adapté qui n'est suivi d'aucun renforcement ou d'aucune attention ni approbation de la part de l'adulte ne se reproduira pas (Massé, Desbiens et Lanaris, 2006 ; Sugai et Horner, 2002).

Les bénéfices générés par un système de renforcement résident, en outre, dans le fait de favoriser le sentiment de compétence chez des élèves qui reçoivent, en général, peu de renforcements positifs (Reder et coll., 2007). En effet, diverses enquêtes réalisées en milieu scolaire (Bouffard, 2011 ; Fenning, Golomb, Gordon, Kelly, Scheinfield, Morello et coll., 2008) ont montré que les interventions comportementales effectuées auprès des élèves, tant au primaire qu'au secondaire, sont rarement de nature positive : elles sont plutôt punitives ou coercitives. Pour favoriser le sentiment de compétence de tous les élèves, il faut renverser cette tendance et, ainsi, mettre en œuvre davantage d'interventions comportementales de nature positive en multipliant les renforcements positifs. Cela vaut autant pour les élèves qui semblent toujours manifester les comportements attendus que pour ceux qui le font plus rarement.

Les résultats de recherches récentes ont révélé la supériorité du renforcement positif sur la modification des comportements (Little et coll., 2014 ; Stage et Quiroz, 1997). En effet, la méta-analyse de Stage et Quiroz (1997) et celle de Little et ses collaborateurs (2015) ont montré que le recours au renforcement positif constitue l'intervention la plus puissante pour modifier des comportements inadéquats dans les écoles publiques, en particulier les systèmes d'économie de jetons et la contingence de groupe. Selon le d de Cohen[5], l'ampleur des effets relatifs à ces interventions varie de 0,90 à 3,41. Dans un système d'économie de jetons, l'élève se voit octroyer des jetons pour l'adoption de bons comportements, préalablement enseignés. Il pourra échanger ces jetons ultérieurement contre un privilège. « Dans une contingence de groupe, les éléments sont aménagés de sorte que les conséquences soient délivrées par l'un des membres du groupe ou par l'ensemble du groupe en fonction des performances d'un membre du groupe ou de l'ensemble du groupe » (Rivière, 2006, p. 291).

Certains auteurs en éducation critiquent sévèrement ces systèmes de renforcement pour leur prétendu effet délétère sur la motivation intrinsèque des élèves (Chouinard et Archambault, 1998 ; Decy et Ryan, 1985). Toutefois,

---

5. Rappelons que le d de Cohen permet d'obtenir une taille d'effet qui représente une mesure de la force de l'effet observé d'une variable sur une autre. Traditionnellement, un d autour de 0,2 est décrit comme un effet « faible », 0,5, comme « moyen » et 0,8, comme « fort ».

de nombreux chercheurs considèrent que les critiques formulées au sujet des renforcements constituent une surgénéralisation reposant sur une série très limitée de circonstances (Akin-Little, Eckert, Lovett et Little, 2004; Akin-Little et Little, 2004; Bright et Penrod, 2009; Cameron, 2001; Cameron, Banko et Pierce, 2001; Cameron, Pierce, Banko et Gear, 2005; Mintz, 2003; Paquet et Clément, 2008; Reder, Stephan et Clément, 2007; Reiss, 2004, 2005). Les renforcements ont un effet négatif sur la motivation intrinsèque seulement *lorsque les renforcements positifs sont prodigués aléatoirement et lorsqu'ils sont attribués au participant qui a accompli des tâches pour lesquelles il manifestait un grand intérêt au préalable.* Or, ces conditions exceptionnelles sont observées uniquement dans des études expérimentales réalisées en laboratoire. Il s'agit d'un contexte particulier qui s'éloigne considérablement d'une salle de classe ou de l'école. Inversement, les études menées en classe n'ont montré aucun effet négatif des systèmes de renforcement sur les comportements des élèves.

Jusqu'à présent, les études individuelles (Akin-Little et Little, 2004; Mintz, 2003) n'ont mis en évidence aucun effet néfaste lié à la mise en œuvre de systèmes de renforcement (Akin-Little *et al.*, 2004). Cela est significatif puisque ces études tendent à reproduire de façon plus précise la mise en œuvre des systèmes de récompense dans les classes. Il suffirait peut-être d'effectuer un plus grand nombre d'études de type comportemental pour ne pas observer les effets négatifs présumés des renforcements sur quelque tâche ou comportement que ce soit (Akin-Little, Little, Bray et Kehle, 2009, p. 85).

Les chercheurs ont plutôt montré les effets positifs des renforcements sur l'adoption et le maintien des comportements attendus lorsque ces renforcements sont donnés adéquatement. Par exemple, l'étude de Reder, Stephan et Clément (2007), réalisée en milieu scolaire, montre «qu'il n'existe pas d'effet délétère des récompenses sur la motivation intrinsèque des enfants à se comporter selon les règles de classe» (p. 165). La recherche de Akin-Little et Little (2004) fournit des résultats comparables: «Les résultats démontrent que la mise en œuvre d'un système d'économie de jetons servant à récompenser les comportements désirables n'a pas d'effet négatif même après le retrait du système» (p. 179).

5.3.5 Former et informer le personnel scolaire

Il importe de former le personnel de l'école au tout début de l'implantation du système SCP dans l'école et de l'informer tout au long de sa mise en œuvre. Ainsi en début d'année, le comité de pilotage présente au personnel scolaire l'ensemble des outils conçus: les valeurs, la matrice comportementale, les supports visuels, les leçons d'enseignement explicite et le système de renforcement, ainsi que l'ensemble des outils d'intervention corrective (dont il sera question dans la section suivante). Le comité montre également comment les utiliser. Durant toute la phase d'implantation du système SCP, le comité de pilotage doit informer le personnel scolaire de l'état de la gestion des comportements dans l'école. Il présente les bons coups, les défis à relever et les solutions envisagées.

Malgré la mise en œuvre de ces interventions dans l'école, certains élèves manifesteront des écarts de conduite nécessitant de recourir aux interventions correctives. Ces dernières sont présentées dans la section suivante.

5.4 Les interventions correctives proposées par le SCP

Le fait de renforcer positivement les comportements attendus ne signifie pas pour autant qu'il faille éviter d'intervenir pour résoudre les problèmes de comportement observés. Il faut faire appel aux interventions correctives en cas d'écart de conduite, après avoir eu recours aux interventions préventives. Comme nous l'avons indiqué au chapitre précédent, il existe deux types d'écart de conduite : les écarts de conduite mineurs et les écarts de conduite majeurs.

Un écart de conduite mineur est un manquement aux attentes comportementales préalablement enseignées qui :

- ne nuit pas au bon fonctionnement de la classe ou de l'espace de vie commune de l'école où se trouve l'élève ni à l'apprentissage des élèves ;

- dérange l'élève lui-même ou quelques élèves autour de lui.

Un écart de conduite majeur est un manquement aux attentes comportementales préalablement enseignées qui :

- nuit au bon fonctionnement de la classe ou de l'espace de vie commune de l'école où se trouve l'élève, à l'enseignement, ainsi qu'à l'apprentissage des autres élèves ;

- constitue un acte illégal ;

- ou est un écart de conduite mineur qui persiste malgré diverses interventions réalisées.

Pour déterminer ce qui constitue des écarts de conduite majeurs et mineurs dans l'école, ainsi que les interventions correctives qui y sont liées, le comité de pilotage doit :

1. Élaborer une classification des comportements

2. Hiérarchiser les interventions pour gérer les écarts de conduite mineurs

3. Établir une politique d'école pour la gestion des écarts de conduite majeurs

4. Construire un arbre décisionnel

5. Recueillir des données comportementales et les compiler

6. Tenir une rencontre mensuelle et analyser les données

7. Former et informer les collègues

La figure 5.4 ci-contre illustre ce concept.

Figure 5.4 | Les interventions correctives à l'échelle de l'école

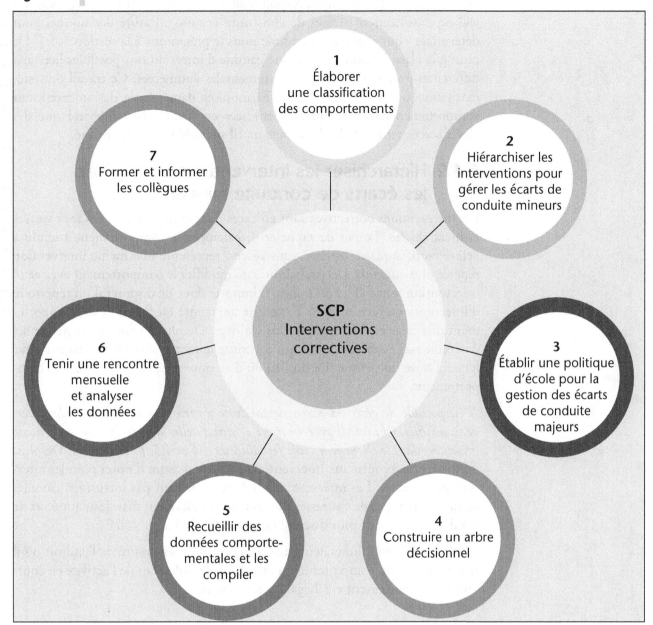

5.4.1 Élaborer une classification des comportements

Le comité de pilotage, accompagné du professionnel en gestion des comportements, élabore une classification des comportements problématiques observés à l'école. Cette classification des écarts de conduite mineurs et majeurs (*voir le tableau 5.3, p. 149*) permet d'identifier explicitement les comportements fautifs qui relèvent exclusivement des enseignants ou des surveillants et ceux qui doivent être gérés par la direction d'école ou par le responsable de l'encadrement des élèves. Par exemple, un comportement problématique mineur, comme le fait d'être assis dans l'escalier ou dans un endroit non autorisé, est géré par le personnel enseignant ou le surveillant, alors qu'un comportement problématique majeur, comme une bagarre ou un acte d'intimidation, relève de la direction d'école ou du responsable de l'encadrement des élèves. Ce travail de classification permet de construire ensuite un arbre décisionnel pour déterminer « qui gère quoi », comme nous le présentons à la section 5.4.4. De plus, à la classification s'ajoute une gamme d'interventions possibles liées aux différentes problématiques comportementales énumérées. Ce travail de systématisation permet, d'une part, d'harmoniser dans l'école des interventions comportementales cohérentes et efficaces et, d'autre part, d'éviter que des élèves soient retirés de la classe sans motif préalablement déterminé.

5.4.2 Hiérarchiser les interventions pour gérer les écarts de conduite mineurs

Les interventions correctives sont efficaces dans la mesure où elles sont variées et hiérarchisées. Le fait de rappeler verbalement le comportement attendu à l'élève fautif à quatre reprises, sans succès, représente une même intervention répétée plusieurs fois. Les probabilités de modifier le comportement avec cette intervention sont faibles ou nulles. Il importe donc de disposer d'un répertoire d'interventions variées, dont l'intensité augmente en fonction du comportement de l'élève et des interventions réalisées. De plus, le fait que le personnel de l'école sache exactement ce qui constitue un écart de conduite majeur pour lequel l'élève doit être retiré du lieu où il se trouve facilite la gestion des comportements.

Il est possible de gérer les écarts de conduite mineurs en procédant à des interventions hiérarchisées de type indirect et direct telles que celles que nous avons présentées dans le chapitre 4 (voir les tableaux 4.4 et 4.5, p. 118-119). De plus, il importe de recourir aux interventions indirectes avant d'opter pour les interventions directes. Les interventions indirectes ne sont pas intrusives, car elles ne demandent pas de s'adresser directement à l'élève qui manifeste un écart de conduite. Elles sont plus discrète (*voir le tableau 5.4, p. 150*).

Les écarts de conduite majeurs exigent que l'élève soit retiré de l'endroit où il se trouve, car son comportement perturbe le déroulement de l'activité en cours ou son comportement est illégal ou dangereux.

Tableau 5.3 | Un exemple de classification des comportements problématiques

Écarts de conduite mineurs	Écarts de conduite majeurs
Comportements qui nuisent personnellement à l'éleve*	**Comportements qui nuisent à l'ordre en général**
• L'élève n'a pas son matériel. • Il brise son matériel scolaire. • Il n'est pas assis à sa place. • Il ne suit pas les consignes. • Il se plaint ou argumente. • Il triche. • Il ment. • Il utilise un langage inapproprié. • Il joue avec des objets inappropriés. • Il ne complète pas ses travaux. • Il encourage les mauvais comportements. • Il n'écoute pas la personne qui parle. • Il ne s'assoit pas correctement. • Il n'assume pas ses responsabilités. • Il refuse de travailler. • Il refuse de coopérer. • Il n'a pas la tenue vestimentaire requise. • Il est en retard. • Il s'absente de l'école sans permission. • Il dessine sur le bureau. • Il consomme des boissons énergisantes.	• L'élève répond impoliment à l'adulte. • Il lance des objets dangereux. • Il provoque les autres (se moque des autres). • Il ment régulièrement. • Il fait des crises de colère. • Il pousse les autres. • Il insulte. • Il crie contre le personnel. • Il crache sur les autres. • Il harcèle. • Il humilie. • Il intimide (gestes, paroles, attitude). • Il fait des graffitis. • Il participe à des jeux agressifs. • Il bouscule, pousse, fait trébucher. • Il empêche les autres d'apprendre. • Il semble consommer de l'alcool ou des drogues. • Il fugue.
Comportements qui nuisent à l'apprentissage des autres*	**Comportements qui blessent ou qui sont illégaux**
• L'élève parle quand il ne faut pas. • Il répond impoliment à l'adulte. • Il brise le matériel scolaire. • Il dérange les autres. • Il lance des objets. • Il fait des bruits inappropriés. • Il se chamaille. • Il blasphème en classe. • Il provoque. • Il se met debout sur les meubles. • Il se déplace sans autorisation. • Il n'est pas à sa place. • Il fait constamment abstraction des consignes. • Il exclut les autres. • Il quitte la classe sans permission. • Il émet des commentaires racistes, sexistes ou autres. • Il court dans le corridor. • Il crie, parle fort. • Il ne respecte pas l'intimité des autres aux toilettes.	• L'éleve utilise un téléphone cellulaire ou un lecteur MP3 à des moments et dans des lieux inappropriés. • Il commet des actions qui blessent physiquement (mord, pousse, donne des coups de pied ou de poing, etc.). • Il lance des objets qui blessent. • Il vole ou brise la propriété d'autrui. • Il se bagarre. • Il fume sur le terrain de l'école. • Il est en possession de drogues ou d'alcool. • Il est en possession d'armes. • Il lance un meuble. • Il menace de blesser quelqu'un ou d'endommager quelque chose. • Il fait des graffitis menaçants. • Il fait des menaces de mort ou est responsable de voies de fait. • Il fait du trafic de drogues. • Il est en état d'ébriété ou sous l'effet de drogues.

* *Si ces comportements durent malgré diverses interventions, ils peuvent devenir des écarts de conduite majeurs.*

Tableau 5.4 | Les interventions correctives indirectes et directes pour gérer les écarts de conduite mineurs

	L'élève...	Je...
Interventions indirectes	... n'accomplit pas la tâche demandée.	**1. Contrôle par la proximité** ... m'approche de l'élève. ⬇ **2. Contrôle par le toucher** ... touche son épaule ou le dossier de sa chaise. ⬇
	... n'accomplit pas la tâche demandée et dérange quelques élèves autour de lui.	**3. Directives au moyen de signaux non verbaux** ... communique mes attentes par un signal non verbal. ⬇ **4. Ignorance intentionnelle et renforcement différencié** ... ne prête pas attention au comportement inapproprié et renforce le comportement attendu. ⬇
	... n'accomplit pas la tâche demandée et dérange plusieurs élèves autour de lui.	**5. Redirection** ... rappelle verbalement le comportement attendu. ⬇ **6. Réenseignement** ... présente le comportement attendu, l'enseigne et le mets en pratique avec l'élève. ⬇
	... n'accomplit pas la tâche demandée, dérange beaucoup d'élèves autour de lui et nuit au bon déroulement de la tâche à réaliser.	**7. Choix** ... donne deux options à l'élève : le comportement attendu OU une solution moins attrayante. ⬇ **8. Recours aux conséquences formatives** ... donne une conséquence logique et éducative qui lui permet de réparer ses torts. ⬇
	... agit de façon inappropriée, nuit au bon déroulement de la tâche à réaliser et ne semble pas connaître le comportement à adopter.	**9. « Montre-moi cinq élèves... »** ... mets l'élève en retrait et lui demande d'observer le comportement attendu chez ses pairs. ⬇ **10. Rencontre avec l'élève** ... rencontre l'élève pour lui réenseigner de façon approfondie le comportement attendu.

Source : Bissonnette et Paquette-Côté, 2014, « Des interventions indirectes et directes à réaliser de façon graduée en classe pour gérer des écarts de conduite mineurs », EDU 6011-A : *Gestion efficace des comportements : volet Enseignement*, Québec : TÉLUQ. Récupéré de http://educ6011-a.teluq.ca

5.4.3 Établir une politique d'école pour gérer les écarts de conduite majeurs

La classification réalisée par le comité de pilotage a permis de définir les écarts de conduite considérés comme majeurs. Ce comité élabore ensuite une politique d'école qui permettra d'intervenir efficacement vis-à-vis de ce type d'écarts de conduite. Le tableau 5.5 présente une liste de questions dont les réponses permettent d'élaborer une politique d'école pour la gestion des écarts de conduite majeurs.

5.4.4 Construire un arbre décisionnel

Une fois que le comité de pilotage a accompli son travail (élaboration d'une classification des comportements, hiérarchisation des interventions pour gérer les écarts de conduite mineurs et établissement d'une politique d'école pour la gestion des écarts de conduite majeurs), l'étape suivante consiste à construire un arbre décisionnel, c'est-à-dire un schéma de procédés indiquant clairement à l'ensemble du personnel de l'école qui gère quoi. Dans ce schéma, il revient habituellement au personnel enseignant et aux surveillants de gérer les écarts de conduite mineurs, tandis que les écarts de conduite majeurs nécessitant un retrait de l'élève et une prise en charge particulière relèvent de l'équipe de direction et des services complémentaires de l'école (psychologue, travailleur social, psychoéducateur, etc.). Le fait que chacun connaisse son rôle et ses responsabilités facilite grandement la gestion des écarts de conduite à l'intérieur de l'école. La figure 5.5 (*voir la p. 153*) présente un exemple d'arbre décisionnel.

Comme il faut retirer un élève qui manifeste un écart de conduite majeur de l'endroit où il se trouve et suivre une procédure particulière pour le prendre en charge, il importe de documenter la situation afin de poser un regard critique sur l'efficacité du système de gestion des comportements dans l'école. La sous-section suivante traite de la compilation et de l'analyse des données comportementales recueillies dans l'école.

5.4.5 Recueillir des données comportementales et les compiler

Le comité de pilotage doit élaborer un canevas de billet de communication et le rendre disponible à l'ensemble du personnel scolaire (enseignants, surveillants, direction et professionnels), afin qu'il puisse consigner tous *les écarts de conduite majeurs* observés. La figure 5.6 (*voir la p. 154*) présente un exemple de ce billet.

Tableau 5.5 Une liste de questions guidant l'élaboration d'une politique d'école concernant la gestion des écarts de conduite majeurs

1.	À la suite d'un écart de conduite majeur, à quel endroit l'élève fautif doit-il se rendre en premier lieu?
2.	Qui doit l'accueillir?

Si le comportement de l'élève est dysfonctionnel:

3.	Quelles sont les mesures prévues sur-le-champ pour rendre ce comportement fonctionnel?

Si le comportement de l'élève est fonctionnel:

4.	Dans quel local regroupe-t-on les élèves ayant manifesté des écarts de conduite majeurs, local où sera redirigé l'élève fautif[6]?
5.	Quelle tâche lui sera assignée[7]?
6.	La tâche lui permet-elle de réfléchir sur l'écart de conduite qui a provoqué son retrait de son milieu?
7.	Qui vérifie la réalisation de la tâche?
8.	Que se passe-t-il si l'élève a bâclé le travail?

Si la tâche a été réalisée correctement:

9.	L'élève doit prendre contact avec l'enseignant ou l'intervenant qui a géré l'écart de conduite. À quel moment et par quel moyen doit-il le faire?
10.	À quel moment et de quelle façon l'élève sera-t-il réintégré dans la classe?

D'une façon générale:

11.	Les parents doivent être informés de tous les écarts de conduite majeurs manifestés[8]. Qui le fait et par quels moyens?
12.	Dans quels cas doit-on appeler les policiers? Qui le fait et comment?
13.	Quels sont les écarts de conduite majeurs qui nécessitent une suspension interne?
14.	Quels sont les écarts de conduite majeurs qui nécessitent une suspension externe?
15.	À quel moment, à quelles conditions et de quelle façon l'élève sera-t-il réintégré dans l'école en cas de suspension?
16.	Quel est le personnel des services complémentaires pouvant intervenir auprès de l'élève et de sa famille (psychologue, psychoéducateur, technicien en éducation spécialisée, travailleur social, etc.)?
17.	Dans quels cas peut-on faire appel au personnel de ces services complémentaires[9]?
18.	Quel est le personnel des services complémentaires pouvant intervenir auprès de l'élève et de sa famille (personne-ressource en toxicomanie, éducateur de rue, animateur de maison de jeunes, autres intervenants du centre intégré de santé et de services sociaux [CISSS] de la région, etc.)?
19.	Dans quels cas a-t-on l'obligation légale ou morale de faire appel au personnel de ces services complémentaires?

---

6. Nous suggérons un local suffisamment vaste pour accueillir de 2 % à 3 % du nombre total d'élèves de l'école. Il est préférable de disposer d'un local ayant un plus grand nombre de places et pouvant accueillir tous les élèves manifestant des écarts de conduite majeurs, plutôt que de ne pas savoir où les diriger.

7. Remplir une fiche de réflexion (*voir un exemple en annexe 7*) est un exemple de tâche à réaliser par l'élève, afin de faire un retour sur l'écart de conduite ayant mené à son retrait. Ce type de tâche est nettement préférable à la tâche qui consiste à faire copier un règlement quelconque!

8. La Loi sur l'instruction publique stipule que l'élève doit être en classe. Dès qu'un élève est retiré de son milieu d'apprentissage et qu'il est privé d'enseignement, les parents doivent en être informés.

9. Il est préférable de faire intervenir le personnel des services complémentaires plus tôt que trop tard. Bien qu'il y ait des cas particuliers, d'une façon générale, à partir du moment où l'élève manifeste en moyenne deux écarts de conduite majeurs et plus par mois, il devient primordial de faire intervenir le personnel des services complémentaires. De plus, un élève qui manifeste six écarts de conduite majeurs et plus nécessite la mise en place d'un plan d'intervention.

Figure 5.5 Un exemple d'arbre décisionnel

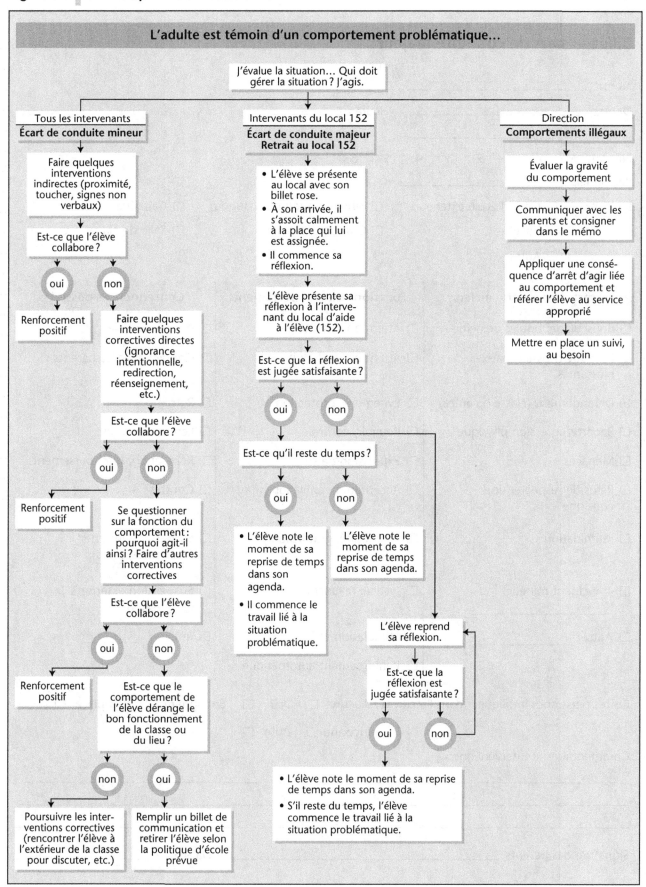

Figure 5.6 Un exemple de billet de communication

Billet – Écart de conduite majeur

Nom: _____

Date: _____ Heure: _____

Enseignant: _____

Niveau: M▪ J▪ 1▪ 2▪ 3▪ 4▪ 5▪ 6▪

Personnel: _____

Endroit: ☐ Cour d'école extérieure   ☐ Bibliothèque/informatique   ☐ Cafétéria
          ☐ Toilettes   ☐ Corridors/escaliers   ☐ Salle de classe
          ☐ Autre

Écart de conduite majeur	Fonctions du comportement	Conséquences possibles
☐ Bousculade, boules de neige	☐ Attention des pairs	☐ Rencontre avec l'élève
☐ Langage grossier, paroles blessantes	☐ Attention de l'adulte	☐ Contact avec les parents
☐ Dérangement (classe ou autre)	☐ Évitement, protection	☐ Retrait
☐ Bagarre/agression physique	☐ Pouvoir, contrôle	☐ Lettre d'excuses
☐ Menaces	☐ Expression de soi	☐ Réparation, remboursement
☐ Refus de respecter une consigne	☐ Acceptation, affiliation	☐ Contrat
☐ Intimidation	☐ Tangibilité, gratification	☐ Suspension interne (___heures, jours)
☐ 4e incident mineur: _____	☐ Justice, revanche	☐ Suspension externe (____ jours)
☐ Autre: _____	☐ Stimulation	☐ Autre: _____
	☐ Renforcement automatique	

Autres personnes impliquées dans l'incident: Aucune ☐   Pair ☐   Enseignant ☐   Remplaçant ☐
Inconnu ☐   Autre ☐

Commentaires et interventions:
_____
_____
_____

Signature des parents: _____ Date: _____

Il faut compiler mensuellement les écarts de conduite majeurs afin que le comité de pilotage puisse examiner la gestion des comportements dans l'école. L'utilisation d'un outil informatisé prévu à cette fin, tel que le *profileur de comportements*[10], facilite ce travail et permet d'obtenir des fréquences des écarts de conduite majeurs sur lesquelles il est possible d'effectuer un forage de données. La figure 5.7 montre diverses informations que peut fournir ce genre d'outil.

Figure 5.7 | La fréquence des écarts de conduite majeurs

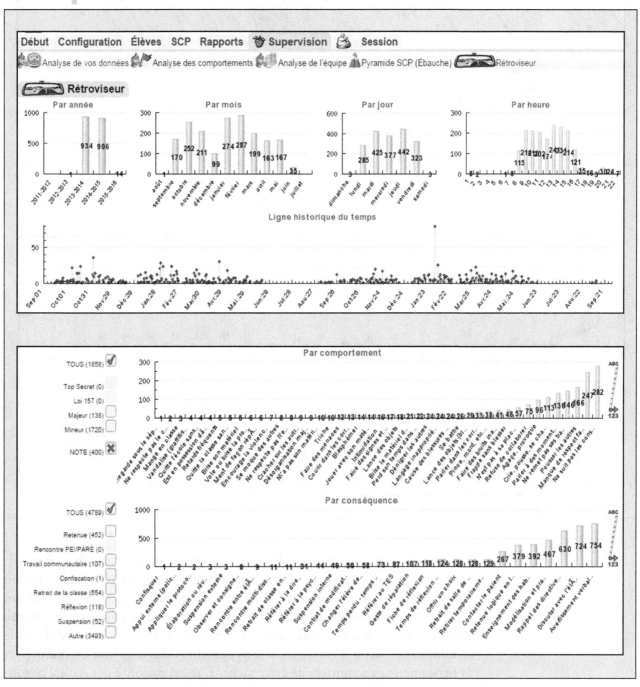

_____
10. http://www.profco.ca/

Figure 5.7 ▎ La fréquence des écarts de conduite majeurs (*suite*)

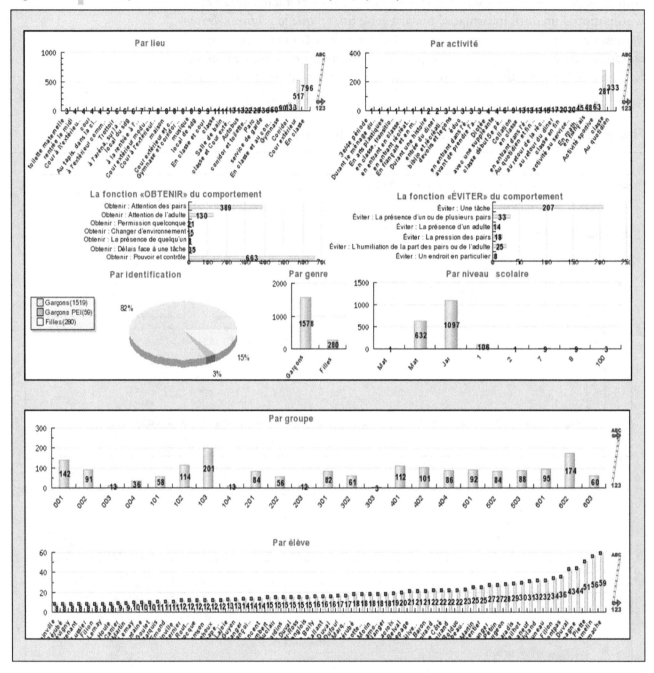

Il faut saisir dans une base de données le contenu de tous les billets de communication concernant les écarts de conduite majeurs. Une compilation manuelle des données comportementales à l'aide des billets de communication représente une véritable perte de temps pour le comité de pilotage et un travail colossal pour une école comptant des centaines d'élèves. Il importe donc de déterminer la façon d'entrer les renseignements dans une base de données et la personne qui s'acquittera de cette tâche. Dans la majorité des écoles, ce sont habituellement les enseignants qui doivent faire ce transfert d'informations.

La sous-section suivante traite de l'analyse des données comportementales par le comité de pilotage lors de ses rencontres mensuelles.

5.4.6 Tenir une rencontre mensuelle et analyser les données

L'informatisation des données comportementales permet au comité de pilotage d'effectuer une analyse minutieuse de l'efficacité de la gestion des écarts de conduite dans l'école lors de ses rencontres mensuelles. Ainsi, le comité de pilotage effectue une première analyse du fonctionnement général du système de gestion des comportements. Pour y arriver, les membres du comité de pilotage, à tour de rôle, font part verbalement de leur évaluation qualitative relativement à la mise en œuvre des différentes composantes du système de gestion des écarts de conduite dans l'école. Chacun pose donc un regard réflexif sur les conditions préalables, les interventions préventives et les interventions correctives liées au système de gestion des comportements dans l'école.

À noter

Il faut toujours commencer l'analyse du système de gestion des comportements en soulignant les bons coups ou les points positifs avant de discuter des défis à relever. Cela permet d'éviter les longues rencontres où le négatif est à l'honneur. Il importe de reconnaître et de valoriser les bons comportements des élèves tout autant que ceux des adultes !

Pour effectuer une analyse qualitative du système de gestion des comportements, le comité de pilotage peut utiliser l'ordre du jour présenté dans le tableau 5.6 ci-contre.

Ensuite, le comité de pilotage procède à une seconde analyse plus précise, de type quantitatif. Pour ce faire, il examine les données comportementales saisies dans la base de données informatisée. Par exemple, il est possible de vérifier si les écarts de conduite majeurs ont diminué ou augmenté au cours du dernier mois. Au cours de cette analyse, le comité de pilotage procède en passant du général au particulier, selon le principe de l'entonnoir. Il se pose différentes questions afin de cerner les problématiques comportementales vécues et de trouver des solutions. L'encadré 5.1 présente la liste de ces questions.

Le comité de pilotage gère ainsi les écarts de conduite majeurs selon un processus de résolution de problème. L'accumulation de données comportementales et leur analyse à l'aide d'un outil informatisé permettent de constater l'émergence de problèmes communs à plusieurs élèves. Par exemple, si plusieurs élèves règlent leurs conflits par des gestes de violence physique, il est possible de regrouper ces élèves et de leur offrir un programme sur la gestion des conflits. L'analyse comportementale effectuée permet de regrouper des élèves ayant des problématiques communes et de leur offrir une intervention supplémentaire et ciblée.

5.4.7 Former et informer les collègues

L'ensemble du personnel scolaire a été formé et tenu informé tout au long de l'implantation du système SCP. Il est tout aussi important qu'il reçoive de l'information sur l'analyse des données réalisée par le comité de pilotage.

De plus, le comité peut tenir des sessions de formation complémentaire s'il constate que la formation initiale n'est pas suffisante ou que de nouveaux besoins de formation émergent durant la mise en œuvre des interventions prévues par le système SCP.

Tableau 5.6 | **L'ordre du jour du comité de pilotage (analyse qualitative)**

Sujets de discussion	Notes
1. Retour sur la rencontre précédente	

2. Fonctionnement du système	**Les conditions de mise en œuvre :**
	1. Un professionnel en gestion des comportements peut-il nous aider ?
	2. Le personnel de l'école est-il engagé dans la mise en œuvre du système ?
	3. La direction d'établissement est-elle engagée dans la mise en œuvre du système ?
	4. Le comité de pilotage est-il bien représenté ?
	5. Au début de l'année scolaire, avons-nous brossé un portrait de la situation et établi nos priorités d'intervention ?
	
	Les interventions préventives :
	1. Les valeurs retenues semblent-elles préconisées par tout le personnel scolaire ?
	2. Avons-nous une matrice comportementale ?
	3. Les valeurs et les comportements attendus sont-ils affichés dans chacune des aires de vie ? Les leçons d'enseignement explicite ont-elles été réalisées par l'ensemble du personnel ?
	4. Le système de renforcements est-il appliqué comme prévu ?
	  • Est-ce que tous les élèves reçoivent des renforcements tangibles ?
	  • Est-ce que les célébrations des efforts à l'échelle de la classe auront lieu comme prévu ?
	  • Est-ce que la célébration des efforts à l'échelle de l'école aura lieu comme prévu ?
	5. Le personnel scolaire semble-t-il avoir besoin de formation ou d'informations supplémentaires ?
	
	Les interventions correctives :
	1. Les comportements problématiques ont-ils été classifiés et sont-ils bien reconnus en tant qu'écarts de conduite mineurs et majeurs ?
	2. Les interventions correctives utilisées pour gérer les écarts de conduite mineurs sont-elles diversifiées et hiérarchisées ?
	3. La politique d'école concernant les écarts de conduite majeurs est-elle suivie ?
	4. L'arbre décisionnel est-il respecté ?
	5. Les écarts de conduite majeurs sont-ils notés sur des billets de communication ? Les renseignements sur les écarts de conduite majeurs sont-ils entrés dans une base de données informatisée ?
	6. Les membres du comité de pilotage se réunissent-ils tous les mois pour analyser les données recueillies et compilées ?
	7. Le personnel scolaire est-il bien formé et tenu informé tout au long de l'implantation du système de soutien au comportement positif (SCP) dans l'école ? Semble-t-il avoir besoin de formation ou d'informations supplémentaires ?

3. Les bons coups	• Parmi les composantes du système, quels sont nos bons coups ?
4. Obstacles/défis posés	• Parmi les composantes du système, quels sont nos obstacles à surmonter ou nos défis à relever ?
5. Analyse globale	• Est-ce que les comportements des élèves semblent s'être améliorés ou détériorés ?

Encadré 5.1 Les questions guidant l'analyse quantitative du comité de pilotage[11]

Y a-t-il eu une augmentation ou une diminution des écarts de conduite au cours du dernier mois ou des derniers mois ?
Quels sont les écarts de conduite observés ?
À quels endroits et à quels moments se produisent-ils ?
Chez quels élèves les écarts de conduite sont-ils observés ?
Le problème concerne-t-il seulement quelques élèves ou est-il généralisé ?
Des élèves ont-ils été retirés de la classe à plusieurs reprises[12] ?
Certains élèves doivent-ils être dirigés vers les services complémentaires de l'école ?
Certains élèves ont-ils des troubles de la conduite nécessitant une évaluation fonctionnelle du comportement ?
À quels niveaux (première année, première secondaire, etc.) observe-t-on principalement les écarts de conduite ?
Dans quelles classes ?
Y a-t-il eu plusieurs écarts de conduite dans une même classe ?
La majorité des élèves a-t-elle obtenu des renforcements positifs tangibles au cours du dernier mois ?
Quels élèves n'ont pas obtenu de renforcements ?

---

11. Bissonnette, S. (2015). « Questions guidant le regard critique posé sur l'efficacité de la gestion des comportements positifs au niveau de l'école », EDU 6011-B : *Gestion efficace des comportements : volet Accompagnement,* Québec : TÉLUQ. Récupéré de http://edu6011-b.teluq.ca

12. Un élève qui manifeste mensuellement de deux à cinq écarts de conduite majeurs ayant entraîné des retraits de la classe ou d'un autre endroit a besoin d'interventions supplémentaires et ciblées mettant à contribution les services complémentaires de l'école (psychologue, psychoéducateur, technicien en éducation spécialisée, travailleur social, etc.). De plus, un élève qui manifeste six écarts de conduite majeurs ou plus mensuellement est généralement un élève ayant un trouble de la conduite nécessitant de mettre en œuvre un plan d'intervention et un suivi individuel par des professionnels.

Finalement, en complément aux différentes composantes présentées, il est parfois nécessaire d'instaurer des interventions supplémentaires et plus ciblées afin de répondre adéquatement aux besoins particuliers de certains élèves. Il faut alors mettre en place un modèle de réponse à l'intervention (RAI).

5.5 Le système SCP : un modèle de réponse à l'intervention comportementale (RAI)

On estime que la mise en œuvre des différentes composantes du système SCP est suffisante pour permettre à la majorité des élèves (± 80 %) d'adopter les comportements désirés. En revanche, il faut fournir une aide supplémentaire et plus spécifique à un pourcentage appréciable d'élèves (± 20 %) pour qu'ils puissent se comporter adéquatement, car leurs besoins diffèrent de ceux du groupe de référence. Ainsi, pour éviter que des difficultés légères sur le plan comportemental s'aggravent, on recommande de mettre en œuvre un modèle de réponse à l'intervention (RAI).

Le modèle de réponse à l'intervention comportementale (RAIC) est un modèle d'intervention et d'organisation de services issu de la recherche en éducation réalisée aux États-Unis. Il comporte trois niveaux et permet de planifier des interventions préventives empiriquement validées et d'intensité graduelle (*voir la figure 5.8*).

Figure 5.8 Le modèle d'intervention à trois niveaux – Réponse à l'intervention (RAI)

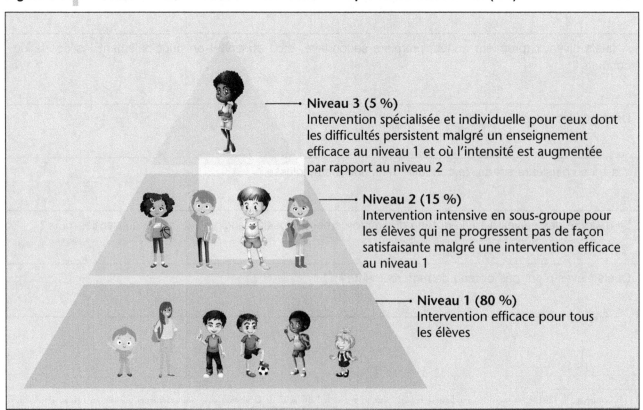

Niveau 3 (5 %)
Intervention spécialisée et individuelle pour ceux dont les difficultés persistent malgré un enseignement efficace au niveau 1 et où l'intensité est augmentée par rapport au niveau 2

Niveau 2 (15 %)
Intervention intensive en sous-groupe pour les élèves qui ne progressent pas de façon satisfaisante malgré une intervention efficace au niveau 1

Niveau 1 (80 %)
Intervention efficace pour tous les élèves

Selon le MELS (2011, p. 9) : « Le modèle d'intervention à trois niveaux permet d'envisager des interventions de plus en plus intensives pour répondre aux besoins de tous les élèves. Il s'agit également d'un modèle qui favorise l'organisation des services. » Ces niveaux sont les suivants :

1. Mise en place d'un système d'intervention efficace pour tous les élèves, par exemple l'implantation du système SCP pour tous les élèves de l'école ;

2. Interventions spécifiques et ciblées en sous-groupe pour les élèves qui ne progressent pas de façon satisfaisante malgré l'intervention de niveau 1 ;

3. Interventions individualisées, intensives, spécialisées et multisystémiques pour les élèves dont les difficultés persistent malgré les interventions de niveau 1 et 2.

Le premier niveau d'intervention correspond à la mise en œuvre d'interventions efficaces, issues de la recherche en éducation, visant la prévention des difficultés comportementales et s'adressant à tous les élèves. La mise en place de différentes composantes d'une gestion efficace de la classe et des comportements (que nous avons présentées dans ce livre) correspond essentiellement aux interventions efficaces de niveau 1. Toutefois, quoiqu'elles soient essentielles, les interventions préventives et correctives sont parfois insuffisantes pour répondre adéquatement aux besoins de certains élèves qui nécessitent des interventions particulières de niveau 2.

Le niveau 2 repose sur l'analyse de données comportementales afin de cibler les élèves qui éprouvent des difficultés persistantes quant à leurs comportements et qui ont besoin d'une aide supplémentaire. En effet, pour repérer adéquatement les élèves auprès desquels il est nécessaire d'entreprendre des interventions additionnelles et ciblées, il importe de bien documenter les difficultés qu'ils éprouvent (la fréquence, l'intensité, la gravité, les lieux, etc.), ainsi que les interventions infructueuses effectuées au niveau 1. Selon les problèmes observés, il est possible de regrouper temporairement ces élèves afin qu'ils bénéficient d'interventions de niveau 2, c'est-à-dire des interventions plus spécifiques et ciblées sur le plan comportemental, telles que :

- l'enseignement d'habiletés sociales spécifiques ;

- la gestion du stress et de la colère ;

- la restructuration cognitive ;

- un suivi psychoéducatif quotidien.

Environ 15 % des élèves nécessitent une intervention de niveau 2. Ces élèves progressent de façon satisfaisante lorsqu'ils bénéficient d'une intervention efficace de ce niveau, jumelée à celle de niveau 1 (Brodeur et coll., 2010).

Finalement, les interventions de niveau 3 s'adressent à environ 5 % des élèves. Il s'agit des interventions les plus lourdes qui soient offertes en milieu scolaire. Elles portent précisément sur les besoins des élèves dont les difficultés persistent malgré des interventions efficaces relevant des deux premiers niveaux (Brodeur et coll., 2010). À ce dernier stade, les interventions sont individualisées, intensives, spécialisées et multisystémiques. De plus, elles requièrent une évaluation fonctionnelle du comportement ainsi que l'établissement d'un plan d'intervention (PI[13]) et d'un plan de services individualisé (PSI[14]). En effet, ces interventions demandent généralement la participation de divers professionnels (orthopédagogue, psychologue, psychoéducateur, travailleur social, pédopsychiatre, éducateur spécialisé, etc.) afin d'agir sur les plans individuel, familial et scolaire, car les troubles comportementaux de ces élèves sont graves, persistants, voire cristallisés.

Examinons maintenant les effets du SCP sur le nombre d'incidents disciplinaires dans les écoles qui le mettent en œuvre.

5.6 Les effets du système SCP sur les références disciplinaires

Les effets du système SCP (ou PBIS) sur le plan comportemental sont mesurés généralement à l'aide du nombre de références disciplinaires colligé par la direction de l'école (traduction de *Office Discipline Referral*, ou ODR). Il s'agit du nombre de rapports d'incidents disciplinaires majeurs remplis par le personnel scolaire, par la direction et par les enseignants. Un rapport d'incident majeur doit être rédigé lorsqu'un élève manifeste un comportement qui nécessite un retrait de la classe, qu'il soit isolé des autres ou placé dans un local sous la supervision d'un responsable de l'encadrement. Ce type de comportement est géré exclusivement par la direction de l'école ou par le responsable de l'encadrement des élèves : il s'agit alors d'une référence disciplinaire gérée par la direction.

Plusieurs recherches ont montré que l'utilisation des références disciplinaires gérées par la direction est une mesure valide pour évaluer le climat scolaire, le portrait comportemental de l'école et pour identifier les élèves ayant des besoins spécifiques, en particulier ceux qui présentent des problématiques comportementales de type extériorisé (agressivité, habiletés sociales déficientes, etc.) : « Les références disciplinaires semblent constituer une source de données utiles qui permet tant de cerner les modèles de comportement problématiques de l'ensemble des élèves que de surveiller les comportements individuels (Nakasato, 2000 ; Putnam, Luiselli, & Handler, 2001 ; Taylor-Greene *et al.,* 1997 ; Taylor-Green & Kartub, 2000) » (Irvin et coll., 2006, p. 10). Toutefois, cette mesure ne permet pas d'identifier les élèves présentant des problèmes comportementaux intériorisés, tels que l'anxiété ou la dépression (Irvin, Horner, Ingram, Todd, Sugai, Sampson et Boland, 2004 ; McIntosh, Campbell, Carter et Zumbo, 2009).

Dans une synthèse des recherches analysant la validité des ODR, Irvin et ses collaborateurs (2004) ont présenté plusieurs études descriptives qui montrent des réductions du nombre de références disciplinaires de 50 % et plus, et ce, après une année d'implantation du système PBIS dans les

---

13. Le plan d'intervention, qu'il provienne du réseau de l'éducation ou de celui de la santé et des services sociaux, consiste en une planification d'actions visant à favoriser le développement et la réussite d'un jeune qui requiert, en raison d'une difficulté ou d'une déficience, la mise en place d'actions coordonnées (http://www.aphrso.org/plan-service.html).

14. Le plan de services individualisé doit être élaboré lorsqu'un usager doit recevoir, pour une période prolongée, des services de santé et des services sociaux nécessitant la participation d'autres intervenants (http://www.aphrso.org/plan-service.html).

écoles étatsuniennes participantes. Ces études montrent également que les résultats obtenus se maintiennent au cours des années subséquentes dans ces mêmes établissements.

Une analyse sommaire des références disciplinaires (RD) dans 11 écoles québécoises (primaire, *n* = 10 ; secondaire, *n* = 1) révèle également des résultats fort intéressants (*voir la figure 5.9*). Pour évaluer les effets du système SCP, il importe de calculer dans chacune des écoles participantes le nombre de références disciplinaires (RD) ou le nombre d'écarts de conduite majeurs (ECM) moyen par élève rapportés au cours d'une année scolaire. Rappelons qu'un écart de conduite majeur est un incident disciplinaire qui empêche le professeur d'enseigner, qui nuit à tous les élèves, et qui exige que l'élève soit retiré de classe, ou encore un geste violent ou illégal. Comme les écoles participant au projet ne disposaient pas d'informations sur les ECM avant l'implantation du SCP, nous avons dû comparer les ECM après un minimum de deux années de mise en œuvre du système. Il s'est alors avéré possible de comparer les nombres d'ECM de l'an 1 et de l'an 2 et de vérifier si l'on pouvait observer une diminution de ce type d'écarts de conduite. Une première évaluation des effets du SCP sur le nombre d'ECM dans 11 écoles au nord de la région montréalaise montre une diminution moyenne de 39 % entre l'an 1 (*n* = 1,2/ élève) et l'an 2 (*n* = 0,81/élève) de la mise en œuvre ou une taille d'effet de −0,62. Bien que le nombre d'écoles soit restreint, ces résultats préliminaires s'avèrent positifs et très encourageants.

Figure 5.9 L'effet du SCP sur le nombre d'écarts de conduite majeurs

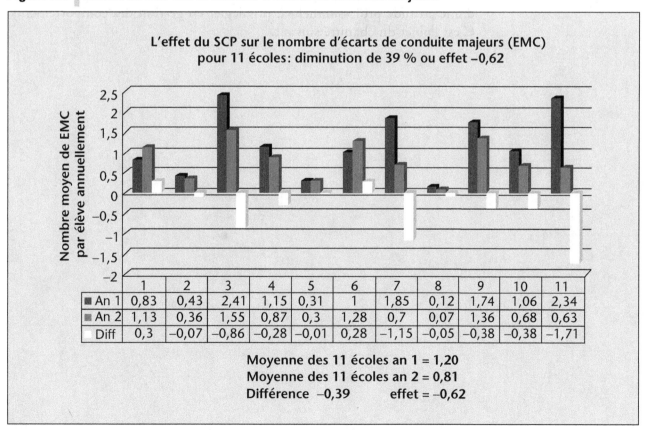

L'effet du SCP sur le nombre d'écarts de conduite majeurs (EMC) pour 11 écoles: diminution de 39 % ou effet −0,62

Nombre moyen de EMC par élève annuellement

	1	2	3	4	5	6	7	8	9	10	11
An 1	0,83	0,43	2,41	1,15	0,31	1	1,85	0,12	1,74	1,06	2,34
An 2	1,13	0,36	1,55	0,87	0,3	1,28	0,7	0,07	1,36	0,68	0,63
Diff	0,3	−0,07	−0,86	−0,28	−0,01	0,28	−1,15	−0,05	−0,38	−0,38	−1,71

Moyenne des 11 écoles an 1 = 1,20
Moyenne des 11 écoles an 2 = 0,81
Différence −0,39   effet = −0,62

Conclusion

Une école efficace crée un milieu sécuritaire, ordonné, prévisible et positif, tant pour le personnel scolaire que pour les élèves qui la fréquentent, afin de permettre l'enseignement et l'apprentissage. Ce type d'école gère efficacement les comportements des élèves en procédant à un ensemble d'interventions préventives ou proactives destinées à prévenir les écarts de conduite des jeunes et en proposant au personnel des stratégies correctives pour intervenir auprès de ceux qui se comportent de façon inappropriée.

Les interventions préventives et correctives ainsi préconisées à l'échelle de l'école représentent les fondements sur lesquels les enseignants peuvent s'appuyer pour prévenir et gérer efficacement l'indiscipline des élèves dans leur classe[15]. Le soutien au comportement positif (SCP, ou PBIS en anglais) que nous venons de décrire améliore l'efficacité de l'école. Ce système, qui a fait ses preuves, est appliqué actuellement dans plus de 22 000 écoles primaires et secondaires étatsuniennes (Association for Positive Behavioral Interventions and Supports, 2015), et dans une cinquantaine d'écoles au Québec.

Le système SCP est un modèle à suivre pour améliorer la gestion des comportements dans l'école. Il est utile de s'approprier ce système, car il représente une véritable clé de lecture et un outil diagnostique qui permet de poser un regard critique sur la gestion des comportements dans les écoles.

Les interventions préventives et correctives que nous avons présentées, tant en ce qui concerne la classe que l'école tout entière, permettent au personnel scolaire de gérer efficacement les comportements des élèves. Toutefois, une mise en œuvre réussie de ces interventions éducatives exige l'adoption d'une attitude professionnelle à privilégier en gestion des comportements. C'est l'objet du chapitre suivant.

---

15. Diverses ressources complémentaires sur la gestion efficace des comportements sont présentées à l'annexe 5.

CHAPITRE 6

Les attitudes professionnelles à privilégier en gestion des comportements d'hier à aujourd'hui

La manière de donner vaut mieux que les dons ;
la manière de dire [...] vaut mieux que les mots [...]
Et tout de même : la façon de faire est infiniment plus que la chose faite.

(*Le je-ne-sais-quoi et le presque-rien* (I),
Vladimir Jankélévitch)

On a maintes fois demandé aux écrivains d'expliquer comment ils ont connu le succès. Ceux qui s'y sont essayés ont énuméré des procédés, ont formalisé des techniques, mais cela n'a pas suffi et n'a pas rendu meilleurs écrivains les émules qui les écoutaient et cherchaient à les imiter. Comment cela se fait-il ? Pourquoi n'arrive-t-on pas, en reproduisant les mêmes stratégies, à obtenir les mêmes résultats ?

C'est sur ce point précis que nous devons approfondir notre réflexion sur la gestion des comportements. Dans les chapitres précédents, nous avons décrit, regroupé et hiérarchisé des stratégies, codifié et systématisé des gestes que l'enseignant doit poser pour avoir un agir efficace. Nous faisons cependant l'hypothèse que, tout comme les écrivains, *au-delà des techniques, il y a une manière de faire en gestion de classe.* C'est-à-dire qu'il y a une attitude qui précède, traverse et enveloppe la méthode pour gérer les conduites des élèves.

Dans les pages qui suivent, nous allons aborder cette question de l'importance des attitudes professionnelles. Nous expliquerons pourquoi, à notre avis, il s'est de tout temps avéré nécessaire, pour un professionnel de l'enseignement, d'adopter des attitudes qui transcendent les actions qu'il pose. Comme nous l'avons fait dans les chapitres précédents, nous procéderons en deux temps, à partir d'une perspective historique. D'une part, avec le frère Agathon, nous montrerons que cette question des attitudes pour enseigner est loin d'être une préoccupation contemporaine. Les écrits de ce frère demeurent pertinents à bien des égards, malgré quelques limites liées à la temporalité. D'autre part, nous continuerons avec les travaux de Haberman qui présentent les attitudes professionnelles adoptées par les meilleurs enseignants des dernières décennies. Pour terminer, nous soulignerons les écarts, mais surtout les similitudes remarquables qui existent entre ces deux époques en matière d'attitudes nécessaires aux personnes se destinant à la profession enseignante.

6.1 La méthode d'autrefois : les 12 vertus d'un bon enseignant selon le frère Agathon (1834)

Dans la foulée de nos recherches sur l'évolution de la gestion des comportements, nous avons mis la main sur un ouvrage intitulé *Les douze vertus d'un bon maître*[1] publié en 1785. Curieusement, malgré son grand âge, c'est ce livre qui nous permettra d'illustrer, par delà des stratégies, cette idée de la nécessité de l'attitude professionnelle. Comment ? L'intérêt des *Douze vertus d'un bon maître* est multiple.

D'abord, ce n'est pas tellement parce qu'il présente en soi des vertus (qualités ou talents) du bon maître, mais plutôt parce que ce livre décrit précisément comment, dans l'action, ces qualités peuvent se matérialiser. Autrement dit, il met en scène des comportements qui manifestent l'expression de ces qualités. Comme il le mentionne, Agathon présente chacune d'elles sous la forme d'un tableau qui permet au maître d'apercevoir « sans peine ce qu'il doit faire et ce qu'il doit éviter » (p. 5). En ce sens, il est différent de ce qu'ont pu écrire de grandes figures de l'éducation, comme Montaigne ou Rousseau, dont les remarques subtiles renvoyaient à l'éducation des enfants d'un point de vue philosophique relativement abstrait plutôt qu'au patient et ingrat travail de l'enseignant dans la concrétude et la quotidienneté de sa classe.

Les douze vertus d'un bon maître se distingue aussi des études sur les qualités du « bon enseignant » publiées au cours de la première moitié du XXe siècle. Ces recherches étaient alors basées sur les propos de différents groupes d'acteurs (enseignants, directeurs d'écoles, parents, administrateurs, etc.) à qui il était demandé de nommer les qualités d'un bon enseignant. Les qualités énumérées étaient finalement tellement nombreuses qu'elles ne discriminaient plus rien de ce qui pouvait constituer un bon enseignant et le distinguer d'un membre d'une autre profession ou, plus simplement, d'un citoyen ordinaire de commerce agréable[2].

---

1. Il s'agit d'un ouvrage du frère Agathon (1731-1798), supérieur général des Frères des Écoles chrétiennes. Il a sans doute été réédité à plusieurs reprises sans qu'il en soit fait mention dans l'édition de 1834 que nous avons consultée. Le but de l'auteur est d'expliquer de manière systématique et en profondeur les vertus que Jean-Baptiste de La Salle s'était contenté de simplement énumérer dans son célèbre ouvrage *La conduite des écoles chrétiennes* (Manuscrit 11.759, p. 304).
2. Voir à ce sujet le livre de Clermont Gauthier et de ses collaborateurs publié en 1997 aux Presses de l'Université Laval : *Pour une théorie de la pédagogie. Recherches contemporaines sur le savoir des enseignants*.

L'ouvrage du frère Agathon est intéressant aussi parce qu'il met en scène des stratégies qui ont toujours leur pertinence de nos jours en gestion de classe. Ainsi, il parle de l'importance de la vigilance, tout comme l'a fait Kounin (1970) dans son célèbre ouvrage *Discipline and Group Management in Classrooms*. Il signale la nécessité de la prévention et des dangers de la punition. À le lire, on est porté à penser qu'il n'y a rien de nouveau sous le soleil en matière de gestion de classe. Mais ceci peut s'expliquer: la forme scolaire n'a pratiquement pas changé depuis 350 ans[3]; alors, il y a forcément plusieurs composantes qui persistent dans la manière d'instruire et d'éduquer les enfants. Déterminés par cette forme, les enseignants ne peuvent multiplier à l'infini les stratégies de gestion de classe et font souvent usage des procédés qui se sont avérés efficaces à leurs yeux. C'est sans doute la raison pour laquelle on trouve encore de nos jours tant de procédés semblables à ceux d'autrefois.

Dans les lignes qui suivent, nous allons décrire chacune des vertus, puis dégager ce qui peut en être conservé pour nourrir la réflexion sur la gestion de classe de l'enseignant d'aujourd'hui.

6.1.1 Les caractéristiques de la méthode d'Agathon

Agathon présente la méthode à privilégier en enseignement avec le vocabulaire propre à son temps, c'est-à-dire sous forme de vertus. Celles qu'il propose (*voir le tableau 6.1, p. 168*) sont au nombre de douze et se déclinent comme suit: 1) la gravité, 2) le silence, 3) l'humilité, 4) la prudence, 5) la retenue, 6) la patience, 7) la douceur, 8) le zèle, 9) la générosité, 10) la vigilance, 11) la piété et 12) la sagesse.

En bon thomiste[4], le frère procède avec méthode. Il donne pour chaque vertu la définition essentielle et illustre par des exemples les comportements que le maître doit démontrer ou éviter pour que chaque vertu se manifeste. Étant donné l'ampleur des descriptions offertes par Agathon, nous avons choisi de les résumer sous forme de tableau afin d'alléger leur lecture et leur présentation. Pour chacune des vertus, nous donnons la définition formulée par Agathon, la signification théorique et finalement le geste pratique que l'enseignant doit faire ou s'abstenir de faire dans l'exercice de ses fonctions.

---

3. En 1684, Jean-Baptiste de La Salle fondait en France la congrégation des Frères des Écoles chrétiennes. Cette communauté enseignante se destinait à l'éducation des enfants pauvres, plus particulièrement des classes primaires pour les garçons. Elle s'est développée par la suite dans de nombreuses régions du globe et s'est implantée au Canada en 1837. Selon le site de l'institut, les frères seraient aujourd'hui 4110 dans le monde et leurs institutions sont réparties en 76 pays, sur les cinq continents (statistiques au 31 décembre 2014; http://www.delasalle.qc.ca/fr/a_propos_de_nous.asp?pageID=357). Chez nous, le plus célèbre des frères de la communauté est sans contredit Marie-Victorin, fondateur du Jardin botanique de Montréal et auteur de *Flore laurentienne*, ouvrage mondialement reconnu. Pour mieux connaître l'histoire des Frères des Écoles chrétiennes au Canada, on consultera avec profit les trois tomes des *Frères des Écoles chrétiennes au Canada* de Nive Voisine.
4. Le thomisme réfère au courant philosophico-théologique qui se réclame de Thomas d'Aquin et dont la visée consiste à tenter de concilier la pensée chrétienne et la philosophie rationnelle d'Aristote.

Tableau 6.1 | Les 12 vertus d'Agathon

Vertu 1 : La gravité

Définition

«[...] une vertu qui règle tout l'extérieur d'un maître conformément à la modestie, à la bienséance et au bon ordre» (p. 7).

En théorie

- La gravité renvoie à une forme de sérieux ou de «lourdeur» qui s'oppose à la légèreté.
- Le maître respecte ses élèves, sans être leur ami ni leur pair.
- Le maître est le représentant des parents, mais ses fonctions sont différentes des leurs, car il a le mandat d'éduquer leurs enfants.
- Le maître doit faire montre d'une certaine «gravité», d'une certaine distance dans la relation avec les élèves et de contrôle de soi pour l'aider à «établir le bon ordre dans une classe» (p. 9).
- Le maître est donc :
  - modeste (il ne cherche pas à briller et à attirer l'attention à tout prix);
  - bienséant (il règle son comportement sur la décence);
  - soucieux de suivre le bon ordre (il manifeste une réserve dans ses comportements qui calme les enfants).

En pratique

À faire :

- Exprimer dans son extérieur la retenue et la décence qui reflètent sa maturité.
- Se tenir dans une posture n'exprimant ni gêne ni affectation; «Il tient son corps dans une assiette naturelle» (p. 7).
- Parler peu et d'un ton mesuré.
- Être d'humeur égale.
- Porter sur les élèves un regard assuré et serein, sans artifice ni sévérité.
- Être convaincu qu'une attitude, grave, modeste et réservée n'exclut pas la bonté ni l'affection.
- Avoir l'air affable pour se faire estimer et respecter des élèves.
- Chercher à éveiller la confiance des élèves pour mieux les connaître, «perfectionner leurs vertus et corriger leurs vices» (p. 7).
- Être continuellement le modèle de toutes les vertus.

À éviter :

- des postures négligées;
- trop d'enjouement;
- les bouffonneries;
- l'intimité et la familiarité avec ses élèves;
- la dureté, l'austérité, la mauvaise humeur, l'indifférence;
- n'est, dans ce qu'il dit, ni aigre, ni piquant, ni hautain, ni agressif, ni malhonnête envers qui que ce soit;
- les emportements, les violences, l'impatience, les regards menaçants, les paroles injurieuses, méprisantes ou ironiques.

Tableau 6.1 | Les 12 vertus d'Agathon (*suite*)

Vertu 2 : Le silence

Définition

« […] la discrétion dans l'usage de la parole qui fait qu'un Maître se tait quand il ne doit pas parler, et qu'il parle quand il ne doit pas se taire » (p. 11). Il s'agit d'une attitude volontaire dont la fonction principale consiste à « produire l'ordre et la tranquillité dans la classe » (p. 11).

En théorie

- Le maître doit apprendre à la fois l'art de se taire, mais aussi celui de parler.

- Les élèves n'écoutent pas un enseignant qui parle trop ; ils auront même tendance à l'imiter.

- En revanche, ils comprennent le message quand le maître se devrait d'intervenir auprès d'un élève dérangeant et qu'il ne le fait pas : ils interprètent alors son silence comme une forme d'approbation à se comporter comme le délinquant (ce dernier juge également qu'il peut continuer sur sa lancée…).

- Par ailleurs, si le maître entre dans une spirale d'argumentation avec l'élève, son intervention verbale risque également de se retourner contre lui.

- Une des fonctions de l'affichage des règles en classe et de l'enseignement des routines est précisément de permettre aux élèves d'adopter des comportements sans que le maître ait à répéter les consignes à tout moment. Un simple signe suffit. Le signe est en réalité une consigne codée, une prescription langagière qui a la propriété d'être comprise dans le silence.

En pratique

À faire :	À éviter :
- Parler lorsque nécessaire (seulement quand il est impossible de se faire comprendre autrement des élèves). - Ne dire que l'essentiel en prêtant attention à la manière de dire les choses. - Tenir compte des circonstances dans lesquelles les paroles sont prononcées et des effets qu'elles ont sur les élèves. - Interpréter les signes qui disent au maître de se taire ou, au contraire, de parler.	- Parler futilement ou parler trop longtemps avec les élèves. - Se taire, alors qu'il faudrait parler. - Parler trop vite, trop fort, trop bas ou de façon confuse.

Tableau 6.1 | Les 12 vertus d'Agathon (*suite*)

Vertu 3 : L'humilité

Définition

Pour Agathon, l'humilité est cette attitude qui nous aide à donner la juste mesure de ce que nous sommes. Pour ce religieux, cette vertu prend sa source dans notre condition originelle de pécheur.

En théorie

- Dans une large mesure, nous ne contrôlons pas notre condition (notre sexe, la couleur de notre peau, le lieu de notre naissance, nos parents, notre milieu, nos talents) : rien de tout cela n'est le résultat de notre volonté ou de nos efforts.

- Comme plusieurs composantes de notre identité nous ont tout simplement été attribuées, l'humilité doit combattre l'orgueil qui conduit à nous octroyer une hauteur que nous ne méritons pas. L'humilité nous rend plutôt fidèles à ce que nous devons aux autres.

En pratique

À faire :

- Faire preuve d'enthousiasme dans la communication de son savoir aux plus démunis ; s'occuper avec zèle d'instruire les plus faibles.

- Faire preuve de charité, une qualité qui rend aimable, obligeant, serviable, d'abord facile, surtout envers les pauvres et envers ceux pour lesquels il sentirait de l'éloignement.

- Recevoir les enfants avec bonté et douceur.

- Endurer sans répugnance les défauts naturels, la grossièreté, l'inaptitude et les vices de caractère.

- Supporter patiemment, sans ressentiment ou vengeance, l'indocilité, les impolitesses, l'ingratitude, les résistances, les insultes.

- Réprimer tout ce qui pourrait affaiblir l'autorité et donner lieu au désordre, à la mutinerie, à l'insolence, à l'inapplication ou aux autres manquements des écoliers.

- Traiter ses égaux et ses inférieurs avec estime, cordialité, amitié et bonté.

- Consulter ses confrères, tenir compte de leurs avis, de leurs avertissements et de leurs instructions.

- Garder avec ses collègues une uniformité de conduite ; ne pas chercher à se distinguer en usant d'une méthode particulière, différente de celle admise, pour instruire à sa manière, compte tenu du tort qui pourrait être causé aux élèves.

À éviter :

- Rechercher une vaine gloire, étaler son talent avec suffisance.

- Ne suivre que ses idées et n'être soumis à personne d'autre dans l'exercice de sa profession.

- Prendre un air insultant, méprisant, dédaigneux.

- Manquer d'égards ou manifester de l'indifférence envers les autres.

Tableau 6.1 | Les 12 vertus d'Agathon (*suite*)

Vertu 4 : La prudence

Définition

« La prudence est une vertu qui nous fait connaître ce que nous devons éviter, en indiquant les moyens sûrs et légitimes de parvenir à une fin louable » (p. 23). La fonction de cette vertu est « de bien délibérer, de bien juger, de bien ordonner […] » (p. 24).

En théorie

Le maître doit examiner, discuter, chercher et découvrir quels sont les moyens à privilégier.

En pratique

À faire :

- S'approprier les huit composantes qui aident le maître à bien juger :

  1. S'instruire de ce que révèlent sa propre expérience et celle des autres consignées dans la *Conduite des écoles chrétiennes* « d'après d'exactes recherches et l'expérience la plus consommée » (p. 25), puisque la *mémoire* permet d'« appliquer à l'avenir l'expérience du passé » (p. 25).

  2. Faire preuve de l'*intelligence* que commande l'exercice de la profession : étudier minutieusement le caractère des enfants pour proportionner les leçons à leurs capacités et à leurs besoins ; préparer avec soin chaque leçon ; donner de la clarté, de l'ordre et de l'organisation à son enseignement.

  3. Manifester la *docilité* qui permettra au maître de se défier de sa propre arrogance et, ainsi, de consulter autrui avant de prendre des décisions importantes.

  4. Déployer l'*adresse* qui permet de prêter attention aux projets formés, d'examiner ce qui est dit ou fait comme s'il était sous les yeux des autres.

  5. Faire appel au *raisonnement*, qui est l'art de raisonner juste dans ce qui est enseigné, des principes aux conséquences qui assurent la conviction des esprits.

  6. Faire preuve de *prévoyance* afin de prévoir ce qui peut arriver, en y consacrant le temps nécessaire, mais sans plus, pour ne pas manquer l'occasion d'agir à propos.

  7. Montrer la *circonspection* qui permet de prendre la décision la plus convenable eu égard « aux circonstances des temps, des lieux, des caractères, et des personnes » (p. 29).

  8. Faire preuve de la *précaution* qui permet de prévenir les inconvénients d'une décision, par exemple, ne pas punir les écoliers sans témoins, ne se trouver jamais seul en aucun endroit avec un écolier ; ne rien dire ni faire, en présence des écoliers, qu'ils puissent blâmer ou dont ils puissent être scandalisés.

À éviter :

- Déployer un *excès de prudence*, c'est-à-dire une fausse prudence qui est en réalité un agir intéressé camouflé par l'astuce, la tromperie ou la manipulation.

- Faire preuve d'un *défaut de prudence* qui conduit à la précipitation, à l'étourderie, à la témérité, à la légèreté, à la négligence, à l'inconstance.

- Mettre les élèves dans l'*embarras*, ce qui peut causer de la confusion et le désordre dans leurs idées.

Tableau 6.1 ▌ Les 12 vertus d'Agathon (*suite*)

Vertu 5 : La retenue

Définition

«La retenue est une vertu qui nous fait penser, parler, agir avec modération, discrétion et modestie» (p. 42).

En théorie

La retenue est différente de la patience au sens où cette dernière permet de prévenir le mal, alors que la retenue le rend supportable une fois qu'il est arrivé. Elle diffère aussi de la gravité qui concerne ce qui est extérieur à la personne. La retenue est intérieure.

En pratique

À faire :	À éviter :
• Se modérer dans les occasions favorisant l'irritation ou la colère. • Régler sa conduite de sorte que les élèves n'y perçoivent que de l'imitable et du bienséant (p. 43). • Agir partout d'après les égards et la considération que supposent l'innocence des écoliers et la faiblesse de leur âge, leur facilité à prendre toutes sortes d'impressions, à imiter le mal.	• Se comporter de manière révoltante, rustre ou d'une façon qui pourrait témoigner d'une mauvaise éducation et risquerait de diminuer la considération et la réputation nécessaire pour mériter l'estime des élèves. • Établir toute liaison ou amitié dangereuse avec les élèves et s'interdire de toucher les élèves «au visage, de les caresser, de rire avec eux, de recevoir leurs embrassements» (p. 43).

Vertu 6 : La patience

Définition

La patience permet de supporter temporairement et «d'accepter sans nous plaindre tous les maux qui nous arrivent» (p. 39). «Elle est utile parce qu'elle rend les souffrances plus légères, moins dangereuses, et plus courtes» (p. 38).

En théorie

Selon Agathon, la patience nous fait surmonter les maux de la vie. Elle n'enlève pas la douleur, mais la modère. Le maître ne doit jamais oublier que «la patience contient la perfection de l'œuvre» (p. 41).

En pratique

À faire :	À éviter :
• Supporter tous les désagréments et les dégoûts inhérents à son emploi. • Ne se faire aucune peine des plaisanteries, des mauvaises manières des écoliers ou de leurs parents. • Compatir à la faiblesse de la raison et de l'âge des enfants, de même qu'à la légèreté de leur esprit et à leur inexpérience. • Ne jamais se rebuter ni se lasser de répéter souvent et très longtemps les mêmes choses, et toujours avec bonté et affection.	• «[R]ebuter les écoliers par des paroles offensantes et grossières; • les rudoyer par des brusqueries, des traitements violents et excessifs; • faire des corrections injustes dictées par des saillies vicieuses de l'amour propre, par une impétuosité qui ne prend pas le temps de réfléchir avant d'agir ou de parler» (p. 41).

Tableau 6.1 ▌Les 12 vertus d'Agathon (*suite*)

Vertu 7 : La douceur[5]

Définition

Le caractère le plus distinctif de la douceur est celui de se concilier l'amitié des élèves : «Un maître doit donc, avant tout et par-dessus tout, prendre pour eux des sentiments de père, et se regarder comme tenant la place de ceux qui les lui ont confiés» (p. 47).

En théorie

- On distingue quatre sortes de douceur :
  - la douceur de l'esprit, par laquelle il est possible de juger des choses de manière neutre, sans passion ni aigreur ;
  - la douceur du cœur, qui permet de vouloir les choses sans entêtement ;
  - la douceur des mœurs, grâce à laquelle il est possible de modeler sa conduite sur de bons principes ;
  - la douceur de la conduite, qui permet d'adopter un comportement raisonnable.
- Dans tous les cas, si ces douceurs veulent être véritables, elles doivent être sincères.
- La douceur est compagne de l'humilité, de la patience, de la charité. En ce sens, elle modère les mouvements de colère, étouffe les désirs de vengeance et supporte les travers et les déplaisirs.
- La douceur suscite l'affection, la sensibilité, la bienveillance à l'égard des enfants ; elle enlève au commandement ce qu'il a de dur et d'austère.

En pratique

À faire :	À éviter :
• Observer un ordre qui n'a rien de sévère ni de rebutant.	• Exprimer dans sa conduite les défauts qu'il doit corriger chez les élèves.
• Être simple, patient, exact dans sa manière d'enseigner.	• Faire preuve de dureté, par exemple, en demandant aux élèves ce qui est au-dessus de leurs capacités.
• Préférer une règle suivie avec assiduité aux excès d'application.	• Imposer des pénitences sans proportion avec leurs fautes.
• Faire preuve d'une égale bonté envers tous.	• S'emporter dans ses remarques.
• Être attentif pour ne pas ignorer les fautes qui doivent être relevées.	• Ne jamais pardonner une faute, même quand il n'y a ni malice ni mauvaises suites à craindre.
• Reprendre les élèves sans être amer, choquant ou insultant.	• Se montrer toujours mécontent de la conduite des élèves.
• Faire convenir les élèves de leur tort aussitôt après la punition, de la raison qu'il a eue de les punir, en leur recommandant de ne plus recommencer.	• Être toujours d'humeur grondeuse.
• Adopter un comportement constant afin que les élèves sachent à quoi s'en tenir.	• Refuser de donner les raisons d'une punition, frapper les élèves avec emportement, etc. (p. 54).
• Donner l'occasion aux élèves d'exposer leurs difficultés et répondre avec bonté.	• Provoquer une crainte excessive qui donne l'horreur de l'école.
• Donner des louanges au mérite, car les enfants trouvent du plaisir à être loués.	• Manifester tous les défauts liés à la fermeté, car la rigidité excessive empêche les corrections d'être utiles.
• Apprendre aux élèves la politesse et la bienséance dont ils ont besoin pour les rendre respectueux, doux, prévenants et obligeants envers tous.	• Faire preuve de faiblesse en ne punissant pas ce qui doit être puni.
	• S'interdire la complaisance ou la molle condescendance en ne donnant pas l'attention nécessaire à la discipline en classe ni au progrès des élèves.
	• Se comporter avec nonchalance et indifférence, en se contentant d'avertissements stériles sans en poursuivre l'effet.

▶

---

5. Agathon discute abondamment de la douceur. En effet, c'est la vertu qui a donné les plus longs développements dans son ouvrage. Ce n'est sans doute pas étranger au fait qu'elle est à l'opposé de la dureté. À l'époque, les mœurs étaient rudes et on pouvait faire appel à toutes sortes de châtiments ; c'est pourquoi il convenait de bien circonscrire l'action de l'enseignant dans ce domaine. Étant donné ces explications détaillées, nous avons fait le choix, pour une lecture plus fluide, de les diviser en deux parties. D'une part, dans le premier tableau, nous commençons par les considérations générales du frère Agathon au sujet de la douceur, alors que le second tableau présente des éléments plus précis pour l'action de l'enseignant concernant les corrections.

Tableau 6.1 | Les 12 vertus d'Agathon (*suite*)

Vertu 7 : La douceur (*suite*)

En pratique

À faire :

- Garder à l'esprit que les punitions corrigent moins que la manière dont on les donne (p. 55) : faire preuve d'une sage modération afin de gagner à sa cause ceux qui seraient irrités par une trop grande sévérité.
- Faire preuve de fermeté, même si la douceur est pleine de charité : la fermeté est la fidélité à observer tout ce qui peut conduire aux fins visées. Elle exige force, courage, constance.
- Prodiguer une juste de douceur ferme à la conduite des enfants en étant attentif aux circonstances particulières. La douceur n'empêche pas qu'on punisse les fautes qui doivent être corrigées, mais elle ne permet pas qu'on use d'une fermeté inflexible.
- Faire un juste mélange de douceur et de fermeté pour inspirer le respect des élèves.

À éviter :

- Se montrer par trop familier : «Il évitera une trop grande communication avec les écoliers» (p. 61), ce qui pourrait engendrer le mépris, l'insubordination, la mauvaise application. Il faut être affable sans pour autant être trop proche des élèves.
- Faire preuve d'inconstance, d'une timidité excessive, avoir l'air honteux, emprunté, troublé, embarrassé, ou encore manifester de l'entêtement, de la présomption ou de l'inflexibilité.
- Faire usage de châtiments corporels (les inconvénients en dépassent l'utilité).
- Recourir à des pénitences qui peuvent nuire à l'instruction.
- Manifester toute forme d'humeur, d'antipathie, de vengeance ou de ressentiment.
- Se mettre en colère, ce qui traduit une émotion déréglée qui porte à la vengeance (elle trouble le jugement et aveugle la raison).
- Être ironique.

Lorsqu'il explique la douceur, Agathon aborde aussi la question de la correction :

À propos des corrections

Pour prévenir les corrections, les rendre rares et utiles :

- Former les élèves à obéir en appliquant une fermeté et une égalité de conduite dont on ne s'écarte pas.
- Ne jamais punir par colère, agir par humeur ou caprice.
- Inspirer aux enfants le remords et la honte de leurs fautes plutôt que la crainte de la punition.
- Discerner les fautes qui méritent d'être punies de celles qu'il faut pardonner.
- Associer une idée de honte à une punition qui peut être indifférente, par exemple être à la dernière place d'un banc ou à la queue des rangs, etc.[6].
- Imposer des pénitences justes en préférant les plus douces lorsqu'elles peuvent avoir le même effet.
- Préférer les pénitences utiles (copie, étude, calcul) aux châtiments corporels et même à la férule dont l'usage doit être rare.
- Diversifier les punitions.
- Chercher à trouver le moment favorable et la manière convenable de donner une punition : ne pas corriger un enfant fautif lorsqu'il est mal disposé et aigri, car cela l'inciterait à récidiver (laisser à l'enfant le temps de réfléchir, de sentir son tort et la nécessité de la punition).

Pour les appliquer :

- Conditions que doit avoir la correction pour être salutaire à celui qui la dispense :
  - *pure* : le maître doit avoir pour motif le seul amendement de l'écolier ;
  - *charitable* : le maître corrige l'enfant comme un médecin et non comme un ennemi. Les maux qu'il lui cause sont en réalité des remèdes ;
  - *juste* : toute punition suppose une faute. Le maître ne doit corriger que la faute certaine ;
  - *convenable* : la punition doit être proportionnelle à la faute et tenir compte de l'âge et du caractère de l'élève ;
  - *modérée* : la punition ne doit être ni trop forte ni précipitée ;
  - *paisible* : le maître ne doit pas être impatient, s'emporter ou se fâcher ;
  - *prudente* : le maître doit s'assurer des dispositions du coupable et des siennes comme enseignant. De même, il doit examiner la manière de punir, le temps, les circonstances, les occasions, bref, ce qui est propre à rendre la punition utile.

---

6. Dans le même sens, on parle également de mettre l'enfant à genoux sur une pierre appelée «pierre de confusion» ou «pierre d'ignominie» (p. 63).

Tableau 6.1 | Les 12 vertus d'Agathon (*suite*)

À propos des corrections (*suite*)

Pour prévenir les corrections, les rendre rares et utiles :

- Instruire l'enfant de ses devoirs, le reprendre ou le menacer avant de le punir.
- Graduer ses interventions :
  - Donner des avertissements pour les fautes ordinaires : fréquents (comme des conseils d'un ami qui instruit l'enfant de ses devoirs), dits avec douceur.

En l'absence de changement :

  - Faire des réprimandes : pas trop fréquentes ; leur langage est plus sévère et elles doivent être réservées pour des fautes plus graves. À la suite de la réprimande, l'enseignant ne doit pas montrer la même sérénité et affection à l'écolier qu'à l'ordinaire. Il doit différer son pardon jusqu'à ce qu'il constate l'application de l'élève à mieux faire et la sincérité de son repentir ;
  - Proférer des menaces : plus près de la punition que les réprimandes, elles doivent donc être encore plus rares.
- Féliciter : par les louanges accordées justement et à propos, par des marques de considération, des privilèges, des récompenses distinguées (p. 69).

Pour les appliquer :

- Conditions que doit avoir la correction pour être salutaire à celui qui la reçoit :
  - *volontaire* : la punition doit être reçue sans résistance et acceptée de bon gré. Le maître fait valoir à l'élève l'ampleur de sa faute et la nécessité de la réparer ;
  - *respectueuse* : l'élève reconnaît à son maître l'obligation qu'il a de le punir ;
  - *silencieuse* : la punition se reçoit sans discuter.

Vertu 8 : Le zèle

Définition

Le maître travaille sans relâche pour le bien des élèves en employant «une diligence infatigable, un soin assidu et un courage ferme» (p. 79).

En théorie

Cette vertu est très active (p. 80) : elle est faite d'empressement, d'assiduité, d'exactitude, de régularité. Le zèle est une vertu qui célèbre l'action charitable, c'est-à-dire, selon le commandement chrétien, ce qui consiste à aimer son prochain, quel qu'il soit. Plus encore, le zèle se doit d'être affectueux : un maître véritablement zélé pour l'instruction de ses écoliers, «se fait tout à tous […], petit avec les petits, c'est-à-dire qu'il se conforme à leur manière d'entendre les choses et de les goûter ; qu'il se proportionne, comme nous l'avons observé, à leur faiblesse, à leur peu de raison et d'intelligence, prenant néanmoins un langage plus relevé avec ceux qui sont en état de le comprendre, et cela, pour les instruire tous avec plus de profit» (p. 82).

En pratique

À faire :

- Travailler généreusement, sans découragement et affectueusement à instruire les élèves en dépit de la peine, de la fatigue et du dégoût.
- Instruire tous les enfants sans relâche, sans distinction, sans préférence de personne : les riches, les pauvres, les doués, les inaptes, les ignorants, etc.
- Traquer sans relâche les mauvais comportements et faire des remontrances convenables.
- Appliquer, quand elles sont nécessaires, des corrections sages et modérées, de manière charitable et douce.

À éviter :

- Manifester de l'indifférence, c'est-à-dire un manque d'ardeur pour instruire et éduquer les élèves.
- Ne pas faire tout ce qui est en son pouvoir pour éduquer les élèves ; négliger la recherche des bons moyens à prendre.
- Ne pas se soucier d'être un bon exemple (parce que les enfants imitent facilement ce qu'ils voient faire par leurs guides).

Tableau 6.1 Les 12 vertus d'Agathon (*suite*)

Vertu 9 : La générosité

Définition

La générosité est pour Agathon une vertu «qui nous fait sacrifier volontairement nos intérêts personnels à ceux du prochain» (p. 96).

En théorie

C'est une vertu noble et sublime parce que ce don de soi est librement consenti. On n'est pas généreux quand on est tenu de donner ; être généreux, c'est plutôt donner de manière désintéressée. La générosité est aussi noble que la grandeur d'âme, aussi utile que la bienfaisance, aussi tendre que l'humanité. En fait, c'est dans la description de la générosité qu'Agathon met en scène *l'idée de vocation* de l'enseignant : «Pour se mettre plus en état de mieux instruire, il se consacre à Dieu» en faisant vœu de pauvreté, de chasteté et d'obéissance (p. 97).

En pratique

À faire :	À éviter :
• S'élever, par grandeur d'âme, au-dessus des injures, du dégoût, de l'ennui, de ce qui est difficile à supporter pour bien élever les enfants.	• S'approprier les récompenses des élèves.
• S'appliquer à rendre heureux les enfants par son enseignement, ses conseils, son secours, sa compassion, sa patience, son zèle.	• Soutirer de l'argent pour les services rendus.
• Chercher à faire des élèves de bons citoyens.	• Rechercher les applaudissements, les louanges.
• Démontrer une générosité qui renferme une forme de libéralité raisonnable : donner des récompenses aux élèves pour stimuler leur émulation, les inciter à bien faire et à éviter les mauvais comportements.	
• Distribuer des récompenses au mérite, avec discernement, sans préférence, avec parcimonie.	

Tableau 6.1 | Les 12 vertus d'Agathon (*suite*)

Vertu 10 : La vigilance

Définition

« La vigilance est une vertu qui nous rend diligents et exacts à remplir tous nos devoirs » (p. 85).

En théorie

La vigilance s'étend à tout ; elle dirige, elle soutient, elle anime toutes les activités. Selon les mots d'Agathon, le maître est comme un ange gardien : « C'est ce qu'opère la présence continuelle et l'œil attentif du Maître ; car ordinairement les écoliers, avant de faire une faute, commencent par regarder s'ils ne seront pas surpris et aperçus par le maître, dont ils craignent souvent plus les yeux que les corrections » (p. 88).

En pratique

À faire :

- Par sa seule présence, rendre les enfants attentifs et leur épargner des distractions et des négligences.
- Exiger que tout le travail demandé soit fait, que les élèves soient propres, tout comme les livres et les cahiers.
- Ne s'absenter que pour une grande nécessité, et pour la durée la plus courte possible.
- Demander à des « inspecteurs » choisis parmi les élèves de superviser la classe s'il doit s'absenter.
- Observer, voir tout ce qui se passe en classe, sans que rien n'échappe à ses regards et, par là, maintenir les élèves dans l'ordre et l'application.
- Connaître tout ce qui se passe non seulement dans la classe, mais à l'extérieur, avant et après l'école.
- Veiller sur la bonne conduite de ses écoliers partout où il se trouve avec eux.
- Observer les élèves tout en essayant de ne pas se faire remarquer.
- Se rappeler que la vigilance du maître s'étend aussi à l'avenir : l'expérience du passé lui suggère des précautions à prendre contre des événements qui peuvent arriver éventuellement.
- *Prévenir* les fautes et les punitions qui en seraient les conséquences : il vaut mieux prévenir un mal que de le punir quand il est commis.

À éviter :

- Laisser paraître sous la vigilance de l'inquiétude, de la défiance, de la suspicion, qui pourraient révolter les élèves et rendre les hypocrites encore plus défiants.
- S'occuper à autre chose que ce qu'il a à faire : les conversations inutiles, l'inattention, l'indolence.

Tableau 6.1 Les 12 vertus d'Agathon (*suite*)

Vertu 11 : La piété

Définition

La piété est définie comme la vertu qui fait que le maître s'acquitte dignement de ses devoirs envers Dieu.

En théorie

Qu'est-ce qu'un maître chrétien chargé de l'éducation des jeunes ? « C'est un homme entre les mains de qui Jésus Christ a remis un certain nombre d'enfans (*sic*) qu'il a rachetés de son Sang, et pour lesquels il a donné sa vie, en qui il habite comme dans sa maison et dans son temple, qu'il regarde comme ses membres, comme ses frères et ses cohéritiers, qui régneront avec lui et glorifieront Dieu par lui dans toute l'éternité » (p. 91).

En pratique

À faire :	À éviter :
• Manifester les sentiments dont son intérieur est pénétré. • Considérer les jeunes qu'il a la responsabilité d'éduquer comme des membres de l'humanité, comme ses frères et ses cohéritiers.	• Faire preuve d'hypocrisie.

Vertu 12 : La sagesse

Définition

Selon le frère Agathon, la sagesse est une vertu qui nous fait connaître les choses les plus élevées pour y conformer notre conduite.

En théorie

Dans la perspective chrétienne d'Agathon, la sagesse diffère de la prudence : celle-ci ne fait que supposer une fin louable, alors que la sagesse regarde directement l'objet de cette fin, c'est-à-dire Dieu. Sous cet angle, la sagesse d'un bon maître sera donc de faire connaître et aimer Dieu. Cette vertu contient également l'idée d'être un exemple : Agathon précise que le maître doit lui-même pratiquer les vertus qu'il s'efforce d'enseigner à ses élèves, car la voie de l'action est plus forte que celle de la parole.

En pratique

À faire :	À éviter :
• Être un exemple en tout temps et en toutes choses pour ses élèves.	• Chercher à éliminer dans ses comportements tout ce qui n'est pas souhaitable d'être imité.

Au terme de ce tour d'horizon des vertus des bons maîtres selon Agathon, force est de constater la minutie du travail de ce frère des Écoles chrétiennes. Dans le menu détail, il s'est efforcé de codifier un savoir-faire précieusement accumulé au fil du temps chez les frères enseignants de sa communauté. Quelle pertinence accordons-nous aujourd'hui à ces travaux ? Dans la section suivante, nous présentons les travaux de Haberman et établissons leurs correspondances avec ceux d'Agathon.

6.2 Les attitudes professionnelles aujourd'hui : l'étude de Haberman (2011)

Il existe peu de recherches rigoureuses sur les attitudes à privilégier en enseignement. Toutefois, celles du professeur Martin Haberman sont fort intéressantes. Au cours des 50 dernières années, Haberman est le chercheur qui a élaboré, aux États-Unis, le plus de programmes de formation à l'enseignement auprès des élèves provenant de milieux défavorisés (Teachers.Net News Desk, 2011).

Ce chercheur s'est efforcé de reconnaître les attitudes à privilégier en enseignement en comparant celles que favorisent les enseignants étoiles (*Star Teachers*) avec celles des enseignants qui ont quitté la profession au cours des cinq dernières années ou qui enseignent toujours, mais qui sont en difficulté (Haberman, 2011). Selon lui, de façon typique, beaucoup d'enseignants dans les classes font usage de ce qu'il appelle une pédagogie déficiente. Ce chercheur considère que, au total, 40 % des enseignants font partie de cette catégorie et qu'ils offrent une performance en classe de piètre qualité. Seulement 8 % des enseignants (soit 1 enseignant sur 12) font appel aux stratégies d'enseignement efficaces (Haberman, 1991), ce qui en fait des enseignants hautement compétents. Plus précisément, ces enseignants « accomplissent plus que la simple augmentation des résultats. Ils poussent les élèves à devenir des apprenants à long terme dont la vie est guidée par ce qu'ils continuent à apprendre » (Haberman, 2011).

Avec plus de 5000 entrevues réalisées au cours des 53 dernières années, Haberman (2011) a identifié des attitudes professionnelles qui distinguent les enseignants étoiles des enseignants en difficulté.

6.2.1 Les caractéristiques des attitudes professionnelles selon Haberman

Dans ses recherches, Haberman (2011) a regroupé en six domaines les attitudes professionnelles qu'il a identifiées. Les attitudes entretenues par les enseignants étoiles se distinguent de celles des autres enseignants dans les domaines suivants :

1. Le milieu scolaire ;

2. Les élèves ;

3. L'enseignement ;

4. Les relations avec les élèves ;

5. La gestion des défis quotidiens ;

6. La réussite à l'école.

Dans les pages qui suivent, nous présentons en détail en quoi consistent les attitudes relatives à chacun de ces domaines. Nous offrons aussi, pour chacune des catégories, des exemples permettant d'illustrer concrètement ce que font les enseignants remarquables lorsqu'ils agissent en fonction de ces attitudes dans leur travail au quotidien.

De plus, nous croyons qu'il existe plusieurs liens entre les vertus proposées par Agathon et les attitudes et les comportements correspondants identifiés par

Haberman. En effet, tout comme autrefois, les enseignants d'aujourd'hui doivent faire appel à plusieurs éléments similaires, dans l'action quotidienne en présence des élèves afin de gérer les comportements de manière efficace. Autrement dit, bien que nous vivions à des époques différentes, la similarité de la forme scolaire et de la structure de la classe fait en sorte qu'une certaine façon de faire la classe s'est maintenue au fil du temps. Sous des mots nouveaux, plus contemporains, se trouvent des réalités fort semblables, d'Agathon à Haberman. Ainsi, lorsque nous discutons des résultats obtenus par Haberman, nous juxtaposons ceux d'Agathon afin de montrer les similitudes entre les conclusions de ces deux auteurs.

En effet, nous croyons qu'une lecture d'Agathon aujourd'hui, ancrée dans notre perspective contemporaine, porte ombrage, en quelque sorte, aux travaux de ce frère. Or, une fois surmontées certaines limites[7] liées à l'époque ou aux croyances religieuses d'Agathon, il devient possible de se concentrer sur les éléments fondamentaux des travaux de cet homme, qui sont souvent d'une étonnante pertinence. Par conséquent, pour montrer les correspondances entre les douze vertus d'Agathon et les attitudes professionnelles de Haberman, nous avons élaboré des tableaux qui indiquent de façon détaillée à quelles vertus d'un bon enseignant d'autrefois correspondent les attitudes professionnelles nécessaires aujourd'hui pour réussir dans la profession enseignante. Nous avons choisi de présenter ces éléments à partir d'une catégorisation tirée des attitudes identifiées par Haberman (2011), à savoir celles liées au milieu scolaire, aux élèves, à l'enseignement, aux relations avec les élèves, à la gestion des défis quotidiens et à la réussite à l'école.

Les attitudes concernant le milieu scolaire

La résilience D'une certaine manière, les meilleurs enseignants acceptent la bureaucratie scolaire et tout ce qu'elle compte de règles et de procédures qui alourdissent leur travail. Ils sont conscients des paradoxes inouïs inhérents à leurs fonctions et parviennent à exercer leur profession dans un contexte souvent dysfonctionnel avec beaucoup de lucidité, d'efficacité et de résilience. Les bons enseignants démontrent des capacités d'adaptation remarquables, ils ne se sentent pas heurtés par les situations rencontrées, ils ne se laissent pas envahir par le stress. Ils répondent aux exigences parfois insensées de leur profession, mais en exerçant constamment leur jugement.

Accepter d'effectuer les tâches qui leur sont demandées ne signifie pas qu'ils sont des exécutants serviles : les enseignants remarquables font plutôt la part des choses. Ils sont capables de prendre une distance critique par rapport à toutes les demandes qu'on leur adresse. Bien qu'ils exécutent toutes sortes d'autres tâches qui ne sont pas liées à l'enseignement-apprentissage ou à l'éducation des élèves, ils gardent toujours en tête ce qui compte vraiment dans leur rôle d'éducateur et d'enseignant. Les enseignants étoiles comprennent donc que leur rôle dépasse les limites du programme scolaire et qu'ils doivent aussi

---

7. Nous sommes toutefois bien conscients que tout n'est pas semblable à autrefois. Si la forme scolaire a peu évolué, le contexte, lui, a considérablement changé. Ainsi, à plusieurs égards, le discours d'Agathon présente des limites pour l'enseignant d'aujourd'hui. L'idée même de vertus, et la manière de les légitimer, teinte de religion l'ensemble de l'œuvre, alors que l'école d'aujourd'hui se veut laïque. Or, l'enseignant contemporain n'est pas un religieux. De plus, le monde de l'éducation entretient aujourd'hui un rapport différent vis-à-vis de l'autorité ainsi que de la recherche. Finalement, il existe des divergences fondamentales relativement à l'usage que l'on fait aujourd'hui dans le monde de l'éducation de la honte et de l'humiliation.

assumer plusieurs autres tâches (surveillance de récréations, du midi, aux autobus, réunions diverses), mais leur engagement envers l'enseignement et le bien-être de leurs élèves leur permet de gérer avec lucidité ces diverses demandes. Ils mettent l'accent sur l'importance qu'ils accordent à leur rôle auprès des enfants, ce qui leur permet de maintenir l'étincelle envers leur profession et de gérer sans aigreur cette multiplication des règles et des demandes.

Au contraire, les enseignants en difficulté ne parviennent pas à gérer les demandes bureaucratiques incessantes. Ils brûlent toute leur énergie à tenter d'y répondre ou d'y résister et courent directement à l'épuisement professionnel.

Nous avons choisi le terme de «résilience» pour traduire cette attitude évoquée par Haberman. Elle correspond, à notre avis, à la patience et à la retenue d'Agathon (*voir le tableau 6.2*), qui précise, pour sa part, que le bon enseignant supporte tous les désagréments liés à l'exercice de ses fonctions et garde son calme en tout temps.

Tableau 6.2 | **Les attitudes et les vertus concernant le milieu scolaire**

Attitudes professionnelles identifiées par Haberman	Vertus selon Agathon
L'enseignant étoile…	**Le bon maître…**
Résilience • s'implique dans son travail; • se préoccupe des élèves; • s'adapte à son environnement; • assume des tâches pouvant aller au-delà de l'enseignement.	**Patience** • supporte tous les désagréments et les dégoûts inhérents à son emploi; • ne se fait aucune peine des plaisanteries, des mauvaises manières des écoliers ou de leurs parents. **Retenue** • se modère dans les occasions où il pourrait s'emporter, se fâcher.

Ainsi, hier comme aujourd'hui, les enseignants remarquables s'adaptent aux multiples exigences du système scolaire plutôt que de se sentir démunis et écrasés par les demandes diverses. Ils gèrent ce stress avec lucidité et calme en demeurant enthousiastes et centrés sur l'importance qu'ils accordent à leur profession.

Les attitudes concernant les élèves

L'acceptation Pour Haberman, les enseignants étoiles accueillent tous les élèves dans leur classe, sans discrimination. Ils veulent travailler avec chacun, quelle que soit la situation, et leur objectif est de les aider à progresser du mieux possible. Les meilleurs enseignants savent qu'ils doivent composer avec les élèves en difficulté, en classe, dans leur travail quotidien. Les enseignants en difficulté pensent plutôt que ce type d'élèves devrait être géré par d'autres spécialistes afin qu'ils puissent mieux travailler en classe avec ceux qui ont moins de problèmes.

Les meilleurs enseignants acceptent les interruptions et les distractions qui surviennent au cours de leur enseignement. Ils les considèrent comme normales dans le cadre de leur travail. En fait, lorsqu'ils planifient leurs cours, ils sont capables de prévoir le moment où elles se produiront et la manière dont ils les géreront afin d'en tirer profit pour rediriger l'attention des élèves et favoriser de meilleures occasions d'apprendre. À l'inverse, les enseignants plus faibles croient qu'ils devraient pouvoir enseigner sans subir aucun préjudice de la part des élèves en difficulté.

Nous avons nommé «acceptation» cette attitude démontrée par les enseignants remarquables dans l'étude de Haberman. Elle fait écho à l'humilité, à la patience, à la douceur, à la générosité et au zèle mentionnés par Agathon. En effet, dans le même sens que Haberman, Agathon souligne que le bon enseignant aime travailler avec les élèves les plus faibles et qu'il gère avec patience et douceur les travers des enfants sans s'en formaliser. Le bon enseignant d'Agathon conserve son enthousiasme malgré la lourdeur de sa tâche et relève les défis sans se fâcher ou se décourager.

Selon Haberman et Agathon, les meilleurs enseignants d'hier et d'aujourd'hui se distinguent donc par leur ouverture vis-à-vis de tous les élèves. Ils ne visent pas à discriminer les élèves et à œuvrer seulement auprès de ceux qui sont les plus performants. Ils se font un point d'honneur d'accueillir tous les enfants dans leur classe. Les enseignants remarquables donnent chaque jour le meilleur d'eux-mêmes dans le travail qu'ils accomplissent auprès de leurs élèves, avec une patience et un enthousiasme sans cesse renouvelés (*voir le tableau 6.3*).

Tableau 6.3 | **L'ouverture des enseignants d'hier et d'aujourd'hui**

Attitudes professionnelles identifiées par Haberman	Vertus selon Agathon
L'enseignant étoile…	**Le bon maître…**
Acceptation • accepte de travailler avec des élèves en difficulté, des enfants vulnérables et des adolescents ayant divers problèmes; • planifie son enseignement en fonction de cette réalité.	**Humilité** • endure, sans montrer aucune répugnance, les défauts naturels des élèves, leur grossièreté, leur inaptitude et les vices de leur caractère; • supporte patiemment l'indocilité, les impolitesses, l'ingratitude, les résistances, les insultes, sans se livrer au ressentiment ou à la vengeance. **Patience** • compatit à la faiblesse de la raison et de l'âge des enfants, de même qu'à la légèreté de leur esprit et à leur inexpérience; • ne se rebute jamais ni ne se lasse de leur répéter souvent et très longtemps les mêmes choses, et toujours avec bonté et affection. **Douceur** • a une égale bonté envers tous; • donne l'occasion aux élèves d'exposer leurs difficultés et leur répond avec bonté. **Zèle** • travaille généreusement, sans découragement et affectueusement à instruire les élèves en dépit de la peine, de la fatigue et du dégoût; • instruit tous les enfants, sans distinction: les riches, les pauvres, les doués, les ignorants, etc.; • traque sans relâche les mauvais comportements et fait des remontrances convenables. **Générosité** • la grandeur d'âme du maître s'élève au-dessus des injures, du dégoût, de l'ennui, de ce qui est difficile à supporter pour bien élever les enfants; • s'applique à rendre heureux les enfants par son enseignement.

Les attitudes concernant l'enseignement

Une approche globale préoccupée par l'éducation de l'enfant L'étude de Haberman a permis de constater que les meilleurs enseignants envisagent leur rôle professionnel dans une perspective de développement global de l'enfant. Les enseignants remarquables considèrent en effet que leur rôle dans l'éducation des enfants ne se limite pas aux apprentissages scolaires, mais qu'il déborde largement sur l'ensemble des sphères de la vie. Dans le même sens, Agathon souligne l'importance du nécessaire travail d'instruction et d'éducation de l'enseignant. Autrement dit, pour ces deux pédagogues, les enseignants doivent veiller autant aux apprentissages scolaires qu'à ceux qui concernent la vie en société. Les meilleurs enseignants d'hier comme ceux d'aujourd'hui visent à former des citoyens instruits qui partagent les valeurs nécessaires à la vie en société.

Les enseignants en difficulté envisagent plutôt leur travail en se limitant aux contenus scolaires. Ils considèrent que leur tâche consiste à développer, chez leurs élèves, les compétences liées aux matières enseignées. Le reste ne les regarde que peu ou pas. Pour les élèves, les conséquences de ces différentes attitudes de leur enseignant envers le travail à accomplir sont fondamentales. Il est important que les élèves sentent que l'enseignant s'intéresse à eux, qu'il leur accorde de l'importance en tant qu'individus, qu'il les accompagne dans l'apprentissage de certaines valeurs (justice, autonomie, politesse, respect des autres, etc.) qui débordent largement les contenus scolaires, mais facilitent grandement le vivre-ensemble.

Nous avons utilisé l'expression «approche globale» pour qualifier cette réalité décrite par Haberman. Pour exprimer des concepts semblables, Agathon parle de gravité, de douceur, de zèle, de générosité et de vigilance. Ainsi, pour ce frère, le bon enseignant est un exemple en tout temps (gravité). Il apprend aux élèves les règles de bienséance (douceur) et veille à faire respecter ces règles à tout moment (zèle). Il veut faire de bons citoyens de ses élèves (générosité), ce qui exige de sa part une surveillance bienveillante toujours et en tout lieu (vigilance).

Une approche instructionniste préoccupée par les apprentissages scolaires Dans leur enseignement, Haberman indique que les enseignants étoiles font aussi usage de ce que nous avons nommé une «approche instructionniste». D'abord, ils maîtrisent bien les contenus à enseigner. Ensuite, ils savent comment planifier et dispenser les leçons de manière structurée, en veillant à la progression des apprentissages. Ils augmentent le niveau de difficulté des activités proposées afin de soutenir les apprentissages et de maintenir la motivation des élèves. Les meilleurs enseignants s'assurent également d'amener les élèves à créer des liens entre les connaissances antérieures et celles nouvellement présentées. Ils demandent constamment aux élèves de faire des liens entre les concepts afin de s'assurer qu'ils les ont bien compris. À ce sujet, Agathon souligne la prudence du bon enseignant qui l'amène à bien connaître sa matière et à préparer des leçons claires et structurées, d'un niveau de difficulté approprié pour ses élèves.

À l'opposé, les enseignants plus faibles simplifient leurs leçons le plus possible. Chaque activité se suffit à elle-même, et les élèves s'adonnent à une succession d'activités sans liens entre elles. Les enseignants en difficulté ne font pas appel aux connaissances antérieures des élèves pour ancrer les nouveaux apprentissages, pas plus qu'ils ne considèrent nécessaire de préciser aux élèves les liens entre les concepts enseignés.

Une approche rationnelle fondée sur la rationalité scientifique Haberman souligne que les enseignants remarquables adoptent ce que nous avons appelé une «approche rationnelle» de l'enseignement. Ainsi, ils utilisent une démarche scientifique afin d'accéder aux connaissances dans tous les domaines de leurs activités. Ils fondent leurs actions sur les meilleures connaissances et stratégies disponibles pour favoriser les apprentissages de leurs élèves.

Les enseignants étoiles reconnaissent devant les élèves qu'ils ne savent pas tout et ils leur apprennent à adopter la démarche scientifique pour développer et approfondir leurs savoirs toute leur vie. Ainsi, s'ils ne savent pas répondre à une question, ils envisagent cette situation comme une belle occasion de chercher les réponses avec leurs élèves à l'aide de la démarche scientifique qu'ils utilisent dans toutes les sphères de leur travail. Les meilleurs enseignants considèrent cette méthode universelle comme *la* voie qui ouvre aux connaissances dans tous les domaines.

Les enseignants en difficulté n'admettent pas de ne pas savoir. Devant une telle situation, ils se sentent pris en défaut et se tiennent sur la défensive. Ils évitent de faire usage de la méthode scientifique, avec laquelle ils sont souvent plus ou moins à l'aise, mais sans rien proposer pour remplacer cette manière d'étendre leurs connaissances.

Pour Agathon, la prudence du bon enseignant l'amène à puiser dans ce qui constitue la «recherche» du temps, à savoir les connaissances accumulées par l'ensemble des frères enseignants consignées dans des manuels pour l'apprentissage de l'enseignement. Aussi, les bons enseignants du temps d'Agathon démontrent une connaissance approfondie des contenus à enseigner et utilisent des stratégies d'enseignement structurées. Leurs leçons sont élaborées selon des niveaux croissants de complexité. En outre, ils vérifient les connaissances antérieures des élèves et les utilisent comme appui pour ancrer les nouvelles connaissances.

Force est donc de constater que les différents attributs identifiés par Haberman chez les enseignants remarquables avaient aussi été précisés par Agathon il y a plusieurs siècles. En effet, tous deux soulignent l'importance d'une approche d'enseignement globale, instructionniste et fondée sur la formalisation des meilleures pratiques. Plus précisément, par approche globale, on entend que, de tout temps, les bons enseignants ont veillé à instruire leurs élèves, mais aussi à les éduquer. Autrement dit, par-delà les apprentissages scolaires, ces enseignants s'assurent également d'aider les élèves à acquérir et à développer des valeurs et des habiletés essentielles à la vie en société.

Les enseignants remarquables d'hier et d'aujourd'hui font aussi usage d'une approche instructionniste : ces spécialistes de l'enseignement connaissent bien les matières à enseigner et les stratégies à utiliser afin de maximiser les apprentissages des élèves. Leur enseignement est planifié et dispensé de manière claire et structurée, en tenant compte des connaissances préalables de leurs élèves, de leurs besoins, de leur motivation et de leur progression dans les apprentissages prévus.

Finalement, les bons enseignants de Haberman comme ceux d'Agathon utilisent une approche qui repose sur l'utilisation des meilleures pratiques. Ils veillent à faire usage des meilleures stratégies disponibles selon l'état d'avancement des connaissances pour soutenir leur enseignement. Le tableau 6.4 met en parallèle les pratiques mises de l'avant par ces deux pédagogues.

Tableau 6.4 L'enseignement selon Haberman et Agathon

Attitudes professionnelles identifiées par Haberman	Vertus selon Agathon
L'enseignant étoile…	Le bon maître…
Approche globale • conçoit l'enseignement comme un travail d'éducation au sens large.	**Gravité** • est un exemple continuel de toutes les vertus. **Douceur** • apprend aux élèves la politesse et la bienséance dont ils ont besoin pour les rendre respectueux, doux, prévenants, obligeants envers tous. **Générosité** • veut faire de bons citoyens. **Vigilance** • veille sur la bonne conduite de ses écoliers partout où il se trouve avec eux.
Approche instructionniste • prodigue un enseignement structuré et organisé; • connaît sa matière, maîtrise les contenus et sait comment aider les élèves; • planifie son enseignement.	**Gravité** • est un exemple continuel de toutes les vertus. **Douceur** • apprend aux élèves la politesse et la bienséance dont ils ont besoin pour les rendre respectueux, doux, prévenants, obligeants envers tous. **Générosité** • veut faire de bons citoyens. **Vigilance** • veille sur la bonne conduite de ses écoliers partout où il se trouve avec eux. **Humilité** • adopte avec ses collègues une conduite commune, ne cherche pas à se distinguer en usant d'une méthode particulière, différente de celle admise, pour instruire à sa manière. **Prudence** • connaît bien ce dont il s'occupe. Il cherche à étudier minutieusement le caractère de ses enfants pour proportionner ses leçons à leurs capacités et besoins. Le maître prépare soigneusement chaque leçon. Il donne de la clarté, de l'ordre et de l'organisation à son enseignement. Il évite l'embarras que peuvent causer chez les élèves la confusion et le désordre dans ses idées; • «[...] applique à l'avenir l'expérience du passé» (p. 25) au moyen de la mémoire: le maître s'instruira de ce que révèlent sa propre expérience et celle des autres consignées dans la *Conduite des écoles chrétiennes* «d'après d'exactes recherches et l'expérience la plus consommée» (p. 25).
Approche rationnelle • accepte de ne pas tout connaître et cherche avec ses élèves des réponses, à l'aide de la démarche scientifique.	**Douceur** • est simple, patient, exact dans sa manière d'enseigner. **Prudence** • «[...] applique à l'avenir l'expérience du passé» (p. 25) au moyen de la mémoire: le maître s'instruira de ce que révèlent sa propre expérience et celle des autres consignées dans la *Conduite des écoles chrétiennes* «d'après d'exactes recherches et l'expérience la plus consommée» (p. 25).

Les attitudes concernant les relations avec les élèves

La motivation Les meilleurs enseignants considèrent que motiver les élèves fait partie de leur travail quotidien, alors que les autres pensent qu'ils ne peuvent enseigner qu'à ceux qui veulent déjà apprendre. Les enseignants remarquables planifient leurs activités en se préoccupant constamment de susciter la motivation et le goût d'apprendre chez tous leurs élèves. Ils n'y arrivent pas toujours, mais la motivation est l'objet d'un souci constant.

Les enseignants plus faibles croient pour leur part qu'ils ne peuvent enseigner qu'aux élèves désireux d'apprendre. Ils ne considèrent pas qu'ils doivent s'efforcer de susciter et d'encourager la motivation chez leurs élèves. Pour eux, la tâche se limite à s'assurer d'enseigner la matière prévue au programme.

Nous avons nommé « motivation » cette attitude identifiée par Haberman. Elle correspond, dans les travaux d'Agathon, à la générosité du bon enseignant. Selon lui, dans son enseignement quotidien, le bon enseignant récompense les enfants pour les motiver et il veille à ce qu'ils soient heureux.

L'attention aux besoins des élèves Les meilleurs enseignants possèdent d'excellentes connaissances à propos du développement de l'enfant et de l'adolescent. Ils savent reconnaître ce qui, dans le comportement des élèves, découle de la mauvaise volonté ou du développement normal. Ils entretiennent une vision claire de ce qui est acceptable et de ce qui ne l'est pas, et cette vision est fondée sur leur connaissance de ce qui constitue un comportement typique de chaque étape du développement. Les meilleurs enseignants recommandent donc rarement de placer un élève dans une classe spéciale. Nous avons nommé cette attitude « attention aux besoins des élèves ». Nous entendons par là que les meilleurs enseignants se montrent attentifs aux comportements des élèves et à leurs besoins développementaux. Ils sont à l'affût, conscients des comportements possibles démontrés par les enfants à chaque tranche d'âge, et ils sont prêts à intervenir efficacement pour les aider à surmonter leurs défis.

Les enseignants en difficulté considèrent plutôt que les conduites inappropriées découlent d'un manque attribuable à l'élève. Ce type d'enseignants croit que les comportements inadéquats et indésirables proviennent nécessairement d'un dysfonctionnement cognitif ou émotionnel de l'élève. Ils n'envisagent pas qu'un comportement puisse être attribuable à une phase de développement normale dans le processus de maturation de l'être humain. Sans connaissance du développement de l'enfant et de l'adolescent, les enseignants en difficulté ne parviennent pas à s'appuyer sur une base fiable et solide pour guider leurs réflexions et leurs interventions.

Des comportements correspondant à cette attitude identifiée par Haberman ont été nommés par Agathon sous les vertus d'humilité, de retenue, de patience et de zèle. Agathon souligne que le bon enseignant supporte et endure les comportements inappropriés des élèves et agit en considérant l'« innocence » et la « faiblesse » liées à leur âge. Il les reprend toujours lorsque nécessaire, mais avec patience, ayant en tête l'« inexpérience » et la « légèreté » des enfants et des adolescents.

D'hier à aujourd'hui, on remarque donc que les enseignants remarquables adoptent une attitude semblable concernant leurs relations avec les élèves. D'une part, ils considèrent qu'il est de leur devoir de s'efforcer de motiver les élèves, de leur insuffler, du moins en partie, une certaine soif d'apprendre ; d'autre part, ils possèdent de solides connaissances dans le domaine du développement de l'enfant et de l'adolescent. Les meilleurs enseignants sont donc en mesure d'interpréter de manière juste l'origine des actions et des comportements de leurs élèves, ce qui leur permet d'intervenir adéquatement afin de les soutenir dans leur développement (*voir le tableau 6.5*).

Tableau 6.5 | Les relations avec les élèves selon Haberman et Agathon

Attitudes professionnelles identifiées par Haberman	Vertus selon Agathon
L'enseignant étoile…	Le bon maître…
Motivation • se préoccupe de motiver ses élèves.	**Générosité** • s'applique à rendre heureux les enfants par son enseignement, ses conseils, son secours, sa compassion, sa patience, son zèle ; • démontre une générosité qui renferme une forme de libéralité raisonnable ; donne des récompenses aux écoliers pour entretenir l'émulation, incite à bien faire et à éviter les mauvais comportements.
Attention aux besoins des élèves • comprend les comportements de ses élèves et possède des connaissances sur le développement de l'enfant et de l'adolescent.	**Humilité** • endure, sans montrer aucune répugnance, les défauts naturels des élèves, leur grossièreté, leur inaptitude, les vices de leur caractère ; • supporte patiemment l'indocilité, les impolitesses, l'ingratitude, les résistances, les insultes, sans ressentiment ou vengeance. **Retenue** • agit partout d'après les égards et la considération que supposent l'innocence des écoliers et la faiblesse de leur âge, leur facilité à prendre toutes sortes d'impressions, à imiter le mal. **Patience** • compatit à la faiblesse de la raison et de l'âge des enfants, de même qu'à la légèreté de leur esprit et à leur inexpérience. **Zèle** • traque sans relâche les mauvais comportements et fait des remontrances convenables.

Les attitudes concernant la gestion des défis quotidiens

La responsabilité Les enseignants remarquables réfléchissent à leur part de responsabilité lorsque les élèves rencontrent des difficultés. En fait, ils considèrent que si l'apprentissage ne survient pas, de deux choses l'une : soit il y a un problème chez les élèves, soit le problème se trouve dans la manière dont on leur enseigne. Ils revoient leurs stratégies au besoin. Ils se questionnent sans cesse afin de voir ce qui pourrait être amélioré dans leur enseignement afin de favoriser les apprentissages de leurs élèves. Nous avons qualifié cette attitude identifiée par Haberman de « responsabilité ».

Lorsqu'ils constatent que leurs élèves n'obtiennent pas de résultats satisfaisants, les enseignants en difficulté s'excluent d'emblée du problème. Pour expliquer les difficultés d'apprentissage de leurs élèves, ils invoquent, par exemple, les élèves eux-mêmes, leur milieu familial, la pauvreté ou leur origine ethnique.

Nous considérons qu'Agathon avait identifié des pratiques semblables dans ses travaux sur les bons enseignants. Plus précisément, lorsque ce frère détaille les vertus de l'humilité et de la prudence, il souligne que le bon enseignant consulte ses collègues et scrute minutieusement son travail.

L'honnêteté Selon les résultats obtenus par Haberman, les enseignants remarquables font preuve d'une grande honnêteté intellectuelle envers les élèves. En effet, ils ne tentent pas de les berner en leur faisant croire qu'ils possèdent toutes les connaissances. Les meilleurs enseignants apprennent aux élèves à considérer les erreurs comme normales et faisant partie du processus d'apprentissage. En fait, les enseignants remarquables admettent leurs erreurs, alors que les autres enseignants considèrent qu'avouer leurs erreurs face aux élèves serait un signe de faiblesse.

Plusieurs élèves ont appris à avoir peur de faire des erreurs. Toutefois, dans tout processus d'apprentissage, la perfection n'est pas toujours atteinte dès le premier essai! Souvent, cette peur provient de la socialisation à l'école où les fautes sont à éviter à tout prix. Les meilleurs enseignants comprennent que faire des erreurs fait partie du processus d'apprentissage. Ils encouragent leurs élèves dans leurs efforts pour tenter de trouver des solutions plutôt que de les blâmer pour leurs essais infructueux. Nous avons choisi d'utiliser le terme « honnêteté » pour qualifier cette attitude.

Au contraire, les enseignants en difficulté croient qu'admettre leurs erreurs correspond à un signe de faiblesse. Ils véhiculent aux élèves la notion selon laquelle mieux vaut ne pas essayer plutôt que d'échouer.

Agathon a également observé des façons de faire semblables qui avaient cours autrefois. Lorsqu'il aborde la vertu de la patience, il précise que les bons maîtres répètent sans cesse, sans se lasser, les mêmes choses aux élèves. Il semble donc que les bons maîtres de l'époque acceptaient les erreurs de leurs élèves. Il ajoute aussi qu'ils permettaient aux élèves d'exprimer leurs difficultés et qu'ils leur répondaient avec bonté et douceur.

Haberman et Agathon s'entendent donc pour dire que, à travers les époques, les enseignants remarquables agissent de manière responsable et honnête. Ils se considèrent comme en partie responsables de la réussite ou des difficultés vécues par les élèves et veillent à faire de leur mieux en tout temps pour les soutenir. S'ils commettent des erreurs, ils l'admettent. Ce faisant, les enseignants étoiles montrent aux élèves que l'erreur est acceptable et normale dans tout processus d'apprentissage. L'important est de reconnaître ses erreurs et de tout mettre en œuvre pour y remédier (*voir le tableau 6.6, p. 189*).

Les attitudes concernant la réussite à l'école

La valorisation de l'effort Haberman soutient que les meilleurs enseignants d'aujourd'hui croient à l'importance de l'effort dans la réussite éducative des élèves. Ils considèrent que réussir à l'école n'est pas qu'une question de talents innés et que la réussite survient au terme d'un dur labeur. Ils inculquent à leurs élèves cette « culture de l'effort » et les encouragent à toujours faire de leur mieux. Nous avons nommé cette attitude « valorisation de l'effort ».

Tableau 6.6 La gestion des défis quotidiens selon Haberman et Agathon

Attitudes professionnelles identifiées par Haberman	Vertus selon Agathon
L'enseignant étoile…	Le bon maître…
Responsabilité • se remet en question (ses comportements, ses attitudes, ses stratégies, ses méthodes d'enseignement, etc.); • assume ses responsabilités; • cherche à s'améliorer.	**Humilité** • consulte ses confrères, reçoit en bonne part leurs avis, leurs avertissements, leurs instructions. **Prudence** • L'*adresse* du maître lui permettra de prêter attention aux projets qu'il a formés, d'examiner ce qu'il dit ou fait comme s'il était sous les yeux des autres.
Honnêteté • accepte les erreurs des élèves, car elles sont inhérentes à l'apprentissage; • admet ses erreurs.	**Patience** • ne se rebute jamais ni ne se lasse de répéter souvent et très longtemps les mêmes choses, et toujours avec bonté et affection. **Douceur** • reprend les élèves sans être amer, choquant ou insultant; • donne l'occasion aux élèves d'exposer leurs difficultés et leur répond avec bonté.

Selon les enseignants en difficulté, la réussite à l'école dépend surtout d'habiletés innées. Ainsi, les enseignants étoiles croient qu'ils doivent amener leurs élèves à fournir les plus grands efforts possible, alors que les autres enseignants pensent qu'ils n'ont qu'à donner les travaux appropriés au bon moment pour que les apprentissages surviennent. Les enseignants en difficulté estiment aussi qu'ils n'ont qu'à veiller à ce que chaque élève soit placé dans le « bon » groupe, et les apprentissages surviendront automatiquement.

En envisageant la réussite scolaire sous l'angle des habiletés innées de leurs élèves, les enseignants en difficulté limitent dès le départ leurs attentes envers certains élèves. Au contraire, pour les enseignants remarquables, tous les élèves peuvent réussir si l'enseignant utilise les stratégies appropriées, motive ses élèves et fait usage d'un matériel adéquat. Ils ne voient pas de limites aux efforts à mettre en œuvre afin d'assurer la meilleure réussite pour chacun de leurs élèves. Cette notion d'effort par opposition au talent s'avère d'une importance fondamentale pour tout ce qui touche les questions d'enseignement-apprentissage. Comme nous en avons discuté précédemment, à ce sujet, les travaux de Dweck concernant les théories implicites de l'intelligence gagnent à être connus par les enseignants, car ils ont des conséquences importantes dans le cadre de leur travail.

Cette façon de percevoir l'importance de l'effort est reprise par Agathon dans la vertu de la vigilance lorsqu'il dit que le bon enseignant s'assure que tout le travail est fait en entier et proprement.

Le respect Le « respect » est une autre attitude liée à la réussite scolaire qui ressort des travaux de Haberman. Il s'agit en fait d'une notion fondamentale qui teinte l'ensemble de la relation entre l'enseignant et ses protégés. De façon générale, de nos jours, l'idée selon laquelle l'amour est la base des relations enseignant-élèves est très populaire, particulièrement aux niveaux préscolaire et primaire. Malheureusement, la désillusion risque d'être grande : plusieurs élèves ne vivent pas une grande histoire d'amour avec leur enseignant et, pareillement, plusieurs enseignants n'éprouvent pas un attachement sans borne pour chacun de leurs élèves.

Les enseignants remarquables comprennent que l'amour n'est pas une méthode d'enseignement. Ils acceptent que le respect (et non l'amour) soit la pierre d'assise de la relation entre un enseignant et ses élèves.

Les enseignants en difficulté croient, à tort, qu'ils doivent aimer chaque élève et que chacun doit leur rendre cet amour. Ils ne parviennent pas à faire la différence entre les comportements d'un élève et sa valeur en tant que personne. Ainsi, un élève peut adopter des comportements dérangeants en classe, sans que cela fasse nécessairement de lui une mauvaise personne.

À ce sujet, à propos des vertus de gravité, d'humilité et de zèle, Agathon mentionne que le bon enseignant traque sans relâche les mauvais comportements, mais qu'il agit avec réserve, douceur, bonté et affection.

L'engagement Les résultats obtenus par Haberman indiquent que les enseignants étoiles considèrent que leur travail auprès des élèves est d'une importance fondamentale. Ils estiment avoir entre leurs mains la vie de chacun de leurs élèves et que leurs interventions feront une différence critique pour chacun d'eux. Ils croient que tous les élèves peuvent réussir, et cette réussite leur tient à cœur. Ils mettent tout en œuvre et ne négligent aucun effort pour soutenir les élèves dans leurs apprentissages. Aussi, ils agissent de manière à être des exemples de bonne conduite en tout temps. Nous avons choisi de nommer « engagement » ces attitudes démontrées par les meilleurs enseignants.

Pour leur part, les enseignants en difficulté considèrent que leur travail en est un comme un autre qui leur permet de gagner leur vie. Ils apprécient tout particulièrement la sécurité d'emploi, les congés et toute la panoplie d'avantages sociaux offerts dans la profession enseignante, sans égard aux apprentissages des élèves.

Les attitudes d'engagement font écho, dans les travaux d'Agathon, à des comportements liés aux vertus de gravité, de retenue, de douceur et de sagesse. En effet, ce frère souligne que le bon enseignant se conduit de manière exemplaire et qu'il s'assure que sa conduite est irréprochable en tout temps dans tous les domaines.

Agathon et Haberman en arrivent donc à des conclusions semblables concernant la réussite : les meilleurs enseignants considèrent qu'elle est tributaire des efforts consentis et non du talent inné. Ils font tout ce qui est en leur pouvoir pour inculquer à leurs élèves cette culture de l'effort, et par conséquent, favoriser leur réussite. Autre élément important : les enseignants étoiles envisagent leurs relations avec leurs élèves sous l'angle du respect et non de l'amour réciproque. Par ailleurs, les enseignants remarquables ressentent un sentiment d'engagement envers leurs protégés. Ils estiment que, dans le cadre de leur travail, ils doivent donner le meilleur d'eux-mêmes afin que, par leurs agissements, ils représentent des exemples à imiter (*voir le tableau 6.7, p. 191*).

Tableau 6.7 | La réussite selon Haberman et Agathon

Attitudes professionnelles identifiées par Haberman	Vertus selon Agathon
L'enseignant étoile…	Le bon maître…
Valorisation de l'effort • conçoit l'effort comme la clé pour obtenir du succès.	**Vigilance** • le maître fait faire entièrement le travail demandé, exige que ses élèves soient propres, tout comme leurs livres et cahiers.
Respect • envisage que les relations avec autrui doivent être fondées sur le respect.	**Gravité** • sait que la gravité, la modestie et la réserve n'excluent pas la bonté ni l'affection; • est un exemple continuel de toutes les vertus. **Humilité** • reçoit les enfants avec bonté et douceur; • traite ses égaux, ses inférieurs, avec estime, cordialité, amitié et bonté. **Retenue** • règle sa conduite de sorte que les écoliers n'y perçoivent que de l'imitable et du bienséant. **Zèle** • traque sans relâche les mauvais comportements et fait des remontrances convenables.
Engagement • croit dans l'éducabilité des élèves; • considère qu'il représente un modèle pour ses élèves; • a à cœur leur réussite.	**Douceur** • a une égale bonté envers tous; • donne des louanges au mérite, car les enfants trouvent du plaisir à être loués; • fait preuve de fermeté, même sa douceur est pleine de charité; • est attentif aux circonstances particulières. La douceur n'empêche pas qu'on punisse les fautes qui doivent être corrigées, mais elle ne permet pas qu'on use d'une fermeté inflexible; • fait un juste mélange de douceur et de fermeté pour inspirer le respect des élèves. **Sagesse** • est un exemple en tout temps et en toutes choses pour ses élèves.

Nous terminons cette section par une citation de Haberman (2011, p. 294) qui illustre bien l'écart qui existe entre les meilleurs enseignants et ceux qui éprouvent des difficultés:

> «Parce que les enseignants étoiles sont eux-mêmes des apprenants qui cherchent à croître, ils apprennent et s'améliorent chaque année. Les enseignants en difficulté ont une année d'expérience, trente fois.»

La substance de la méthode: la manière

En conclusion, l'étude des vertus, par la description des gestes que le maître devrait faire ou éviter, fait apparaître le côté «ringard» et un peu démodé de l'ouvrage du frère Agathon. On ne s'y retrouve pas dans les références à Dieu, dans la prescription de la soumission, dans l'idée de la vocation ou dans l'utilisation de la honte en remplacement de la punition corporelle. Mais, en juxtaposant les travaux d'Agathon avec ceux de Haberman, on peut cependant tirer profit de cette lecture, car elle permet de comprendre à quel point des problématiques semblables se posent aux enseignants d'hier comme à ceux d'aujourd'hui. Les vertus fournissent des balises pour s'orienter dans l'action, soulignent ce que l'enseignant doit faire ou éviter. Les diverses stratégies décrites dans cet ouvrage aux chapitres 3, 4 et 5 sont des exemples patents de ces éléments techniques (ou méthode) encore nécessaires aux enseignants aujourd'hui pour gérer la classe.

Mais aussi et surtout, notre réflexion à propos des vertus d'Agathon et des attitudes professionnelles d'Haberman fait surgir quelque chose d'autre qui fait que l'on ne peut réduire la gestion de classe à sa seule dimension technique.

Cette notion de choix, de jugement subtil à exercer continuellement dans le cadre de ses fonctions est on ne peut plus évidente dans les exemples suivants. Pour Agathon, il est important que l'enseignant conserve une *certaine distance empreinte d'affabilité* dans ses rapports avec ses élèves. Pour sa part, Haberman souligne que l'enseignant doit *se préoccuper de ses élèves,* les soutenir du mieux possible, *sans rechercher leur amour à tout prix.* Il doit *faire preuve d'engagement* auprès d'eux, se responsabiliser à propos des difficultés qu'ils rencontrent, *mais en faisant preuve de résilience et de lucidité.*

Agathon précise qu'il est aussi essentiel *de parler ou de se taire quand cela s'impose.* Le maître doit *prendre un certain temps, mais pas trop,* pour délibérer sur l'action à privilégier. La patience se situe *quelque part entre le laisser-faire et la rigidité.* Elle prévient l'emportement, alors que la retenue permet de *modérer son comportement* dans les occasions où le maître pourrait s'emporter. À ce sujet, Haberman indique que l'enseignant remarquable doit *constamment exercer son jugement à partir de ses connaissances* du développement de l'enfant lorsqu'il est confronté aux divers comportements des élèves en classe.

Quant à la douceur, Agathon l'oppose à la dureté, mais il souligne que la *douceur comporte néanmoins un certain degré de fermeté.* Aussi, ce frère indique que la *diligence* s'inscrit *entre l'empressement excessif et l'indifférence.* La vigilance est la capacité *d'être attentif* à ce qui se passe dans sa classe sans créer trop de suspicion. Enfin, on pourrait signaler simplement l'importance pour l'enseignant d'afficher une certaine posture, *d'être un exemple pour ses élèves, sans hauteur affectée* ni copinage de cour de récréation. L'étude de Haberman souligne aussi l'importance pour l'enseignant remarquable d'être un exemple en tout temps, de maîtriser le contenu à enseigner, mais du même souffle, il insiste sur le fait que l'enseignant doit reconnaître ses erreurs devant les élèves et leur importance dans tout processus d'apprentissage.

Bref, il y a quelque chose d'autre qui émerge dans les comportements à adopter ou à éviter, quelque chose qui transparaît et qui se situe quelque part entre l'excès et le défaut. À travers telle ou telle technique déployée pour gérer la conduite des élèves, à travers ce que l'enseignant «doit faire ou éviter» au regard de chacune des «vertus» ou attitudes professionnelles, il y a une manière, un rapport à l'autre, aux élèves, qui se manifeste et se déploie. *À travers la méthode, il y a donc la manière.*

La manière réside précisément dans cet espace subtil entre le trop et le trop peu. Cet espace n'est pas celui de la moyenne, il est quelque part, mobile, entre les deux extrêmes. Entre les extrêmes du continuum d'intervention de l'enseignant, l'agir professionnel n'est donc pas fixe, il se déplace comme un curseur sur un axe. La manière cherche le moment favorable, l'intensité nécessaire, le geste approprié, la parole adéquate, l'agir raisonnable.

Non codifiable, jamais assurée, car on ne sait pas avec certitude ce qu'est le favorable, le nécessaire, l'approprié, l'adéquat, le raisonnable. La manière résiste à l'algorithme et à la procéduralisation. Elle renvoie davantage à l'esprit de finesse qu'à l'esprit de géométrie.

À travers la méthode, il y a donc aussi une manière de pratiquer chacune des attitudes professionnelles. Cette manière est un sentiment délicat des nuances, fait de tact, de doigté, de finesse et de subtilité. Et nous croyons que c'est dans cet espace que se déploie le caractère professionnel de l'acte d'enseigner.

Conclusion

Le maître véritablement zélé pour l'instruction
de ses écoliers se fait tout à tous.

(Frère Agathon, 1834)

Depuis plusieurs années, les problèmes de comportement des élèves dans les classes sont une source majeure de préoccupation chez les enseignants novices et même chez les plus expérimentés. Les classes dans lesquelles les élèves manifestent des comportements dérangeants ont un faible taux d'engagement dans les tâches scolaires et, en conséquence, un niveau de réussite moins élevé. À l'inverse, de bonnes pratiques de gestion de classe entraînent une diminution des comportements inappropriés, un meilleur engagement des élèves dans les tâches d'apprentissage et, partant, une meilleure réussite scolaire.

La gestion de classe et de la conduite des élèves est donc une dimension pédagogique cruciale. Durant les années soixante, elle a été occultée ou oubliée en raison probablement de la vision plus romantique de l'enfance qui prévalait à cette époque. L'élève «s'éduquant», considéré comme une fleur, était censé avoir en lui tout ce qu'il fallait pour s'épanouir par lui-même et l'enseignant, comme le jardinier, devait se contenter de l'arroser. Mais la réalité persiste et signe. Face aux tourments toujours plus importants que vivent les enseignants qui n'arrivent pas à «passer leur matière» en raison du désordre dans leur classe, la gestion des comportements est devenue une priorité dans l'actualité pédagogique.

Comme le soulignent Long et Frye (1985, p. 3-4) dans leur ouvrage *Making It Till Friday: A Guide to Successful Classroom Management*, c'est un mythe de croire que:

> «... les enseignants efficaces peuvent prévenir tous les problèmes disciplinaires en stimulant l'intérêt des élèves à l'égard de l'apprentissage grâce à des activités et à un matériel scolaire motivants. Des problèmes peuvent aussi survenir en dehors de l'école. Les élèves rencontrent à la maison des difficultés qui débordent dans la classe; pendant les pauses et les cours, ils affrontent des conflits avec leurs pairs qui nécessitent souvent l'intervention de l'enseignant; et leurs variations d'humeur constituent aussi une source potentielle d'ennuis, pour ne nommer que quelques problèmes.»

Il faut donc s'occuper de ces problèmes. En ce sens, plusieurs articles et ouvrages ont été publiés sur la question de la gestion de classe depuis deux décennies. Le nôtre se distingue par sa perspective historique, par son appui sur les données probantes et par sa mise en relation de la gestion de classe et de la gestion des apprentissages. De plus, notre ouvrage met l'accent sur la prévention, tout en n'oubliant pas les interventions correctives, et il aborde l'importance de la gestion des comportements au niveau de toute l'école et propose des attitudes professionnelles à privilégier.

Pour mieux saisir la perspective particulière que nous adoptons, faisons ressortir, en guise de synthèse, quelques idées-forces qui se dégagent des précédents chapitres.

Gestion des apprentissages et gestion de classe sont les deux fonctions pédagogiques de base

Nous avons défini la pédagogie comme l'ensemble des actions que l'enseignant met en œuvre dans le cadre de ses fonctions d'«instruction» et d'éducation d'un groupe d'élèves dans la classe. Ces comportements de l'enseignant visent à créer et à maintenir un certain ordre pour que l'apprentissage des contenus et l'éducation adviennent. Par «ordre», on entend une organisation suffisamment structurée pour qu'un groupe d'élèves puissent être réceptifs mentalement et affectivement aux contenus que l'enseignant veut leur faire apprendre et aux valeurs qu'il veut leur inculquer.

La première fonction pédagogique, la gestion des apprentissages, renvoie à l'enseignement des contenus. En effet, dans le cadre de son travail, l'enseignant doit couvrir le programme, s'assurer que les divers éléments de la matière sont appris et maîtrisés. La seconde fonction concerne la gestion de classe: l'enseignant doit prévenir le désordre, organiser les groupes, établir des règles de vie, réagir aux comportements inacceptables, enchaîner les activités, etc. Il s'agit là des deux fonctions pédagogiques fondamentales liées à l'enseignement en salle de classe.

À forme pareille, comportements semblables

À propos de la forme scolaire, Vincent écrivait en 2008 (p. 49):

«D'un point de vue historiographique, la forme scolaire, ce que Durkheim appelait l'école à proprement parler, apparaît dans tout l'Occident moderne, du 16e au 18e siècle, en se substituant à un ancien mode d'apprentissage par ouï-dire, voir faire et faire avec. À la différence de ce mode ancien, la forme scolaire de transmission de savoirs et de savoir faire privilégie l'écrit, entraîne la séparation de l'«écolier» par rapport à la vie adulte, ainsi que du savoir par rapport au faire. En outre, elle exige la soumission à des règles, à une discipline spécifique qui se substitue à l'ancienne relation personnelle teintée d'affectivité, ce qui crée donc une relation sociale nouvelle. L'enfant ne peut plus vagabonder dans les rues; il est soumis à l'ordre qui caractérise la ville classique et est «enfermé» dans les murs de l'école, lieu à part où il a une place. Il doit se déplacer en rang, a un emploi du temps strict et doit obéir aux règles affichées sur les murs de la classe dont la première est la règle du silence. Le maître doit se contenter de surveiller, de diriger la lecture et les exercices faits avec les livres, d'appliquer sans colère les sanctions soigneusement prévues dans le règlement pour chaque infraction.»

Comme nous l'avons vu dans la première partie de cet ouvrage, la forme scolaire englobe un ensemble d'éléments relatifs à la gestion du temps (découpage de l'année, de la semaine, de la journée), à l'organisation de l'espace, à la définition des programmes (les savoirs sont découpés, codifiés et systématisés), aux soutiens à l'apprentissage (manuels, matériel pédagogique, cahiers des élèves, leçons, exercices), à la relation pédagogique, aux postures des élèves, à leurs déplacements, à leur bonne conduite, aux récompenses et aux punitions à leur donner. Forme de socialisation, elle comporte également des normes, elle détermine et régule les relations sociales entre le maître et ses élèves.

Certes, cette forme scolaire a évolué au fil des siècles et l'école actuelle n'est plus celle d'autrefois, tant s'en faut. Elle est devenue obligatoire, laïque, gratuite, mixte, branchée sur Internet. Mais la majorité du temps, elle se déroule encore, comme autrefois, entre un maître qui a sous sa responsabilité un collectif d'élèves, qu'il rencontre de manière continue, dans un local de classe, selon un horaire déterminé, avec un curriculum à leur transmettre dans un temps donné et des valeurs à leur inculquer. Bref, on retrouve encore des sédiments de l'ancien sous la couverture du moderne. C'est pourquoi on ne sera pas surpris de prendre conscience qu'à bien des égards, il n'y a rien de nouveau sous le soleil. Les stratégies contemporaines à propos de la gestion de classe décrites dans la seconde partie de l'ouvrage ont déjà été formalisées pour la plupart il y a quelques siècles. Et c'est plutôt normal puisque la forme scolaire n'a pas tellement changé.

La recherche contemporaine confirme sous plusieurs aspects le savoir-faire des maîtres d'autrefois

Nous avons qualifié d'artisanal ou de préscientifique le discours des pédagogues d'autrefois sur la gestion de classe. C'est sans doute le côté théologique ou idéologique de leur discours qui détonne le plus quand on le compare aux écrits contemporains. La norme prescrite est d'une certaine manière impensée ou plutôt pensée comme allant de soi, naturelle, et les stratégies qui en découlent en sont la conséquence logique.

Par contre, il ne faut pas oublier que ces stratégies de gestion de classe formalisées sont l'œuvre de pédagogues chevronnés et expérimentés qui ont mis en commun leurs pratiques et choisi celles qu'ils considéraient comme les meilleures. Autrement dit, même si elles exhalent un parfum céleste presque à chaque page de leurs traités de pédagogie, ces stratégies n'en sont pas moins des dispositifs ingénieux que ces maîtres d'autrefois ont mis de l'avant, avec un certain succès d'ailleurs, pour répondre aux problèmes causés par la forme scolaire de leur temps.

À cet égard, l'ouvrage du frère Agathon, *Les douze vertus d'un bon maître*, est exemplaire. Il n'est pas admirable au sens où il énumère des vertus (qualités ou talents) du maître, car toutes les recherches qui ont tenté de nommer les qualités d'un bon enseignant, durant les années 1950, n'ont jamais abouti à cerner un portrait discriminant, réaliste et potentiellement opérationnalisable en pistes de formation initiale ou continue. Demander à différents groupes d'acteurs (enseignants, élèves, administrateurs, parents, etc.) de nommer les qualités d'un bon maître conduit finalement à produire des listes de qualités tellement longues qu'elles n'arrivent plus à véritablement particulariser les qualités d'un bon enseignant. La perspective du frère Agathon est tout autre : celui-ci décrit plutôt comment, dans l'action de la classe, et dans le menu détail, ces qualités peuvent se matérialiser. Autrement dit, il met en scène des stratégies précises, articulées sous la forme de moyens en vue de l'atteinte d'une fin, et qui permettent concrètement au maître d'apercevoir « *sans peine ce qu'il doit faire et ce qu'il doit éviter*» dans l'exercice de ses fonctions (p. 5).

Or, quand on compare les stratégies proposées par Agathon aux enseignants du XVIIIe siècle avec les caractéristiques d'enseignants remarquables identifiées par Haberman dans les dernières décennies, force est de constater que le monde ne naît pas avec nous! En effet, malgré les siècles qui les séparent, les conclusions de ces deux hommes concernant les pratiques de gestion de classe des bons enseignants abondent largement dans le même sens. La perspective historique que nous avons adoptée à propos de la gestion de classe s'avère donc du plus grand intérêt : elle permet de réaliser à quel point des idées neuves, en apparence, ont déjà été énoncées auparavant.

Cela dit, il y un pas à ne pas franchir, qui serait celui de conclure que la recherche contemporaine sur la gestion de classe est inutile. Au contraire, ces travaux ont eu le grand mérite de confirmer, de nuancer ou d'infirmer, de manière rigoureuse et systématique, à la suite d'observations répétées en salle de classe et de comparaisons de plusieurs enseignants efficaces ou non, ce que les «vieux» pédagogues avaient identifié comme bonnes pratiques. Tant mieux si le sens commun est souvent confirmé, mais il ne l'est pas nécessairement toujours. On ne peut se passer de la contribution de la recherche si on veut professionnaliser le métier d'enseignant :

> «Les résultats d'évaluations cliniques soigneusement contrôlées doivent l'emporter sur les dogmes. Les jugements experts devraient s'appuyer sur des données objectives pouvant être examinées par un large public plutôt que sur des idées chimériques. Quand la profession aura recours à des méthodes scientifiques pour déterminer l'efficacité de ses procédés et assumera la responsabilité des résultats obtenus, alors seulement l'enseignement sera reconnu comme une profession parvenue à maturité et obtiendra les gratifications qu'il mérite. » (Carnine, 2000, p. 10)

Les comportements, tout comme les savoirs, s'enseignent de manière explicite

Les travaux de recherche que nous avons examinés font ressortir un aspect qui a presque toujours été négligé en gestion de classe : les comportements qu'un enseignant veut que ses élèves apprennent doivent non seulement être décrits de manière spécifique, mais aussi être enseignés explicitement et pratiqués. De la même manière que le modelage, la pratique guidée et la pratique autonome sont des stratégies efficaces pour l'enseignement explicite des contenus, ces mêmes stratégies sont tout aussi appropriées pour l'enseignement explicite des comportements. Il faut d'abord que le comportement désiré par l'enseignant soit observable, c'est-à-dire visible et par conséquent formulé de manière positive. Il faut ensuite que l'enseignant exécute lui-même le comportement, qu'il en donne un exemple ou le fasse illustrer par les élèves. Ce comportement doit être pratiqué concrètement par les élèves pour qu'ils en saisissent encore mieux les modalités et les nuances, et ce, tant qu'il n'est pas maîtrisé. Finalement, l'enseignant devra consolider régulièrement les apprentissages réalisés afin qu'il n'y ait pas de « rechute ».

Une approche explicite, intégrée et hiérarchisée de gestion des comportements en classe et à l'école

Dans notre compréhension de l'enseignement efficace des contenus, l'apport de Rosenshine et Stevens dans le *Handbook of Research on Teaching* est fondamental. En effet, ces deux auteurs ont pu réunir en une approche intégrée, l'enseignement explicite et des stratégies d'enseignement éparses pour faciliter l'apprentissage des élèves. Plusieurs de ces stratégies avaient été décrites ici et là dans la littérature de recherche, mais le mérite des deux auteurs a été de les rassembler et d'en faire un modèle général d'enseignement efficace des contenus.

De la même manière, les stratégies décrites dans cet ouvrage ne ciblent pas les besoins individuels des élèves qui présentent des problèmes de comportement. Elles décrivent plutôt des stratégies dites «universelles» au niveau de la classe même en tant que collectif d'élèves (Oliver et coll., 2011). Ainsi, les interventions préventives proposées au premier niveau du modèle de réponse à l'intervention (RAI) pourront rejoindre efficacement environ 80 % des élèves. Ce sont celles-là que nous décrivons. Mais il y aura nécessité de définir au deuxième niveau une aide davantage spécialisée à encore 15 % des élèves et, enfin, au troisième niveau, il faudra fournir une aide encore plus pointue pour les 5 % restants dont les besoins sont encore plus grands. Finalement, nous soulignons que le modèle que nous proposons est particulièrement intéressant en ce sens qu'il présente les stratégies de manière hiérarchisée.

Par ailleurs, l'approche que nous privilégions peut être comprise comme un système d'intervention qui intègre deux mécanismes fondamentaux en interaction : les interventions préventives et les interventions correctives. Il faut souligner que, sans la dimension préventive, le correctif ne fonctionnera pas. En effet, un enseignant qui ne ferait que «discipliner» sa classe aurait tôt fait de produire toutes sortes de comportements de résistance, d'opposition ou d'agressivité chez ses élèves. De la même manière, sans les interventions correctives, la dimension préventive ne fonctionnera pas plus. Il arrive un seuil où l'enseignant, au-delà de toutes les mesures prises pour le prévenir, doit mettre fin au comportement indésirable de l'élève. Il doit alors intervenir s'il ne veut pas laisser la situation dégénérer, perdre son vecteur d'action et voir tout le groupe emporté dans la tourmente.

Enfin, la dimension systémique prend encore plus d'importance au sein même de l'école où l'ensemble des acteurs se concerte à la fois sur le plan de la prévention et des interventions correctives qui concernent les espaces communs autres que les salles de classe. Le système Soutien au comportement positif (SCP) s'avère une solution intéressante et validée sur le plan de la recherche pour gérer les conduites à ce niveau.

La question de la gestion de classe interpelle directement la formation des enseignants

Comme le soulignent Oliver et ses collaborateurs, « [u]n nombre considérable d'études attestent que les compétences en matière d'organisation de la classe et de gestion de comportement ont une forte incidence sur la capacité des nouveaux enseignants à persévérer dans leur carrière » (2011, p. 6). Les jeunes enseignants sont souvent désemparés et ne savent pas comment intervenir pour faire face aux élèves présentant des problèmes de comportements. Il en résulte évidemment un niveau d'anxiété élevé chez eux sans parler des pertes importantes du temps normalement dévolu à l'apprentissage. Enseignants et élèves souffrent atrocement de cette situation. Une classe désorganisée est un lieu d'inquiétude, d'inconfort, voire de détresse.

C'est pourquoi la compétence en gestion de classe est si fondamentale, non seulement pour soutenir l'apprentissage des élèves, mais aussi pour venir en aide aux jeunes enseignants aux prises avec un niveau de stress important et leur permettre d'exercer sereinement leur profession. Mais une classe bien gérée ne tient pas de la génération spontanée : cela demande du savoir et du savoir-faire de la part de l'enseignant.

Ici, au Québec, à la fin des années 1960, le transfert de la formation des maîtres des écoles normales vers les universités a été motivé en partie par l'idée de se distancer des trucs et des recettes et d'ouvrir les futurs maîtres à l'univers des sciences de l'éducation naissantes. Un fossé s'est donc créé entre les besoins parfois plus techniques des milieux de pratique et l'offre de formation des universités plus centrées traditionnellement sur les apprentissages des disciplines scientifiques. Même le référentiel des compétences en formation à l'enseignement publié au début des années 2000, élaboré dans une visée de professionnalisation, n'a pas entraîné dans son sillage un effort senti vers un entraînement systématique d'habiletés pédagogiques en gestion de classe. Comme le soulignent les auteurs du *National Council on Teacher Quality* (NCTQ), à l'université, on informe sur les approches, on demande aux étudiants de construire leur propre philosophie de la gestion de classe et on pense implicitement que si l'enseignant transmet bien les contenus, il n'y aura pas de problème de comportements dérangeants dans sa classe :

> «Des études ont démontré que de nombreux formateurs d'enseignants ne se soucient pas beaucoup d'enseigner la gestion de classe. La plupart du temps, ils se contentent de présenter une variété de modèles et de techniques aux futurs enseignants en les invitant à élaborer leur propre "philosophie personnelle" de la gestion de classe. Certains formateurs supposent aussi que, si l'enseignant est compétent, les élèves se concentreront sur l'apprentissage et les problèmes de gestion de classe seront inexistants.» (2014, p. 44)

Cette citation révèle un problème de fond, autant chez nos voisins du sud qu'ici au Québec : l'inconfort chronique des formateurs d'enseignants à l'université face aux exigences techniques requises pour s'assurer que leurs étudiants exercent avec compétence le métier auquel ils se destinent. Pourtant, ces techniques s'apprennent. Comme le souligne Marzano (2003) en rapportant l'étude de Borg et d'Ascione (1982), les enseignants d'un groupe expérimental à qui on a enseigné des techniques de gestion de classe ont non seulement amélioré leurs façons de faire, mais aussi les élèves de leurs classes ont commis moins d'incidents dérangeants et ont été plus impliqués dans la tâche que ceux des classes du groupe témoin. Plus encore, cet apprentissage peut se faire assez aisément et en peu de temps (Marzano, 2003). Il est donc urgent de mieux s'occuper de cette dimension si cruciale dans nos institutions de formation des enseignants.

Sous la technique se déploie une attitude professionnelle

Nous avons fait ressortir tout au long de cet ouvrage combien il est important pour un enseignant de se doter de stratégies qui l'aideront à exercer adéquatement son métier. Nous avons répertorié et décrit plusieurs de ces stratégies, préventives et correctives, pour assurer une bonne gestion des conduites des élèves. Cependant, il ne faut pas oublier que, fondamentalement, l'enseignement se déploie dans un espace où plusieurs dimensions sont en tension. Il est facile de commettre des erreurs. De même, sous la technique, une attitude professionnelle est constamment sollicitée. C'est sans doute la part la plus difficile du métier pour éviter de tomber de Charybde en Scylla.

D'une part, on s'attend à ce que le maître s'investisse dans son action, qu'il manifeste une forme d'engagement envers ses élèves, y compris (et peut-être surtout) envers ceux qui résistent et causent du désordre ou vis-à-vis desquels il serait porté à capituler. Métier interactif exigeant qui consiste à intervenir pour changer l'autre, l'enseignement requiert un effort personnel important de la part de l'enseignant qui doit faire face à ceux qui résistent. C'est précisément le postulat d'éducabilité dont parle Meirieu (1989) et qui consiste pour l'enseignant à vouloir la réussite de ses élèves, à prendre soin et avec diligence, dans le cadre de son mandat, de tous ceux qui lui sont confiés. À une autre époque, le frère Agathon écrivait qu'un maître véritablement « zélé » pour l'éducation de ses élèves devait « se faire tout à tous ».

D'autre part, il y a aussi une exigence de retenue, de distance à maintenir, particulièrement quand il s'agit des interventions correctives que doit mettre en œuvre l'enseignant. L'enfant doit se sentir aimé en dépit de la sanction qu'il reçoit et le maître doit contrôler ses émotions négatives et intervenir avec une « douce fermeté », main de fer dans un gant de velours, pour que le comportement dérangeant cesse.

La gestion de classe est donc révélatrice des tensions du métier d'enseignant qui exige à la fois de la proximité et de la distance, de l'engagement personnel et de la retenue, de la douceur, mais aussi de la rigueur. C'est là le sens de son professionnalisme. L'enseignant est comme un funambule qui, à chaque pas, doit lire la situation pour pouvoir continuer plus avant. Il sait comment placer sa jambe en avant, glisser le pied sur le fil ; il a automatisé ces techniques, mais il doit saisir avec toute la sagacité possible ce qui se passe sous ses yeux, anticiper ce coup de vent qui pourrait lui être fatal et se tenir prêt à réagir correctement dans l'instant.

Annexe 1 – Guide d'implantation de stratégies de gestion de classe au cours de l'année scolaire

Le modèle PIC de gestion de classe : planification, interaction, consolidation

À faire…	… avant le début de l'année scolaire	… au début de l'année scolaire	… au cours de l'année scolaire
Prévenir l'apparition de comportements inappropriés.	S'informer au sujet des élèves qui seront dans ma classe, lire les dossiers les concernant. Planifier l'organisation physique de la classe. Établir et définir les routines. Déterminer les attentes comportementales (règles). Planifier l'enseignement explicite des comportements attendus. Planifier un système de renforcement. Planifier un enseignement explicite des contenus.	Vérifier la fonctionnalité de l'organisation physique de la classe. Enseigner de manière systématique et explicite les routines et les attentes comportementales. Établir de bonnes relations avec les élèves. Encadrer et superviser les élèves : • Superviser de façon constante ; • Marcher dans la classe ; • Placer les élèves difficiles près de l'enseignant. • Assurer l'implication des élèves. • Utiliser le système de renforcement. Enseigner explicitement les contenus.	Réajuster au besoin l'organisation physique de la classe. Réenseigner et revoir au besoin les attentes comportementales et les routines. Maintenir de bonnes relations avec les élèves. Encadrer et superviser constamment les élèves : • Revoir les règles périodiquement ; • Superviser de façon constante ; • Marcher dans la classe ; • Placer les élèves difficiles près de l'enseignant ; • Augmenter l'implication des élèves ; • Ajuster un système de renforcement. Maintenir des stratégies d'enseignement explicite des contenus. Maintenir un rythme d'enseignement soutenu.
Corriger les comportements inappropriés.	Élaborer un système pour intervenir de manière corrective. Pour les écarts de conduite *mineurs* : • Planifier des interventions indirectes ; • Planifier des interventions directes. Pour les écarts de conduite *majeurs* : • Planifier une stratégie de collecte de données comportementales.	Implanter le système pour intervenir de manière corrective. Pour les écarts de conduite *mineurs* : • Recourir aux interventions directes ; • Recourir aux interventions indirectes.	Ajuster au besoin le système pour intervenir de manière corrective. Pour les écarts de conduite *mineurs* : • Ajuster les interventions directes ; • Ajuster les interventions indirectes. Pour les écarts de conduite *majeurs* : • Accumuler des données comportementales ; • Analyser la fonction du comportement négatif ; • Recourir à de l'aide spécialisée.

Annexe 2 – Synthèse des interventions préventives et correctives

Stratégies d'intervention préventives	
1. Établissement de relations positives avec les élèves	1.1 Croire à la réussite des élèves et entretenir des attentes élevées à leur égard. 1.2 Interagir avec tous les élèves.
2. Création d'un environnement sécurisant, ordonné, prévisible et positif	2.1 Enseigner explicitement les comportements désirés. 2.2 Adopter un rythme soutenu.
3. Encadrement et supervision constante des élèves	3.1 Revoir les règles périodiquement. 3.2 Superviser de façon constante. 3.3 Marcher dans la classe, occuper tout l'espace, se diriger rapidement vers les lieux de difficultés potentielles. 3.4 Placer les élèves difficiles ou vulnérables près de l'enseignant. 3.5 Augmenter l'implication des élèves dans la tâche. 3.6 Utiliser un système de renforcement des comportements positifs.
4. Organisation de la classe qui maximise le temps d'enseignement et d'apprentissage des élèves	4.1 Disposer les pupitres des élèves. 4.2 Disposer le bureau de l'enseignant et organiser les autres zones très fréquentées.
5. Enseignement efficace qui favorise la réussite du plus grand nombre	5.1 Utiliser l'enseignement explicite. 5.2 Faire usage de l'enseignement réciproque.
Stratégies d'intervention correctives	
Écarts de conduite mineurs	
1. Recours aux interventions indirectes	1.1 Contrôler par la proximité. 1.2 Contrôler par le toucher. 1.3 Donner des directives non verbales. 1.4 Ignorer intentionnellement et renforcer de manière différenciée.
2. Recours aux interventions directes	2.1 Rediriger. 2.2 Réenseigner. 2.3 Offrir un choix à l'élève. 2.4 Recourir aux conséquences formatives. 2.5 Utiliser la technique «Montre-moi cinq élèves...». 2.6 Rencontrer l'élève individuellement.
Écarts de conduite majeurs	
3. Accumulation de données comportementales	3.1 Accumuler des données sur les comportements inadéquats. 3.2 Accumuler des données sur les comportements adéquats.
4. Questionnement sur la fonction du comportement	4.1 Identifier la fonction du comportement négatif.
5. Recours à de l'aide spécialisée	5.1 Chercher l'aide appropriée pour l'élève.

Annexe 3 – Inventaire détaillé des interventions préventives et correctives

Interventions préventives

1. Établissement de relations positives avec les élèves

1.1 Croire à la réussite des élèves et entretenir des attentes élevées à leur égard

Par le **langage** utilisé :

- Véhiculer la formule $R = E \times S$ (Réussite résulte des Efforts et des Stratégies mobilisés) ;

- Concevoir l'intelligence de manière dynamique :
  réussite = efforts × stratégies ;

- Améliorer le **SEP** de l'élève (Sentiment d'Efficacité Personnelle).

1.2 Interagir avec tous les élèves (surtout ceux qui sont récalcitrants)

- S'approcher des élèves, ni trop près ni trop loin (environ un mètre) :
  - disposer les bureaux pour circuler aisément.

- Regarder les élèves lors des échanges :
  - vérifier que rien n'obstrue la vue ;
  - bien maîtriser le contenu (pas le « nez collé » sur le matériel).

- Interpeller les élèves par leur prénom :
  - apprendre rapidement le nom des élèves ;
  - inscrire le nom de chaque élève sur son pupitre ;
  - préparer un plan de classe laissé à la vue des élèves.

- Poser des questions ouvertes aux élèves afin d'établir une discussion :
  - avant l'arrivée des élèves, préparer des questions à poser.

- Adopter une expression faciale appropriée :
  - accueillir les élèves avec le sourire ;
  - préparer le cours et le matériel à l'avance ;
  - lorsque la cloche sonne, être présent en classe : tout est prêt ;
  - en attendant l'arrivée en classe des élèves : se détendre.

- Écouter les élèves :
  - porter une attention sincère aux propos des élèves ;
  - préparer le cours et le matériel avant l'arrivée des élèves en classe.

- Démontrer de l'empathie envers les élèves :
  - se soucier sincèrement des élèves ;
  - être disponible pour eux, dès leur arrivée en classe.
- Manifester de l'intérêt envers les élèves :
  - observer les élèves à leur arrivée dans le but d'interagir avec eux ;
  - se renseigner sur les activités des élèves et ensuite en discuter avec eux.
- Accueillir les élèves à la porte de la classe :
  - tout préparer **avant** l'arrivée des élèves ;
  - accueillir les élèves à la porte et les saluer.
- Utiliser l'humour.
- Adopter un ton de voix calme et approprié :
  - se préparer mentalement avant l'arrivée des élèves ;
  - se détendre et «faire le vide».
- Être un modèle en gestes et en paroles :
  - être crédible aux yeux des élèves ;
  - pratiquer lui-même ce qu'il propose aux élèves de faire ;
  - tout ce qui est fait ou dit est en accord avec les règles de vie en classe.
- Faire plus d'interactions positives que d'interactions négatives :
  - pour chaque interaction négative, en faire au moins quatre positives ;
  - avant le cours, réfléchir à propos de ses interventions ;
  - anticiper avec quel(s) élève(s) interagir et à quel moment ;
  - prendre des notes à propos d'éventuelles interactions positives à faire.

2. Création d'un environnement sécurisant, ordonné, prévisible et positif

2.1 Enseigner explicitement les comportements désirés

- Considérer les comportements en tant qu'objets d'enseignement.
- Identifier deux ou trois valeurs à enseigner aux élèves (respect, responsabilité, etc.).
- Préciser les contextes (classe + école) dans lesquels ces valeurs seront déployées.
- Transformer chacune des valeurs en attentes comportementales, et ce, **pour tous les contextes de vie** identifiés précédemment :
  - formuler au «je» et positivement.
- Présenter et expliquer chacune des attentes comportementales aux élèves :

- les afficher visiblement en salle de classe ;
- pas nécessaire de négocier les règles avec les élèves.

- Enseigner explicitement (modelage, pratique dirigée, pratique autonome) en contexte réel :
  - choisir des règles, routines et procédures (classe + extérieur de la classe) ;
  - planifier soigneusement les explications précisant le bien-fondé des règles ;
  - sélectionner minutieusement des exemples et des contre-exemples ;
  - planifier des occasions de pratique guidée ;
  - anticiper des problèmes potentiels ;
  - tout est préparé, réfléchi et ne laisse **aucune place à l'improvisation**.

- Faire des premières activités faciles et simples (objectif : apprentissage des routines) :
  - permettre aux élèves de vivre du succès pour favoriser le sentiment de confiance et de sécurité ;
  - développer le sentiment de réussite des élèves pour leur donner le goût de faire des efforts ;
  - prévoir des leçons en grand groupe ;
  - veiller à ne pas surcharger de travail les élèves ;
  - réserver des moments pour discuter avec les élèves ;
  - proposer des activités variées pour maintenir leur intérêt ;
  - annoncer des activités ou des sujets particulièrement intéressants à venir.

- Gérer les transitions :
  - **se rappeler que les premières semaines en classe sont un moment critique** ;
  - annoncer aux élèves qu'une transition aura lieu bientôt + à quel moment ;
  - dire aux élèves ce qu'ils devront faire + annoncer la prochaine activité ;
  - accorder **toute son attention** à la supervision de la transition ;
  - mettre en place des **procédures stables** et **routinières** pour les transitions.

2.2 Adopter un rythme soutenu

- Planifier minutieusement les activités (temps approprié pour faire le travail).
- Assurer une **fluidité** : pas de digression, diversion, interruption, délais trop longs ou changements brusques.

- Minimiser les pertes de temps : les élèves sont affairés.

- Ne pas laisser de place à la manifestation d'écarts de conduite.

- Veiller à effectuer **le moins de transitions possible**.

- Ne laisser **aucun temps mort** : travaux plus légers toujours disponibles pour combler le temps entre différentes activités ou entre deux leçons particulièrement exigeantes (livres, jeux, devinettes, mots à trouver, etc.).

- Ne pas interrompre le travail des élèves lorsqu'ils sont activement engagés.

3. Encadrement et supervision constante des élèves

3.1 Revoir les règles périodiquement

- Gérer de façon efficace ≠ le fait d'énoncer une règle, mais l'enseigner et la renforcer.

- Utiliser des mots et des actions aussi explicites que possible.

- Afficher les règles.

- Modeler les comportements attendus devant le groupe.

- Pratiquer ces comportements.

- Les rappeler aux élèves, particulièrement à la veille ou au retour d'un congé.

- Être vigilant : les comportements attendus démontrés par les élèves ne signifient pas qu'ils seront maintenus durant toute l'année avec rigueur et constance ! **Vigilance** de mise…

- **Agir avec constance** : mêmes attentes en tout temps pour tous ainsi que pour les conséquences.

- **Se rappeler que le manque de constance est source de confusion** à propos des comportements acceptables.

3.2 Superviser de façon constante

- Garder un œil sur **tous** les élèves **en tout temps**.

- Superviser l'engagement immédiat des élèves dès qu'une tâche est demandée :

  – amorcer le travail avec les élèves pour favoriser la mise à l'ouvrage ;

  – se déplacer dans la classe et vérifier régulièrement l'avancement des travaux (fournir une rétroaction corrective immédiate au besoin) ;

- être dans un état de **vigilance constante** : intervention rapide et bien ciblée ;

- gérer efficacement la simultanéité : être « **multitâche** ».

3.3 Marcher dans la classe, occuper tout l'espace, se diriger rapidement vers les lieux de difficultés potentielles

- Prévoir se déplacer partout dans la classe dès la phase de planification.

- Éviter de passer beaucoup de temps au même endroit.

- Passer un temps relativement égal dans les quatre quadrants de la classe.

- Bouger constamment et de façon imprévisible (supervision + éviter les «ghettos»).

- S'il doit travailler à son bureau, l'enseignant se lève souvent et circule.

- Se déplacer rapidement vers le secteur où il semble y avoir un problème.

3.4 Placer les élèves difficiles ou vulnérables près de l'enseignant

- Disposer les pupitres en rangées.

- Préparer un plan de classe.

- Attribuer les places aux élèves.

- Placer les élèves difficiles ou vulnérables à l'avant et au centre de la classe.

- Placer ces élèves «à la portée de la main»: intervention rapide.

- Ne pas placer un élève difficile ou vulnérable près d'une porte, d'une fenêtre ou d'un endroit achalandé.

- Évaluer le fonctionnement et apporter des **ajustements en tout temps**, si nécessaire.

3.5 Augmenter l'implication des élèves dans la tâche

- **Maintenir les élèves dans un état de vigilance constante:**

    – demander des réponses à tour de rôle en nommant les élèves au hasard;

    – demander à un élève de compléter la réponse donnée par un premier élève;

    – éviter deux stratégies peu efficaces: dialoguer avec un seul élève ou identifier un élève qui devra répondre **avant** de poser la question.

- Responsabiliser les élèves:

    – dire aux élèves que leur performance est observée et évaluée;

    – demander aux élèves d'écrire leur réponse et circuler pour vérifier;

    – vérifier les cahiers de notes à l'occasion;

    – assurer la participation active directe des élèves:

        ■ offrir de multiples occasions de répondre aux élèves: réponse en chœur, utilisation du tableau de réponses, notes de cours à compléter, écrire les réponses sur une feuille au fur et à mesure;

    – lire le problème à l'unisson;

    – demander aux élèves de résoudre le problème en même temps que l'enseignant;

    – proposer aux élèves de manipuler du matériel concret pendant la correction;

    – choisir qui répondra à la question posée;

    – minimiser les interruptions pendant la leçon;

– prévoir des travaux d'enrichissement ;

– faire usage du tutorat par les pairs.

3.6 Utiliser un système de renforcement des comportements positifs (particulièrement avec les groupes difficiles)

- Se rappeler qu'un comportement adapté suivi d'aucun renforcement, d'aucune attention ni approbation **a toutes les chances de ne pas se reproduire.**

  – Planifier minutieusement le système de renforcement.

  – Définir les comportements attendus, les enseigner explicitement et les faire pratiquer par les élèves.

  – Prévoir le plus souvent possible des renforcements continus de type social.

  – Utiliser, en concomitance avec les renforçateurs sociaux, des renforcements intermittents, donc non prévisibles, de type tangible.

  – Prévoir beaucoup plus de renforçateurs sociaux que de renforçateurs tangibles.

  – Penser à des renforcements tangibles de type individuel et de groupe.

  – Ne jamais utiliser le système de renforcement pour gérer les écarts de conduite des élèves.

- Recourir aux contingences (privilèges) de groupe : la mesure la plus efficace pour diminuer les comportements déviants en salle de classe.

- Penser à des récompenses faciles à gérer.

- Proposer des récompenses en lien avec le comportement à encourager.

- S'assurer que les récompenses ne sont pas trop faciles ou difficiles à obtenir.

- S'assurer que les récompenses sont possibles à atteindre pour tous :

  – *renforcements sociaux* :

    ■ approbation ou reconnaissance de l'enseignant : éloges, félicitations, remerciements, compliments rédigés dans l'agenda ;

  – *renforcements tangibles* :

    ■ coupons ou jetons à échanger contre un bien, une activité ou un privilège ;

    ■ recommandation : utiliser des renforcements tangibles tels que les privilèges (peu coûteux et habituellement faciles à organiser).

4. Organisation de la classe qui maximise le temps d'enseignement et d'apprentissage des élèves

4.1 Disposer les pupitres des élèves

- Placer les pupitres en rangées.

- Asseoir les élèves difficiles ou vulnérables à l'avant et au centre.

4.2 Disposer le bureau de l'enseignant et organiser les autres zones très fréquentées

- Placer le bureau de l'enseignant à l'arrière de la classe.

- Éloigner les zones fréquentées les unes des autres + le plus vaste espace possible.

- S'assurer que ces zones sont accessibles facilement.

- Enseigner explicitement des routines pour s'y rendre et les utiliser correctement.

5. Enseignement efficace qui favorise la réussite du plus grand nombre

- **Se rappeler qu'un enseignement efficace** est **l'un des meilleurs moyens de prévenir les difficultés d'ordre comportemental.**

- Enseignement efficace = 1) enseignement explicite + 2) tutorat par les pairs (enseignement réciproque)

5.1 Utiliser l'enseignement explicite :

- **Modèle PIC :**

  - phase de **préparation (P) :**

    - spécifier les objectifs d'apprentissage dans le but de clarifier les intentions poursuivies ;

    - identifier les idées maîtresses du curriculum ainsi que les connaissances préalables nécessaires des élèves ;

    - intégrer les différents types de connaissances ;

    - planifier l'enseignement explicite des stratégies cognitives, les dispositifs de soutien à l'apprentissage et la révision ;

    - s'assurer de l'alignement curriculaire ;

    - prévoir un canevas de leçon.

  - phase d'**interaction (I) :**

    - *stratégies générales :*

      - maximiser le temps d'apprentissage scolaire ;

      - assurer un taux élevé de succès ;

      - couvrir la matière à présenter aux élèves ;

      - favoriser des modalités de regroupement efficaces ;

      - donner du soutien à l'apprentissage (*scaffolding*) ;

      - prendre en compte différentes formes de connaissances ;

      - utiliser un langage clair et précis ;

      - vérifier la compréhension ;

      - expliquer, illustrer par modelage, démontrer ;

      - maintenir un rythme soutenu ;

      - différencier autrement.

- *stratégies pédagogiques spécifiques*:
  - ◆ vérifier quotidiennement les devoirs;
  - ◆ commencer la leçon;
  - ◆ conduire la leçon à partir de la démarche d'enseignement explicite (modelage, pratique guidée, pratique autonome);
  - ◆ clore la leçon dans une démarche d'enseignement explicite.
- – phase de **consolidation (C)**:
  - ■ donner des devoirs;
  - ■ procéder à des révisions quotidiennes, hebdomadaires et mensuelles;
  - ■ mener des évaluations formatives et sommatives en vue de vérifier le transfert des apprentissages.

5.2 Faire usage du tutorat par les pairs (enseignement réciproque)

- **Assurer un entraînement structuré** pour les élèves.
- Enseigner explicitement les habiletés nécessaires **avant** de passer à l'action.
- Présenter des tâches précises + procédures pour échanger et fournir une rétroaction.
- Implanter ces activités dans le quotidien de la classe (pas une expérience unique).
- **Superviser** le travail des élèves **en tout temps**.
- Évaluer les habiletés à retravailler; au besoin, réenseigner.

Interventions correctives – Écarts de conduite mineurs

1. Recours aux interventions indirectes

1.1 Contrôler par la proximité

- S'approcher physiquement de l'élève désorganisé.
- Intervenir efficacement **sans interrompre l'activité en cours**.
- Occuper tout l'espace disponible pour des interventions rapides et efficaces.
- Se donner la latitude de pouvoir bouger dès la planification de cours.
- Planifier les activités de façon à ne pas rester longtemps au même endroit.
- Prévoir un espace suffisant entre les pupitres pour circuler facilement.
- Garder les zones de circulation libres de toutes entraves.
- Être vigilant (≠ emporté par l'action) pour intervenir rapidement.
- Se déplacer et observer pendant les explications (si certains élèves semblent perturbés, signe d'une supervision pas assez étroite).

- Superviser attentivement les élèves après leur avoir demandé de travailler.
- **Ne pas commencer à travailler à son bureau** ou à interagir individuellement avec un élève **sans s'être d'abord assuré que tous les élèves sont à l'œuvre.**
- Lancer un message clair : « Je suis aux aguets » (soutient le travail + comportement des élèves facilement confus ou distraits).
- Se rappeler que la proximité permet d'offrir une rétroaction corrective rapide.
- Se rappeler que la proximité encourage les élèves à bien travailler et à se comporter correctement.

1.2 Contrôler par le toucher

- Réfléchir aux gestes à faire pour rappeler les élèves à l'ordre, au besoin.
- Ne jamais toucher un élève si l'enseignant ou l'élève est en colère.
- Éviter les contacts physiques inappropriés.
- Maintenir sa vigilance en tout temps, même lorsque tout semble bien aller.
- Toucher l'élève est parfois la clé pour désamorcer une situation problématique.

1.3 Donner des directives non verbales

- Utiliser des gestes comme :
  - établir un contact visuel ;
  - faire un signe de la main ;
  - frapper dans ses mains ;
  - claquer des doigts ;
  - faire des bruits de gorge (Hum ! hum !) ;
  - mettre un doigt sur ses lèvres ;
  - bouger la main ;
  - faire une brève pause.
- Préciser explicitement ce que signifient ces signaux (avec les plus jeunes).
- Prévoir le(s) geste(s) à adopter afin de lancer des messages clairs.
- Rester vigilant et alerte : localiser rapidement les perturbations et faire le(s) geste(s) prévu(s) afin d'aviser l'élève que l'enseignant sait ce qui se passe et qu'il sent le besoin d'intervenir afin de rétablir l'ordre.

1.4 Ignorer intentionnellement et renforcer de manière différenciée

- Ignorer le comportement inapproprié de l'élève fautif.
- Renforcer positivement le bon comportement d'un élève à proximité.

- Fournir un renforcement positif à l'élève à proximité qui agit de façon appropriée dans les cinq secondes suivant l'adoption du comportement recherché.

- Fournir un renforcement positif dans les cinq secondes suivantes dès que l'élève ayant un comportement indésirable adopte le comportement souhaité.

- Éviter de réagir verbalement au comportement indésirable de l'élève.

- Éviter de réagir de façon non verbale au comportement indésirable de l'élève.

- Prévoir la(les) manière(s) de reconnaître et de renforcer les bons comportements des élèves qui se conduisent correctement dès le départ.

- Penser aux stratégies afin de faire du renforcement auprès des élèves qui réagissent aux interventions et corrigent leurs comportements.

- Utiliser cette stratégie de façon constante pour maintenir les bonnes habitudes.

- Trouver de nouveaux renforcements lorsque ceux qui sont utilisés produisent moins d'effets.

2. Recours aux interventions directes

2.1 Rediriger

- Rappeler de façon rapide, claire et individuelle le comportement attendu.

- Mettre **l'accent sur** le « **quoi** » du comportement **et non** sur le « **pourquoi** ».

- Préciser ce qui est attendu au lieu d'expliquer en long et en large les raisons.

- Se préparer à intervenir vite : plus la réaction est rapide, plus elle est mineure.

- Rester vigilant et alerte pour cerner les problèmes dès leur apparition.

- Se rappeler, avant l'arrivée des élèves, le nom de ceux qui se désorganisent plus facilement et les surveiller plus attentivement.

- Utiliser le renforcement public (pour tout le groupe ou certains élèves ciblés), surtout avec les élèves plus jeunes (1er cycle du primaire).

- Renforcer les comportements appropriés afin que les élèves les maintiennent.

- Féliciter rapidement les élèves adoptant le comportement après l'intervention.

2.2 Réenseigner

- Enseigner de nouveau les routines et les comportements attendus.

- **Se limiter à dire aux élèves ce qui est attendu ne suffit pas.**

- Faire du réenseignement verbal : présenter de façon détaillée toutes les étapes nécessaires à l'accomplissement d'une tâche ou du comportement.

- Faire du réenseignement concret : présenter l'habileté, l'enseigner, la modéliser, la mettre en pratique avec l'élève et donner à ce dernier l'occasion de s'exercer.

- Reconnaître les efforts à la suite de l'adoption du comportement.

- Se préparer : avant de rencontrer l'élève, penser aux mots à utiliser afin de présenter de nouveau le comportement désiré :
  - parler en termes simples et clairs, faciles à comprendre ;
  - utiliser des mots et des actions **aussi spécifiques que possible** ;
  - prévoir les questions visant à vérifier la compréhension de l'élève ;
  - réfléchir à des moyens alternatifs de dire les choses au besoin ;
  - prévoir la façon de modeler le comportement devant l'élève ;
  - préparer le matériel nécessaire à l'avance ;
  - planifier ce qui sera demandé à l'élève de faire afin de s'exercer.

- Durant les périodes de travail individuel, des comportements inappropriés peuvent survenir **lorsqu'un élève ne comprend pas** ce qu'il doit faire :
  - vérifier le travail effectué ;
  - poser des questions afin d'évaluer la compréhension de l'élève ;
  - fournir les explications nécessaires pour faire le travail.

- Si **plusieurs élèves** ne parviennent pas à faire le travail demandé :
  - interrompre l'activité ;
  - donner des explications à tout le groupe.

- Vérifier la compréhension des élèves **avant** de les mettre au travail.

- Les **comportements, surtout ceux plus exigeants,** peuvent devoir faire **l'objet de nombreuses pratiques avec certains élèves.**

- Se rappeler que le fait de se comporter une fois de la manière attendue ne signifie pas la constance : superviser et être prêt à intervenir en tout temps.

2.3 Offrir un choix à l'élève

- Donner deux possibilités : adopter le comportement attendu ou un second choix moins attrayant.

- Après avoir présenté les choix à l'élève, lui accorder un moment de réflexion.

- Donner un renforcement positif à l'élève qui a fait le bon choix.

- Préparer à l'avance les choix offerts à l'élève.

- Tenir l'élève à l'œil.

- Donner des rétroactions non verbales (pouce en l'air ou en bas, sourires, etc.).

2.4 Recourir aux conséquences formatives

- Demander à l'élève de corriger le « tort » causé par son comportement inadéquat.

- Prévoir des conséquences formatives liées aux problèmes les plus courants.

- Penser à une conséquence logique liée au comportement négatif de l'élève.

- Viser la diminution ou l'élimination d'un comportement inapproprié, mais aussi à enseigner le comportement désiré.

- **L'avantage** de cette approche : **l'élève pratique le comportement attendu** (une des conséquences formatives les plus importantes).

- Se rappeler qu'il n'y a pas toujours des conséquences logiques et que **l'intervention la moins efficace** est le **laisser-faire**.

- Se rappeler qu'il est préférable d'intervenir en donnant une punition que de ne pas intervenir.

2.5 Utiliser la technique « Montre-moi cinq élèves... »

- Mettre l'élève à l'écart du groupe en raison de son écart de conduite.

- Rappeler les attentes comportementales souhaitées.

- Demander d'observer et d'identifier cinq camarades qui ont le comportement visé.

- Dire à l'élève de les signaler à l'enseignant et de fournir des exemples concrets d'attentes comportementales désirées.

- Demander à l'élève s'il est prêt à adopter ces mêmes comportements : si tel est le cas, lui permettre de réintégrer son groupe.

- Veiller à ce que l'élève mette en pratique les comportements attendus dès son retour aux activités en classe et donner rapidement une rétroaction positive s'il agit de la façon désirée.

- **Avantage** de cette stratégie : **peu ou pas de préparation** pour l'enseignant.

- S'assurer que l'élève sera en mesure d'identifier facilement cinq élèves.

- Veiller à ne pas interférer avec les activités du groupe.

2.6 Rencontrer l'élève individuellement

- Planifier avec soin le moment et le lieu :

  - préférer le début de la journée pour mener la rencontre ;

  - choisir un endroit pour ne pas être dérangés et parler en toute tranquillité et liberté, sans oreilles indiscrètes.

- **Réfléchir à l'avance au plan d'action** proposé à l'élève.

- Discuter du comportement dérangeant (tenter de comprendre ce qui ne va pas).

- Enseigner le comportement attendu, explorer les raisons pour lesquelles le comportement est attendu et élaborer un plan afin que l'élève adopte dorénavant le comportement désiré.

- Inclure une mise en pratique du comportement visé.

- Parler avec les parents pour les informer du comportement de leur enfant et en discuter avec eux (objectif : comprendre la situation et préciser les comportements attendus).

- Féliciter l'élève pour sa bonne volonté s'il participe activement et sincèrement.

- Renforcer positivement l'élève pour tout signe d'amélioration, si ténu soit-il.

- Faire part aux parents de l'évolution de la situation.

Interventions correctives – Écarts de conduite majeurs

3. Accumulation de données comportementales

3.1 Accumuler des données sur les comportements inadéquats

- Planifier un **outil structuré** de consignation des données.

- Garder cet outil **sous la main** afin de **noter les observations en temps réel**.

- Consigner au fur et à mesure les observations quand elles se produisent.

- Suivre une démarche en trois étapes :
  - cibler au plus trois comportements problématiques à observer (idéalement un ou deux) : **comportements concrets** et **mesurables** (≠ place à l'interprétation) ;
  - **priorité** aux **comportements les plus dérangeants pour l'ensemble des élèves** (qui nuisent à l'enseignement + apprentissages) ;
  - observer ces comportements pendant deux semaines.

- Noter les **contextes** dans lesquels l'élève a des comportements inadéquats.

- **Ne pas relâcher l'attention pendant toute la période d'observation.**

- Demander aux autres enseignants qui côtoient l'élève d'utiliser l'outil (anglais, musique, etc.).

3.2 Accumuler des données sur les comportements adéquats

- Utiliser une démarche identique à celle présentée en 3.1.

4. Questionnement sur la fonction du comportement

4.1 Identifier la fonction du comportement négatif

- Comprendre la dynamique d'un comportement inapproprié peut permettre d'intervenir efficacement pour le faire cesser.

- Se rappeler les **deux fonctions du comportement** et les façons d'y remédier :
  - 1. **l'évitement** :
    - ■ renforcer un élève qui suit les directives ;
    - ■ enseigner à l'élève comment demander de l'aide ;
    - ■ enseigner des solutions acceptables pour remplacer l'évitement ;
    - ■ renforcer l'élève pour l'absence de problème (le « surprendre » quand il se comporte bien) ;
    - ■ éliminer ou réduire les demandes pour ensuite augmenter graduellement les attentes.
  - 2. **la recherche de l'attention des pairs ou du personnel scolaire** :
    - ■ accorder plus d'attention quand les comportements sont positifs ;
    - ■ ignorer les comportements problématiques ;
    - ■ enseigner des solutions acceptables pour remplacer l'attention.

5. Recours à de l'aide spécialisée

5.1 Chercher l'aide appropriée pour l'élève

- S'acharner est nuisible tant pour l'élève que pour l'enseignant.
- Se rappeler que l'enseignant n'est pas omniscient : ≠ un spécialiste du comportement humain.
- **Demander de l'aide** spécialisée est un **acte professionnel.**
- Se rappeler qu'il est légitime de demander de l'aide quand :
  - les interventions indirectes et directes réalisées sont inefficaces ;
  - les données recueillies n'ont pas fourni de renseignements pertinents permettant de réaliser des interventions efficaces ;
  - les hypothèses sur la fonction du comportement semblent invalides.
- **Se rappeler que reconnaître ses limites et consulter un spécialiste est un geste de professionnalisme.**

Annexe 4 – La gestion efficace des comportements : un exemple

Cafétéria

Étape 1 : identifier le comportement désiré

Respect	Responsabilités	Réussite
• Je parle à voix basse. • Je respecte l'espace des autres. • Je garde mon environnement propre.	• Je reste assis à la place qui m'est assignée. • Je lève la main pour faire une demande.	• J'ai de bonnes manières. • J'applique les consignes données par les intervenants.

Étape 2 : fournir les raisons d'enseigner ce comportement

Pour assurer la sécurité des élèves, éviter les accidents, diminuer le bruit et obtenir une période de dîner plus calme et ordonnée.

Étape 3 : donner des exemples

Exemples de comportements attendus (à modeler et à pratiquer avec les élèves)	Contre-exemples (à démontrer par l'adulte)
1. Je parle à voix basse. 2. Je prends soin des autres autour de moi. 3. Je nettoie ma place et je jette les déchets dans la poubelle. 4. Je reste à ma place. 5. Je lève la main pour faire une demande. 6. J'écoute l'adulte qui parle.	1. Je crie et je parle fort. 2. Je bouscule et je dérange les autres autour de moi. Je fouille dans la boîte à lunch des autres. 3. Je salis ma place et je laisse les déchets sur la table, le plancher, etc. 4. Je me lève et je change de place. 5. Je me lève sans permission. 6. Je parle et j'ignore la personne qui parle.

Étape 4 : pratiquer (activités de jeu de rôle)

• Modeler et pratiquer avec les élèves la façon de se comporter durant l'heure du dîner.
• Modeler des exemples négatifs par l'adulte seulement.

Étape 5 : réaffirmer les comportements attendus

• Apposer les affiches indiquant les attentes comportementales.
• Rappeler aux élèves le comportement attendu afin que le climat soit calme et harmonieux.

Étape 6 : vérifier les progrès des élèves

• Reconnaître l'adoption d'un comportement attendu en donnant un renforcement à tout le groupe ou à certains élèves au moment approprié.

Étape 1 : identifier le comportement désiré

Respect

- Je lève la main pour demander la parole et j'attends mon tour pour parler.
- J'écoute la personne qui parle.
- Je prends soin des autres et du matériel.

Étape 2 : fournir les raisons d'enseigner ce comportement

Pour favoriser un environnement sain et propice aux apprentissages.

Étape 3 : donner des exemples

Exemples de comportements attendus (à modeler et à pratiquer avec les élèves)	Contre-exemples (à démontrer par l'adulte)
1. Je lève la main pour demander la parole et j'attends mon tour pour parler. 2. J'écoute attentivement la personne qui parle et je me place en position d'écoute. 3. Je prends soin des autres, je les aide, je les encourage, etc. 4. Je garde ma salle de classe propre en rangeant tout le matériel. 5. Je prends soin du matériel scolaire.	1. Je parle sans lever la main et sans attendre mon tour. 2. Je me lève pendant les explications, je parle à mon voisin, je fouille dans mon bureau, je dessine, etc. 3. Je dérange les autres. 4. Je laisse traîner mon matériel. 5. Je brise du matériel scolaire.

Étape 4 : pratiquer (activités de jeu de rôle)

- Modeler et pratiquer avec les élèves la façon de se comporter dans la salle de classe (scénario).
- Modeler des exemples négatifs par l'adulte seulement.

Étape 5 : réaffirmer les comportements attendus

- Apposer les affiches indiquant les attentes comportementales.
- Rappeler aux élèves le comportement attendu afin que l'environnement soit propice à l'apprentissage.

Étape 6 : vérifier les progrès des élèves

- Renforcer les comportements attendus de façon espacée et stratégique.

Classe

Étape 1 : identifier le comportement désiré

Responsabilités

- Je sors le matériel nécessaire.
- J'accomplis un travail de qualité.
- Je remets mes devoirs à temps.

Étape 2 : fournir les raisons d'enseigner ce comportement

Pour favoriser un environnement sain et propice aux apprentissages.

Étape 3 : donner des exemples

Exemples de comportements attendus (à modeler et à pratiquer avec les élèves)	Contre-exemples (à démontrer par l'adulte)
1. J'ai le matériel nécessaire en main selon la tâche à accomplir. Je le range au bon endroit et je m'assure de tout apporter lorsque je quitte la classe.	1. Je n'ai pas le matériel nécessaire en main. Je l'oublie (boîte à lunch, agenda, tenue d'éducation physique, sac d'école, etc.).
2. Je m'applique dans mon travail, dans mes devoirs. Je remets un travail propre. Je fournis des réponses complètes, etc.	2. Je bâcle mon travail ou mes devoirs, ou les deux. Je néglige la propreté et la qualité de mes travaux.
3. Je remets mes devoirs à temps ; ils sont propres et complets.	3. Je ne fais pas mes travaux ou mes devoirs, ou les deux.

Étape 4 : pratiquer (activités de jeu de rôle)

- Modeler et pratiquer avec les élèves la façon de se comporter dans la salle de classe (scénario).
- Modeler des exemples négatifs par l'adulte seulement.

Étape 5 : réaffirmer les comportements attendus

- Apposer les affiches indiquant les attentes comportementales.
- Rappeler aux élèves le comportement attendu afin que l'environnement soit propice à l'apprentissage.

Étape 6 : vérifier les progrès des élèves

- Renforcer les comportements attendus de façon espacée et stratégique.

Classe

Étape 1 : identifier le comportement désiré

Réussite

- J'applique les consignes données.
- Je suis fier de ce que j'accomplis.

Étape 2 : fournir les raisons d'enseigner ce comportement

Pour favoriser un environnement sain et propice aux apprentissages.

Étape 3 : donner des exemples

Exemples de comportements attendus (à modeler et à pratiquer avec les élèves)	**Contre-exemples** (à démontrer par l'adulte)
1. J'applique les consignes données.	1. Je ne fais pas ce qui est demandé.
2. Je lève la main pour demander la parole et j'attends mon tour pour parler.	2. Je parle sans lever la main et sans attendre mon tour.
3. J'écoute attentivement la personne qui parle et je me place en position d'écoute.	3. Je me lève pendant les explications. Je parle à mon voisin, etc.
4. Je prends soin des autres.	4. Je dérange les autres.
5. Je garde ma salle de classe propre en rangeant tout le matériel.	5. Je laisse traîner mon matériel.
6. Je prends soin du matériel scolaire.	6. Je brise du matériel scolaire.
7. J'ai le matériel nécessaire en main selon la tâche à accomplir. Je le range au bon endroit, etc.	7. Je n'ai pas le matériel nécessaire en main. Je l'oublie.
8. Je m'applique dans mon travail, dans mes devoirs, etc.	8. Je bâcle mon travail ou mes devoirs, ou les deux.
9. Je remets mes devoirs à temps.	9. Je ne fais pas mes travaux ou mes devoirs, ou les deux.
10. Je suis fier de ce que j'accomplis.	10. Je suis déçu de mon travail, de mon comportement, de mes résultats.

Étape 4 : pratiquer (activités de jeu de rôle)

- Modeler et pratiquer avec les élèves la façon de se comporter dans la salle de classe (scénario).
- Modeler des exemples négatifs par l'adulte seulement.

Étape 5 : réaffirmer les comportements attendus

- Apposer les affiches indiquant les attentes comportementales.
- Rappeler aux élèves le comportement attendu afin que l'environnement soit propice à l'apprentissage.

Étape 6 : vérifier les progrès des élèves

- Renforcer les comportements attendus de façon espacée et stratégique.

Cour d'école		

Étape 1 : identifier le comportement désiré

Respect	Responsabilités	Réussite
• Je fais de bons gestes et je dis des paroles aimables aux autres. • Je garde mon environnement propre.	• Je fais de bons choix de jeux. • Je trouve la solution pacifique à mon conflit : « Je gère mes bottines. »	• J'applique les règlements de la cour d'école. • J'applique les consignes données par les intervenants. • J'adopte des comportements sécuritaires.

Étape 2 : fournir les raisons d'enseigner ce comportement

Pour éviter le manque de respect et les conflits, et assurer la sécurité des élèves.

Étape 3 : donner des exemples

Exemples de comportements attendus (à modeler et à pratiquer avec les élèves)	Contre-exemples (à démontrer par l'adulte)
1. Je règle les petits conflits de façon autonome et pacifique. Je peux demander de l'aide aux intervenants, au besoin.	1. Je suis violent physiquement ou verbalement envers les autres. Je dérange les plus grands ou les plus petits.
2. J'écoute les intervenants.	2. Je suis impoli et je ne respecte pas les attentes dans la cour.
3. J'arrête de jouer au son de la cloche et je prends calmement la file pour entrer dans l'école.	3. Je joue dans les aires de jeux non désignées et je flâne au son de la cloche.
4. Je prends soin du matériel qui m'est prêté par l'école.	4. Je laisse traîner ou je brise le matériel qui m'est prêté.
5. Je fais de bons choix de jeux (soccer, balançoires, basket-ball, etc.).	5. Je fais de mauvais choix de jeux : je cours et je bouscule d'autres élèves en jouant.
6. Je m'assure de toujours jouer de façon sécuritaire.	6. Je joue de façon non sécuritaire : je peux me blesser ou blesser les autres. Je lance de la neige, des roches, du sable, etc.
7. Je garde ma cour propre.	7. Je lance mes déchets par terre.
8. Je porte des vêtements appropriés à la température et qui assurent ma sécurité.	8. J'oublie mes mitaines en hiver. Je porte des sandales de plage pour faire du sport.

Étape 4 : pratiquer (activités de jeu de rôle)

• Sortir avec les élèves : montrer le plan de la cour d'école aux élèves, expliquer la délimitation des aires de jeux et les différents choix de jeux appropriés.
• Modeler des exemples négatifs par l'adulte seulement.

Étape 5 : réaffirmer les comportements attendus

• Afficher le plan sur les portes.
• Surveiller activement et faire de la prévention au quotidien avec les élèves.

Étape 6 : vérifier les progrès des élèves

• Reconnaître l'adoption d'un comportement attendu en donnant un renforcement.

Gymnase

Étape 1 : identifier le comportement désiré

Respect	Responsabilités	Réussite
• J'ai un bon esprit sportif. • J'inclus les autres dans mes jeux. • Je respecte les consignes données par l'enseignant.	• J'utilise le matériel adéquatement. • Je porte des vêtements appropriés. • Je me change rapidement en respectant l'espace des autres.	• J'adopte des comportements sécuritaires. • Je participe activement en étant positif.

Étape 2 : fournir les raisons d'enseigner ce comportement

Pour assurer un bon climat d'apprentissage.

Étape 3 : donner des exemples

Exemples de comportements attendus (à modeler et à pratiquer avec les élèves)	Contre-exemples (à démontrer par l'adulte)
1. Je participe activement. 2. J'encourage mes pairs. 3. Je suis bon joueur dans le cas d'une victoire comme d'une défaite. 4. J'ai ma tenue de sport de la tête aux pieds. 5. Je place mes vêtements à l'endroit demandé. 6. J'utilise le matériel selon les consignes. 7. Je range le matériel.	1. Je suis passif. 2. Je refuse de participer. 3. Je ris des autres. 4. Je me vante de ma victoire. 5. Je n'ai pas mes espadrilles ni mes vêtements. 6. Je n'attache pas mes espadrilles.

Étape 4 : pratiquer (activités de jeu de rôle)

- S'exercer avec les élèves à bien se comporter au gymnase et dans les vestiaires.
- Faire un jeu de rôle afin d'expliquer le comportement désiré.
- Modeler des exemples négatifs par l'adulte seulement.

Étape 5 : réaffirmer les comportements attendus

- Apposer les affiches indiquant les attentes comportementales.
- Rappeler aux élèves le comportement attendu.

Étape 6 : vérifier les progrès des élèves

- Donner un renforcement de façon stratégique afin de promouvoir les comportements voulus.
- Reconnaître l'adoption d'un comportement attendu en donnant un renforcement à toute la classe au moment approprié.

Laboratoire d'informatique

Étape 1 : identifier le comportement désiré

Respect	Responsabilités	Réussite
• Je lève la main pour demander de l'aide. • J'adopte le ton de voix demandé.	• Je reste assis à mon ordinateur. • Je me concentre sur mon poste de travail.	• Je fais le travail demandé.

Étape 2 : fournir les raisons d'enseigner ce comportement

Pour favoriser un environnement sain et propice aux apprentissages.

Étape 3 : donner des exemples

Exemples de comportements attendus (à modeler et à pratiquer avec les élèves)	Contre-exemples (à démontrer par l'adulte)
1. Je lève la main pour demander de l'aide. J'attends mon tour avec patience. 2. Je parle au besoin et avec le ton de voix demandé. 3. Je reste assis à mon ordinateur et je demande de l'aide en levant la main. 4. J'accomplis le travail demandé en me concentrant sur mon poste de travail.	1. J'appelle mon enseignant et je me lève pour obtenir de l'aide. 2. Je parle fort ou je parle lorsqu'il faut garder le silence. 3. Je me lève, je vais voir les autres élèves et je les dérange en leur parlant. 4. Je perds mon temps : je clique sur n'importe quoi, je regarde l'ordinateur des autres, je regarde seulement des images. Je ne fais pas le travail demandé. Je consulte des sites interdits.

Étape 4 : pratiquer (activités de jeu de rôle)

• Modeler des exemples de comportements attendus et démontrer des contre-exemples dans le laboratoire d'informatique.
• Utiliser les exemples de comportements attendus pour s'exercer avec tous les élèves.

Étape 5 : réaffirmer les comportements attendus

• Apposer les affiches indiquant les attentes comportementales au laboratoire d'informatique.
• Rappeler aux élèves le comportement attendu afin que l'environnement soit propice à l'apprentissage.

Étape 6 : vérifier les progrès des élèves

• Donner un renforcement de façon stratégique afin de promouvoir les comportements attendus.
• Récompenser toute la classe une fois que le comportement semble acquis.

Toilettes

Étape 1 : identifier le comportement désiré

Respect	Responsabilités	Réussite
• Je respecte l'intimité des autres et la mienne. • Je me lave les mains. • Je garde mon environnement propre.	• Je vais directement aux toilettes. • Je retourne rapidement en classe ou dans mon rang.	• Je vais aux toilettes au bon moment (récréation, cloche pipi).

Étape 2 : fournir les raisons d'enseigner ce comportement

Pour favoriser un comportement adéquat aux toilettes.

Étape 3 : donner des exemples

Exemples de comportements attendus (à modeler et à pratiquer avec les élèves)	Contre-exemples (à démontrer par l'adulte)
1. Je circule avec mon laissez-passer. 2. Je me lave les mains avec du savon et un peu de papier. 3. Je jette mes déchets (papier) à la poubelle. 4. J'utilise l'endroit indiqué pour attendre mon tour. 5. Je retourne directement dans la classe ou dans mon rang. 6. Je signale à l'enseignant tout dégât ou tout autre problème.	1. Je perds mon temps (je flâne, j'attends mes amis). 2. J'éclabousse le sol d'eau. 3. Je gaspille le papier, le savon, etc. 4. Je dérange les autres. 5. Je ne tire pas la chasse d'eau.

Étape 4 : pratiquer (activités de jeu de rôle)

• Modeler des exemples de comportements attendus et démontrer des contre-exemples dans les toilettes.
• Utiliser les exemples de comportements attendus pour les pratiquer avec tous les élèves.

Étape 5 : réaffirmer les comportements attendus

• Apposer les affiches indiquant les attentes comportementales en salle de classe ainsi qu'aux toilettes.
• Respecter le système mis en place afin de contrôler les visites aux toilettes.

Étape 6 : vérifier les progrès des élèves

• Donner un renforcement de façon stratégique afin de promouvoir les comportements attendus.
• Récompenser toute la classe une fois que le comportement semble acquis.

Service de garde

Étape 1 : identifier le comportement désiré

Respect	Responsabilités	Réussite
• J'adopte le ton de voix demandé. • Je prends soin des autres et du matériel.	• Je réponds à toutes les attentes des différents milieux de l'école. • Je range le matériel en tout temps. • J'avise mon éducateur quand j'arrive au service de garde et quand je le quitte.	• J'applique les consignes données par les intervenants. • Je participe activement aux activités proposées.

Étape 2 : fournir les raisons d'enseigner ce comportement

Pour assurer la sécurité des élèves, éviter les accidents, diminuer le bruit et bénéficier de périodes d'activités plaisantes et harmonieuses.

Étape 3 : donner des exemples

Exemples de comportements attendus (à modeler et à pratiquer avec les élèves)	Contre-exemples (à démontrer par l'adulte)
1. Je parle à voix basse. 2. Je suis poli avec les autres et je prends soin du matériel que j'utilise. 3. Je réponds aux attentes dans chaque milieu de vie. 4. Je range soigneusement le matériel utilisé. 5. Je dis «bonjour» et «au revoir» à mon éducateur. 6. Je fais ce que les éducateurs (intervenants) me demandent et je reste poli. 7. Je participe aux activités planifiées.	1. Je crie ou je parle fort. 2. Je suis impoli, je dérange les autres et je brise (je vole) le matériel que j'utilise. 3. Je dérange, je crie, je cours, je bouscule, etc. 4. Je laisse traîner le matériel. 5. J'arrive et je pars sans aviser mon éducateur. 6. Je dérange et je suis impoli. 7. Je suis indifférent aux activités.

Étape 4 : pratiquer (activités de jeu de rôle)

• Modeler et pratiquer avec les élèves la façon de se comporter au service de garde.
• Modeler des exemples négatifs par l'adulte seulement.

Étape 5 : réaffirmer les comportements attendus

• Apposer les affiches indiquant les attentes comportementales.
• Rappeler aux élèves le comportement attendu afin que le climat soit calme et harmonieux.

Étape 6 : vérifier les progrès des élèves

• Reconnaître l'adoption d'un comportement attendu en donnant un renforcement à tout le groupe ou à certains élèves au moment approprié.

Annexe 5 – Webographie portant sur la gestion des comportements

Documents et textes disponibles sur la gestion de classe

http://prezi.com/b4ucbv7ihzus/jacob-kounin/

http://www.ascd.org/publications/books/103027/chapters/The-Critical-Role-of-Classroom-Management.aspx

http://www.elementaryeducationdegree.com/classroom-management-tips/

http://www.apa.org/education/k12/classroom-mgmt.aspx#

http://www.ascd.org/publications/educational-leadership/sept03/vol61/num01/The-Key-to-Classroom-Management.aspx

http://www.comportement.net/pedagogie/

http://gaining.educ.msu.edu/resources/node/179

Diaporamas sur la gestion de classe

http://jru1.colled.msstate.edu/school/PowerPoint/Classroom_Management.pptx

http://www.apbs.org/Archives/Conferences/fourthconference/Files/Simonsen_fairbanks.pdf

http://fr.slideshare.net/petindazone/models-of-classroom-discipline

Vidéos sur la gestion de classe

http://www.pattan.net/Videos/Browse/Training%20Series/Classroom+Management+Webinar+Series

http://www.pattan.net/Videos/Browse/Single/?code_name=pbs2011_tape11

Vidéos de Jean Twenge sur le narcissisme

http://www.youtube.com/watch?v=XD9x3OwqKes

http://www.c-spanvideo.org/program/Narci

Documents et textes disponibles sur le système SCP-PBIS

http://scp-pbis.com/

http://www.pbis.org/

http://www.pbismaryland.org/

http://flpbs.fmhi.usf.edu/

http://www.apbs.org/

Formation sur la gestion efficace des comportements

Pour le personnel enseignant : http://edu6011-a.teluq.ca/

Pour le personnel non enseignant : http://edu6011-b.teluq.ca/

Annexe 6 – La gestion efficace des comportements : volet Accompagnement

QUESTIONNAIRE SUR LE SCP
Évaluer et planifier le SCP dans les écoles[1]

Renseignements généraux

Date _____

Nom de l'école _____

VOTRE FONCTION (COCHEZ)

☐ Directeur adjoint   ☐ Technicien en éducation spécialisée   ☐ Technicien en travaux pratiques (sciences)

☐ Enseignant   ☐ Technicien en travail social   ☐ Orthopédagogue

☐ Directeur   ☐ Technicien en loisirs   ☐ Psychoéducateur

☐ Surveillant   ☐ Intervenant à la bibliothèque

OBJECTIF POURSUIVI

Le questionnaire sur le SCP est utilisé par le personnel de l'école pour effectuer une évaluation du système SCP dans l'école. Il permet d'examiner l'état actuel de quatre ensembles de soutien et la priorité d'amélioration de ceux-ci : dans l'ensemble de l'école, à l'extérieur de la classe, en classe et auprès des élèves ayant des besoins particuliers. Chaque énoncé se rapporte à l'un de ces quatre ensembles.

Les résultats obtenus sont résumés et utilisés à diverses fins :

- la planification annuelle des actions ;

- la prise de décision à l'interne ;

- l'évaluation des changements au fil du temps ;

- le renforcement de la sensibilisation du personnel ;

- la validation en équipe.

Le résumé effectué à partir du questionnaire est utilisé pour élaborer un plan d'action visant la mise en œuvre et le maintien d'un système SCP efficace dans l'école.

---

1. Adapté de Sugai, Horner et Todd (2000). *Effective Behavior Support (EBS) Survey: Assessing and Planning Behavior Support in Schools*, Eugene (OR), Educational and Community Supports, University of Oregon. Récupéré de http://www.pbis.org/resource/219

QUI DOIT REMPLIR LE QUESTIONNAIRE ?

Initialement, l'ensemble du personnel scolaire remplit le questionnaire. Dans les années subséquentes, le questionnaire sur le SCP peut être rempli de différentes façons en tant qu'outil d'évaluation continue et de planification :

- par tout le personnel scolaire lors de rencontres d'équipes ;

- par des individus représentatifs de chaque groupe de personnel ;

- par les membres du comité de pilotage lors d'entretiens de groupe (*focus group*).

QUAND FAUT-IL REMPLIR LE QUESTIONNAIRE ET À QUELLE FRÉQUENCE ?

Puisque les résultats sont utilisés pour la prise de décision et la réalisation d'un plan d'action annuel SCP, la plupart des écoles demandent à leur personnel de remplir le questionnaire au début et à la fin d'une année scolaire.

COMMENT REMPLIR LE QUESTIONNAIRE ?

Remplissez seul le questionnaire (prévoir de 20 à 30 minutes).

Pour remplir le questionnaire, reportez-vous à votre propre expérience dans l'école. Si vous ne travaillez pas dans les classes, répondez aux questions qui s'appliquent à vous. Vous devez répondre à chaque question de deux façons :

- À gauche de l'énoncé, cochez (√) ou tracez un X pour indiquer l'**état actuel** observé dans l'école (en place, partiellement en place, pas en place).

- À droite de l'énoncé, cochez (√) ou tracez un X pour indiquer votre évaluation personnelle du niveau de **priorité d'amélioration** de cet énoncé (haute, moyenne, faible).

Merci de votre précieuse collaboration !

COMMENT ANALYSER LES RÉPONSES ?

Les résultats obtenus sont utilisés soit pour déterminer l'état actuel du SCP dans l'école, soit pour guider la réalisation d'un plan d'action pour améliorer le SCP. Le plan d'action qui en résulte peut être réalisé en vue de centrer l'action sur un des quatre ensembles du SCP ou une combinaison de ceux-ci : a) dans l'ensemble de l'école, b) à l'extérieur de la classe, c) en classe et d) auprès des élèves ayant des besoins particuliers.

L'analyse comporte trois phases principales :

Phase 1 : La synthèse des résultats

Phase 2 : L'analyse des résultats et la priorisation des actions

Phase 3 : L'élaboration d'un plan d'action

Phase 1 : La synthèse des résultats

L'objectif de cette phase est de produire une compilation qui résume toutes les réponses du personnel scolaire pour chaque ensemble du SCP sur l'état actuel observé dans l'école (en place, partiellement en place, pas en place), d'une part, et sur le niveau de priorité d'amélioration (haute, moyenne, faible) des énoncés qui constituent chaque ensemble, d'autre part.

Dénombrez toutes les réponses individuelles pour chaque choix de réponses, comme l'illustre l'exemple de la figure 1.

Figure 1 | **Exemple de dénombrement des réponses**

DANS L'ENSEMBLE DE L'ÉCOLE

L'expression « l'ensemble de l'école » désigne tous les élèves, tout le personnel et tous les milieux.

ÉTAT ACTUEL			ÉNONCÉS	PRIORITÉ D'AMÉLIORATION		
En place	Partiellement en place	Pas en place		Haute	Moyenne	Faible
√√√√√√√√√ 9	√√√√√√√ 7	√√√√ 4	1. Les comportements attendus sont clairement et positivement définis pour chaque endroit de l'école.	√√√√ 4	√√√√ 4	√√√ 3
√√ 2	√√√√√√ 6	√√√√√√√√√√√√ 12	2. Les comportements attendus des élèves sont enseignés explicitement.	√√√√√√√√√√ 10	√√√√ 4	√√√√√√ 6
√√√√√√√ 7	√√√√√√√√√ 9	√√√ 3	3. Les comportements attendus des élèves sont régulièrement récompensés.	√√√√√√ 6	√√√√√√ 6	0

Phase 2 : L'analyse des résultats et la priorisation des actions

L'objectif de cette phase consiste à restreindre le champ des activités à intégrer dans le plan d'action. En plus des données recueillies au moyen du questionnaire sur le SCP, le comité de pilotage peut inclure des données ou des informations provenant d'autres sources (par exemple, le nombre de sorties de classe, les rapports d'écarts de conduite majeurs, etc.) pour guider la prise de décision. Lorsque les données provenant du questionnaire sur le SCP sont utilisées, il faudrait envisager de donner les lignes directrices suivantes :

2.1 Pour chaque énoncé, remarquez dans quelle colonne de l'état actuel se trouve le chiffre le plus élevé. C'est cette colonne (en place, partiellement en place ou pas en place) qui correspond à l'état actuel de votre école en ce qui concerne cet énoncé, tel que votre personnel scolaire le perçoit.

2.2 Procédez de la même façon en repérant le chiffre le plus élevé pour déterminer le niveau de priorité d'amélioration (haute, moyenne, faible) que vous suggère votre personnel scolaire en ce qui concerne chaque énoncé.

2.3 Pour chaque ensemble, a) dans l'ensemble de l'école, b) à l'extérieur de la classe, c) en classe et d) auprès des élèves ayant des besoins particuliers, dressez la liste des trois énoncés qui correspondent aux forces de votre école à l'égard du SCP.

2.4 Pour chaque ensemble, a) dans l'ensemble de l'école, b) à l'extérieur de la classe, c) en classe et d) auprès des élèves ayant des besoins particuliers, dressez la liste des trois énoncés qui correspondent aux points à améliorer dans votre école à l'égard du SCP.

2.5 Pour chaque ensemble, a) dans l'ensemble de l'école, b) à l'extérieur de la classe, c) en classe et d) auprès des élèves ayant des besoins particuliers, déterminez quelle doit être LA plus grande priorité de votre école en ce qui concerne le SCP.

Phase 3 : L'élaboration d'un plan d'action
Définissez les actions qu'il faudra mettre en œuvre dans l'école au cours de l'année et de la prochaine année pour respecter la haute priorité déterminée.

DANS L'ENSEMBLE DE L'ÉCOLE

L'expression «l'ensemble de l'école» désigne tous les élèves, tout le personnel et tous les milieux.

ÉTAT ACTUEL			ÉNONCÉS	PRIORITÉ D'AMÉLIORATION		
En place	Partiellement en place	Pas en place		Haute	Moyenne	Faible
☐	☐	☐	1. Les comportements attendus sont clairement et positivement définis pour chaque endroit de l'école.	☐	☐	☐
☐	☐	☐	2. Les comportements attendus des élèves sont enseignés explicitement.	☐	☐	☐
☐	☐	☐	3. Les comportements attendus des élèves sont régulièrement récompensés.	☐	☐	☐
☐	☐	☐	4. Les comportements problématiques sont clairement définis.	☐	☐	☐
☐	☐	☐	5. Les conséquences données à la suite des écarts de conduite sont clairement définies.	☐	☐	☐
☐	☐	☐	6. La distinction entre les problèmes de comportement que la direction doit gérer et ceux à gérer en salle de classe est claire.	☐	☐	☐
☐	☐	☐	7. Il existe des solutions de rechange pour poursuivre l'enseignement même si un problème de comportement surgit.	☐	☐	☐
☐	☐	☐	8. Une procédure a été établie et est suivie en cas d'urgence ou de danger.	☐	☐	☐
☐	☐	☐	9. L'école a une équipe qui se penche sur la résolution des problèmes de comportement.	☐	☐	☐
☐	☐	☐	10. Le directeur de l'école est un membre actif de cette équipe.	☐	☐	☐
☐	☐	☐	11. Les données sur les problèmes comportementaux sont recueillies et accumulées en permanence par un système informatisé.	☐	☐	☐
☐	☐	☐	12. Les comportements problématiques sont signalés régulièrement à l'équipe comportementale et à la direction pour favoriser une prise de décision rapide.	☐	☐	☐
☐	☐	☐	13. L'école a une stratégie officielle pour informer les familles au sujet des comportements attendus de l'élève à l'école.	☐	☐	☐
☐	☐	☐	14. L'école élabore ou modifie des activités d'apprentissage destinées aux élèves en fonction des données comportementales de l'école.	☐	☐	☐
☐	☐	☐	15. Tout le personnel participe directement ou indirectement aux interventions dans l'ensemble de l'école.	☐	☐	☐

À L'EXTÉRIEUR DE LA CLASSE

L'expression «à l'extérieur de la classe» indique des moments ou des endroits particuliers où l'on insiste sur une forme de supervision (ex.: corridors, cafétéria, aire de jeux, autobus).

ÉTAT ACTUEL			ÉNONCÉS	PRIORITÉ D'AMÉLIORATION		
En place	Partiellement en place	Pas en place		Haute	Moyenne	Faible
☐	☐	☐	1. Les comportements attendus à l'extérieur de la salle de classe sont précisés.	☐	☐	☐
☐	☐	☐	2. Les comportements attendus à l'extérieur de la salle de classe sont enseignés de façon explicite.	☐	☐	☐
☐	☐	☐	3. Lors de la surveillance, le personnel est actif et interagit avec les élèves.	☐	☐	☐
☐	☐	☐	4. Les élèves qui manifestent les comportements attendus à l'extérieur de la classe sont récompensés.	☐	☐	☐
☐	☐	☐	5. Des éléments architecturaux ou physiques sont modifiés pour limiter: a) les lieux non supervisés, b) les flux de circulation et c) les entrées ou les sorties inappropriées de la cour d'école.	☐	☐	☐
☐	☐	☐	6. La planification de la circulation des élèves assure la présence d'un nombre acceptable d'élèves à l'extérieur des classes.	☐	☐	☐
☐	☐	☐	7. Le personnel a régulièrement la chance d'exploiter et d'améliorer ses compétences en matière de surveillance active des élèves.	☐	☐	☐
☐	☐	☐	8. Tous les semestres, on dresse le bilan des comportements des élèves et des pratiques disciplinaires à partir des données recueillies.	☐	☐	☐
☐	☐	☐	9. Tout le personnel participe de façon directe ou indirecte à la discipline à l'extérieur de la salle de classe.	☐	☐	☐

EN CLASSE

L'expression «en classe» désigne le milieu d'enseignement où un enseignant donne son cours à un groupe d'élèves et le supervise.

ÉTAT ACTUEL			ÉNONCÉS	PRIORITÉ D'AMÉLIORATION		
En place	Partiellement en place	Pas en place		Haute	Moyenne	Faible
☐	☐	☐	1. Les comportements attendus et les routines en classe sont formulés positivement et définis clairement.	☐	☐	☐
☐	☐	☐	2. Les problèmes comportementaux sont clairement définis.	☐	☐	☐
☐	☐	☐	3. Les comportements attendus et les routines en classe sont enseignés de façon explicite.	☐	☐	☐
☐	☐	☐	4. Les comportements attendus sont régulièrement reconnus au moyen du renforcement positif.	☐	☐	☐
☐	☐	☐	5. Les écarts de conduite entraînent des conséquences systématiques.	☐	☐	☐
☐	☐	☐	6. La procédure concernant la gestion d'un écart de conduite est conforme à la procédure établie pour l'ensemble de l'école.	☐	☐	☐
☐	☐	☐	7. Il existe des solutions de rechange pour poursuivre l'enseignement en salle de classe même si un ou des élèves manifestent des écarts de conduite.	☐	☐	☐
☐	☐	☐	8. Le personnel enseignant bénéficie régulièrement de séances d'observation, d'accompagnement et de formation en matière de gestion des comportements.	☐	☐	☐
☐	☐	☐	9. La transition entre les activités d'enseignement s'effectue de façon efficace et ordonnée.	☐	☐	☐

ÉLÈVES AYANT DES BESOINS PARTICULIERS

L'expression «élèves ayant des besoins particuliers» désigne les élèves qui présentent des troubles de la conduite et du comportement (5 % des élèves).

ÉTAT ACTUEL			ÉNONCÉS	PRIORITÉ D'AMÉLIORATION		
En place	Partiellement en place	Pas en place		Haute	Moyenne	Faible
☐	☐	☐	1. Des évaluations régulières permettent de cibler les élèves qui présentent un problème de comportement persistant.	☐	☐	☐
☐	☐	☐	2. Il existe une procédure simple pour les enseignants qui désirent obtenir de l'aide.	☐	☐	☐
☐	☐	☐	3. Une équipe de soutien au comportement appuie rapidement les élèves qui présentent des troubles de la conduite et du comportement.	☐	☐	☐
☐	☐	☐	4. Un membre de l'équipe-école est formé sur l'analyse fonctionnelle du comportement.	☐	☐	☐
☐	☐	☐	5. L'école a recours à des ressources externes pour effectuer la planification du soutien comportemental fondée sur une analyse fonctionnelle.	☐	☐	☐
☐	☐	☐	6. Au besoin, les familles et les services sociaux collaborent à la mise en œuvre d'un plan d'intervention.	☐	☐	☐
☐	☐	☐	7. L'école offre aux familles la possibilité de recevoir une formation sur les approches en matière de SCP et d'éducation positive des enfants.	☐	☐	☐
☐	☐	☐	8. Les troubles du comportement sont analysés régulièrement. Des stratégies sont élaborées et partagées avec les membres du personnel concerné.	☐	☐	☐

Annexe 7 – La gestion efficace des comportements : volet Accompagnement (fiche de l'élève)

Fiche de réflexion

Nom de l'élève : _____   Niveau : _____

Date : _____   Enseignant : _____

Pour m'aider dans ma réflexion :

* Je me calme : je prends une pause, une respiration, du recul, etc.

* Je m'implique sérieusement dans cette démarche.

* Je réponds honnêtement à toutes les questions suivantes.

LES FAITS

1. a) Quel est mon niveau d'émotivité en ce moment ?

Pas du tout émotif	0	1	2	3	4	5	Très émotif

b) Quelles sont les émotions que je ressens ?

_____

_____

2. Voici ce que je voulais éviter ou obtenir avec mon comportement. Je coche (√) toutes les réponses qui s'appliquent à ma situation.

	ÉVITER…		OBTENIR…
	… d'accomplir la tâche (travail, activité, etc.).		… l'attention de mes pairs.
	… d'attirer l'attention de l'adulte.		… l'attention de l'adulte.
	… d'attirer l'attention de mes pairs (rejet, etc.).		… le pouvoir, le contrôle (avoir le dernier mot, décider, etc.).
	… d'être en classe.		… un changement d'environnement.
	… une stimulation sensorielle (bruit, foule, etc.).		… une stimulation sensorielle (bouger, marcher, etc.).
	… l'humiliation, la honte.		… une reconnaissance.

3. Quelles sont les raisons qui ont provoqué mon expulsion de la classe ? Je dois décrire avec précision les événements, la situation, mon comportement ou mes paroles.

_____

_____

_____

_____

_____

_____

_____

4. Mon enseignant m'a-t-il donné au moins un avertissement ?   OUI ☐   NON ☐

5. Qu'est-ce qui m'a poussé à agir de la sorte ?

_____

_____

_____

_____

6. Selon moi, est-ce un comportement acceptable ? Pourquoi ?

_____

_____

_____

7. a) Quelles sont les conséquences de cette sortie de la classe pour **moi** ? (apprentissages, sur le plan personnel à l'école, à la maison, etc.)

_____

_____

_____

b) Quelles sont les conséquences de cette situation pour les autres **élèves** ?

_____

_____

_____

c) Quelles sont les conséquences de cette situation pour les **adultes** concernés (enseignant, parent) ?

_____

_____

_____

MES SOLUTIONS

8. Qu'est-ce que j'aurais pu faire pour éviter cette sortie de la classe ?

_____

_____

_____

_____

9. Si j'avais été à la place de l'adulte qui est intervenu, comment aurais-je agi ?

_____

_____

MON PLAN DE MATCH

10. Est-ce que mon action nécessite un geste réparateur ? Si oui, lequel ?

_____

_____

11. Pour conclure, voici deux moyens que je m'engage à prendre ou deux actions que je m'engage à accomplir pour corriger la situation problématique ou éviter qu'elle ne se reproduise.

_____

_____

12. a) Quel est mon niveau d'émotivité après cette réflexion ?

Pas du tout émotif	0	1	2	3	4	5	Très émotif

b) Quelles sont les émotions que je ressens ?

_____

_____

c) Suis-je assez calme pour passer à autre chose ?   OUI ☐   NON ☐

VÉRIFICATION

☐   J'ai bien répondu à TOUTES les questions.

☐   J'ai signé ma réflexion.

☐   Je suis prêt à vérifier avec un adulte si le contenu de ma réflexion est adéquat et complet.

SIGNATURES

Élève : _____

Intervenant : _____

Enseignant : _____

Glossaire

Attention (*group alerting*) Capacité, pour l'enseignant, de maintenir les élèves attentifs et engagés dans leur travail.

Béhaviorisme Approche en psychologie qui met en relation le comportement de l'individu à son environnement. Les techniques behaviorales consistent à façonner le comportement des individus par l'utilisation de renforcement.

Chevauchement (*overlapping*) Capacité « multi-tâche » de l'enseignant, c'est-à-dire sa capacité d'être conscient de plusieurs événements qui se produisent simultanément dans sa classe et de les gérer efficacement.

Conséquence formative Contrairement à la punition qui est une conséquence désagréable sans lien logique avec le comportement dérangeant, la conséquence formative est liée logiquement au comportement négatif de l'élève. La conséquence formative vise la diminution ou l'élimination d'un comportement inapproprié chez l'élève, mais également à lui enseigner le comportement désiré.

_d_ de Cohen Taille d'effet qui représente une mesure de la force de l'effet observé d'une variable sur une autre. Traditionnellement, un _d_ autour de 0,2 est décrit comme un effet « faible », 0,5 comme un effet « moyen » et 0,8 comme un effet « fort ».

Écart de conduite majeur Manquement aux attentes comportementales préalablement enseignées qui nuit au bon fonctionnement de la classe, à l'enseignement du maître et, par conséquent, à l'apprentissage des autres élèves ou constituant un comportement dangereux, illégal, illicite (violence, intimidation, drogue, vol, etc.) ou encore un écart de conduite mineur qui persiste malgré les diverses interventions réalisées.

Écart de conduite mineur Manquement aux attentes comportementales préalablement enseignées qui ne nuit pas au bon fonctionnement de la classe ni à l'apprentissage des élèves, mais qui dérange l'élève lui-même ou quelques élèves à proximité.

Éducabilité Posture de l'enseignant qui consiste à croire dans les capacités de ses élèves à apprendre ou à adopter les conduites désirées.

Effet d'entraînement (*ripple effect*) Désigne le phénomène d'escalade des comportements dérangeants dans une classe. Kounin emploie l'expression *ripple effect* pour désigner les cercles concentriques de plus en plus grands qui apparaissent sur une eau calme lorsqu'on y jette des pierres.

Enseignement explicite Approche qui consiste à rendre visible (explicite) ce qui est tacite (implicite) afin de faciliter l'apprentissage des élèves. Se caractérise notamment par le modelage, par l'enseignant, du savoir, de l'habileté à apprendre, des conduites à manifester, par l'organisation de nombreuses pratiques guidées et par la communication de nombreuses rétroactions en vue de soutenir le processus d'apprentissage.

Fluidité (*smoothness*) Capacité de l'enseignant de maintenir un vecteur soutenu d'activités sans rupture du rythme. L'enseignant garde le cap pendant toute la leçon, il évite les digressions, il enchaîne de manière souple les activités.

Fonction du comportement Raison ou motif pour lequel un élève adopte un comportement précis. Les fonctions possibles sont l'obtention et l'évitement.

Gestion de classe Ensemble des stratégies mises de l'avant par un enseignant afin de guider ses élèves dans l'adoption de comportements appropriés dans la classe. Ces stratégies visent à prévenir le désordre et à corriger les comportements inappropriés de façon à rendre les apprentissages possibles.

Gestion des apprentissages Ensemble des stratégies mises de l'avant par un enseignant afin de favoriser l'apprentissage des savoirs, des savoir-faire et des attitudes.

Historicité Caractéristique temporelle de la situation d'enseignement. Les élèves et l'enseignant vivent au fil des jours et durant toute l'année scolaire un ensemble d'événements et d'expériences qui définissent la culture et le fonctionnement de la classe.

Immédiateté Renvoie au rythme rapide des événements qui se déroulent dans une classe et qui fait en sorte que l'enseignant doit souvent agir sur le coup sans pouvoir bénéficier de délais de réflexion très longs.

Imprévisibilité Caractéristique de la situation d'enseignement qui fait ressortir l'impossibilité pour l'enseignant de tout anticiper dans une classe. Il y a forcément des imprévus et l'enseignant devra s'adapter et décider dans l'incertitude.

Intervention corrective ou curative Stratégie ou action utilisée pour gérer des écarts de conduite des élèves.

Intervention directe Intervention verbale qui interpelle directement l'élève qui manifeste un écart de conduite.

Intervention indirecte Intervention non verbale, non intrusive et qui sollicite indirectement l'élève manifestant un écart de conduite.

Intervention préventive Stratégie ou action utilisée dans la perspective de favoriser auprès des élèves l'adoption de bonnes conduites.

Méga-analyse Synthèse de plusieurs méta-analyses.

Méta-analyse Synthèse quantitative d'études expérimentales ou quasi expérimentales portant sur une variable ou sur un sujet donné.

Momentum Capacité de l'enseignant de conserver un rythme soutenu pendant les activités en classe et d'agencer les activités de manière à maintenir ce rythme (éviter les ralentissements, les coupures, les temps morts, etc.).

Multidimensionnalité Réfère au fait qu'une classe est toujours un creuset où se déploient plusieurs événements aux propriétés variées. Plusieurs acteurs (enseignant et élèves) aux rôles et besoins (cognitifs, affectifs, sociaux) fort différents s'y retrouvent.

Pédagogie Discours et pratique d'ordre pour instruire et éduquer les élèves. La pédagogie se déploie dans la classe.

Précorrection Actions diverses visant le rappel des comportements attendus des élèves.

Rediriger Rappel verbal bref, clair et fait individuellement, qui a pour but de souligner le comportement attendu.

Renforcement positif Conséquence attribuée à la suite d'un comportement précis qui permet d'augmenter la répétition du comportement en question.

Renforcements sociaux Renforcements sociaux procurant à l'élève de l'attention, de l'approbation ou de la reconnaissance de l'enseignant au moyen d'éloges, de félicitations, de remerciements, de compliments rédigés dans son agenda, etc. Ces renforçateurs sont intangibles ou non matériels.

Renforcements tangibles Renforcements matériels prenant la forme de coupons ou de jetons à échanger contre un bien, une activité ou un privilège quelconque.

Routine Automatisation d'une série de procédures visant le contrôle et la coordination de séquences de comportements applicables à des situations particulières.

Simultanéité Signifie que les phénomènes en classe n'attendent pas sagement leur tour pour se produire l'un après l'autre. Ils apparaissent souvent en même temps.

Tradition pédagogique Manière de faire la classe héritée du XVIIe siècle et fondée sur le souci de structurer la transmission des contenus et d'assurer le contrôle de la conduite des élèves.

Travail interactif Caractérise les métiers qui ont les être humains comme objet d'investissement et non la matière inanimée. L'enseignant, travailleur interactif, exerce son activité auprès des élèves qu'il veut instruire et éduquer.

Transition Intervalle de temps entre deux activités.

Vigilance (*withitness*) Capacité de l'enseignant d'être constamment conscient de tout ce qui se passe dans sa classe, d'« avoir des yeux tout autour de la tête ». Cette capacité inclut aussi de corriger un comportement avant qu'il ne s'intensifie ou contamine toute la classe, ainsi que la capacité de cibler le bon élève pour son intervention.

Visibilité Caractéristique de la situation pédagogique qui met en lumière le caractère « public » de l'enseignement. Les faits et gestes de l'enseignant tout comme ceux des élèves se produisent devant un auditoire.

Bibliographie

Adams, R. et Biddle, B. (1970). *The Classroom Scene. Realities of Teaching.* New York, NY, Holt, Rinehart & Winston.

Agathon (1834). *Les douze vertus d'un bon maître par M. De La Salle instituteur des Frères des écoles chrétiennes expliquées par le Frère Agathon.* Avignon, France, Séguin Aîné.

Akin-Little, K., Eckert, T., Lovett, B. et Little, S. (2004). « Extrinsic reinforcement in the classroom : Bribery or best practice », *School Psychology Review*, vol. 33, p. 344-362.

Akin-Little, K. A. et Little, S. G. (2004). « Re-examining the overjustification effect », *Journal of Behavioral Education*, vol. 13, p. 179-192.

Akin-Little, A., Little, S. G., Bray, M. A. et Kehle, T. J. (2009). *Behavioral Interventions in Schools: Evidence-based Positive Strategies.* Washington, DC, American Psychological Association.

Alberta Education (2009). « Renforcer le comportement positif dans les écoles albertaines : une méthode intensive et personnalisée », Alberta, Canada, Alberta Education, Direction de l'éducation française, [En ligne] https://education.alberta.ca/media/482224/renforcerpersonnalise.pdf

Archer, A. L. et Hughes, C. A. (2011). *Explicit Instruction. Effective and Efficient Teaching.* New York, NY, Guilford Publications.

Arlin, M. (1979). « Teacher transitions can disrupt time flow in classrooms », *American Educational Research Journal*, vol. 16, p. 42-56.

Bagley, W. C. (1908). *Classroom Management. Its Principles and Technique.* Londres, Royaume-Uni, Macmillan.

Bally, C. (1819). *Guide de l'enseignement mutuel* (3e éd.). Paris, France, L. Colas.

Bandura, A. (1976). *L'apprentissage social.* Bruxelles, Belgique, Pierre Mardaga Éditeur.

Bandura, A. (2003). *Auto-efficacité. Le sentiment d'efficacité personnelle.* Paris, France, De Boeck.

Barrett, S., Bradshaw, C. et Lewis-Palmer, T. (2008). « Maryland statewide PBIS initiative : Systems, evaluation, and next steps », *Journal of Positive Behavior Interventions*, vol. 10, p. 105-114.

Begeny, J. C. et Martens, B. K. (2006). « Assessing pre-service teachers' training in empirically-validated behavioural instruction practices », *School Psychology Quarterly*, vol. 21, n° 3, p. 262-285.

Bélanger, N. (1993). *Évolution du concept de discipline scolaire au Québec: une stylisation des discours.* Mémoire de maîtrise, Université Laval.

Bennett, N. et Blundell, D. (1983). « Quantity and quality of work in rows and classroom groups », *Educational Psychology*, vol. 3, n° 2, p. 93-105.

Bissonnette, S. (2015). « Questions guidant le regard critique posé sur l'efficacité de la gestion des comportements positifs au niveau de l'école », *EDU 6011-B: Gestion efficace des comportements: volet Accompagnement.* Québec, Canada, TÉLUQ, [En ligne] http://edu6011-b.teluq.ca

Bissonnette, S., Bouchard, C. et St-Georges, N. (2012). «Le soutien au comportement positif (SCP): un système efficace pour la prévention des difficultés comportementales», *La Foucade*, vol. 12, n° 2, p. 7-9, [En ligne] www.cqjdc.org/fra/foucade.html

Bissonnette, S., Gauthier, C. et Péladeau, N. (2010). «Un objet qui manque à sa place: les données probantes dans l'enseignement et la formation», dans W. Bernard et M'hammed, M. (dir.), *Recherche et formation à l'enseignement. Spécificités et Interdépendance. Collection Actes de la recherche de la HEP-BEJUNE.* Suisse, HEP-BEJUNE.

Bissonnette, S. et Richard, M. (2001). *Comment construire des compétences en classe. Des outils pour la réforme.* Montréal, Québec, Chenelière–McGraw-Hill.

Bissonnette, S., Richard, M. et Gauthier, C. (2005a). *Échec scolaire et réforme éducative. Quand les solutions proposées deviennent la source du problème.* Sainte-Foy, Québec, Presses de l'Université Laval.

Bissonnette, S., Richard, M. et Gauthier, C. (2005b). «Interventions pédagogiques efficaces et réussite scolaire des élèves provenant de milieux défavorisés», *Revue française de pédagogie*, vol. 150, p. 87-141.

Bissonnette, S., Richard, M. et Gauthier, C. (2006). *Comment enseigne-t-on dans les écoles efficaces. Efficacité des écoles et des réformes.* Sainte-Foy, Québec, Presses de l'Université Laval.

Bissonnette, S., Richard, M., Gauthier, C. et Bouchard, C. (2010). «Quelles sont les stratégies d'enseignement efficace favorisant les apprentissages fondamentaux auprès des élèves en difficulté de niveau élémentaire? Résultats d'une méga-analyse», *Revue de recherche appliquée sur l'apprentissage*, vol. 3, n° 1, p. 1-35.

Blackwell, L. S., Trzesniewski, K. H. et Dweck, C. S. (2007). «Implicit theories of intelligence predict achievement across an adolescent transition: A longitudinal study and an investigation», *Child Development*, vol. 78, n° 1, p. 246-263.

Borg, W. R. et Ascione, F. R. (1982). «Classroom management in elementary mainstreaming classrooms», *Journal of Educational Psychology*, vol. 74, n° 1, p. 85-95.

Bouffard, M. (2011). *Le Soutien au comportement positif et la prévention des problèmes disciplinaires à l'école.* Mémoire inédit, Université Laval.

Bouffard, T. (2004, avril). *Réussite des garçons et des filles: des chercheurs font le point.* Communication présentée au colloque sur la collaboration recherche-intervention sur la réussite éducative, Québec, Canada.

Bouffard, T. (2010-2011). *Le sentiment d'efficacité de l'élève.* [En ligne] www.crevale.org/upload/File/2011-12/CREVALE_2010-11_TBouffard.PDF

Boynton, M. et Boynton, C. (2009). *The Educator's Guide to Preventing and Solving Discipline Problems.* Alexandria, VA, Association for Supervision and Curriculum Development.

Bressoux, P. et Pansu, P. (2003). *Les enseignants sont-ils de bons juges?* Paris, France, PUF.

Bright, C. N. et Penrod, B. P. (2009). «An evaluation of the overjustification effect across multiple contingency arrangements», *Behavioral Interventions*, vol. 24, n° 3, p. 185-194.

Brodeur, M., Dion, E., Laplante, L., Mercier, J., Desrochers, A. et Bournot-Trites, M. (2010). «Prévenir les difficultés d'apprentissage en lecture: mobilisation des connaissances issues de la recherche par l'implantation du modèle à trois niveaux», *Vivre le primaire*, vol. 23, n° 1, p. 29-31.

Brophy, J. E. (2006). «History of research on classroom management», dans C. M. Evertson et Weinstein, C. S. (dir.), *Handbook of Classroom Management: Research, Practice and Contemporary Issues*. Mahwah, NJ, Lawrence Erlbaum, p. 17-43.

Brophy, J. E. et Evertson, C. (1976). *Learning From Teaching: A Developmental Perspective*. Boston, MA, Allyn and Bacon.

Brophy, J. E. et Good, T. L. (1986). «Teacher behavior and student achievement», dans M. C. Wittrock (dir.), *Handbook of Research on Teaching* (3e éd.). New York, Macmillan, p. 328-377.

Brophy, J. E. et Putnam, J. (1979). «Classroom management in the elementary grades», dans D. Duke (dir.), *Classroom Management. Seventy-eight Yearbook of the National Society for Study of Education*. Chicago, IL, University of Chicago Press.

Butler, J. A. (1987). «Effective schools practices: A research synthesis», dans G. Drulan et Butler, J. A. *Research You Can Use*, «coll. School Improvement Research». Washington, DC, Office of Educational Research and Improvement, p. 56-75.

Cameron, J. (2001). «Negative effects of reward on intrinsic motivation-a limited phenomenon: Comment on Deci, Koestner, and Ryan», *Review of Educational Research*, vol. 71, p. 29-42.

Cameron, J., Banko, K. M. et Pierce, W. D. (2001). «Pervasive negative effects of rewards on intrinsic motivation: The myth continues», *The Behavior Analyst*, vol. 24, n° 1, p. 1-44.

Cameron, J., Pierce, W. D., Banko, K. M. et Gear, A. (2005). «Achievement-based rewards and intrinsic motivation: A test of cognitive mediators», *Journal of Educational Psychology*, vol. 97, n° 4, p. 641-655.

Carnine, D. (2000). *Why Education Experts Resist Effective Practices? (And What It Would Take to Make Education More Like Medecine)*. Washington, DC, Thomas Fordham Foundation, [En ligne] http://www.oslc.org/Ecpn/carnine.html

Carter, K. et Doyle, W. (2006). «Classroom management in early childhood and elementary classrooms», dans C. Evertson et Weinstein, C. (dir.), *Handbook of Classroom Management: Research, Practice, and Contemporary Issues*. New York, NY, Erlbaum, p. 373-406.

Chall, J. S. (2000). *The Academic Achievement Challenge: What Really Works in the Classroom?* New York, NY, The Guilford Press.

Chartier, R., Compère, M. et Julia, D. (1976). *L'éducation en France du XVIe au XVIIIe siècle*. Paris, France, SEDES.

Cherradi, S. (1990). *Le travail interactif: construction d'un objet théorique*. Montréal, Québec, Université de Montréal.

Chouinard, R. et Archambault, J. (1998). «Trois bonnes raisons pour ne pas installer de système de récompenses en classe», *Apprentissage et socialisation*, vol. 18, p. 47-55.

Comité d'orientation de la formation du personnel enseignant (COFPE) (2002). *Offrir la profession en héritage*. Avis du COFPE sur l'insertion dans l'enseignement, Québec, Québec, Gouvernement du Québec.

Colvin, G. (2009). *Managing Noncompliance and Defiance in the Classroom: A Road Map for Teachers, Specialists, and Behavior Support Teams*. Thousand Oaks, CA, Corwin.

Colvin, G., Sugai, G. et Patching, B. (1993). « Precorrection : An instructional approach for managing predictable problem behaviors », *Intervention in School and Clinic*, vol. 28, n° 3, p. 143-150.

Comenius, J. A. (1952). *La grande didactique. Traité de l'art universel d'enseigner tout à tous.* trad. J.-B. Piobetta, Paris, France, PUF.

Conseil supérieur de l'éducation (1971). *Rapport annuel 1969-1970. L'activité éducative.* Montréal, Québec, Bibliothèque nationale du Québec.

Conseil supérieur de l'éducation (2001). *Les élèves en difficulté de comportement à l'école primaire : comprendre, prévenir, intervenir.* Avis au ministre de l'Éducation, Montréal, Québec, Bibliothèque nationale du Québec, [En ligne] www.cse.gouv.qc.ca/fichiers/documents/publications/dif_comp.pdf

Couture, C. (2012). « Question de l'heure. Comment établir et conserver une relation de qualité avec un élève dérangeant ? », *La Foucade*, vol. 12, n° 2, p. 10-12.

Cruickshank, D. R. (1990). *The Search for Knowledge About Effective Teaching. Research That Informs Teachers and Teacher Educators.* Bloomington, IN, Phi Delta Kappa.

Darch, C.B. et Kame'enui, E. J. (2004). *Instructional Classroom Management.* Upper Saddle River, NJ, Pearson.

De Batencour, J. (1669). *Instruction méthodique pour l'école paroissiale dressée en faveur des petites écoles.* Paris, France, Pierre Trichard.

De Certeau, M. (1979). *Écoles et cultures.* Genève, Suisse, Université de Genève.

Decy, E. L. et Ryan, R. M. (1985). *Intrinsic Motivation and Self-determination in Human Behavior.* New York, NY, Plenum.

De Pry, R. L. et Sugai, G. (2002). « The effect of active supervision and precorrection on minor behavioral incidents in a sixth grade general education classroom », *Journal of Behavioral Education*, vol. 11, n° 4, p. 255-267.

Dishion, T. J. et Patterson, G. R. (2006). « The development and ecology of antisocial behavior », dans C. Cicchetti et Cohen, D. J. (dir.), *Developmental Psychopathology*, vol. 3, *Risk, Disorder, and Adaptation*, p. 503-541.

Doyle, W. (1986). « Classroom organization and management », dans M.C. Wittrock (dir.), *Handbook of Research on Teaching.* New York, NY, Macmillan, p. 392-431.

Doyle, W. (2006). « Ecological approaches to classroom management », dans C. M. Evertson et Weinstein, C. S. (dir.), *Handbook of Classroom Management : Research, Practice and Contemporary Issues.* Mahwah, NJ, Lawrence Erlbaum, p. 97-125.

Dufour, F. (2010). *L'incidence d'un dispositif de soutien en gestion de classe sur les pratiques disciplinaires et le sentiment d'efficacité d'enseignants débutants.* Thèse de doctorat inédite, Université de Montréal, Faculté des sciences de l'éducation, Montréal, Québec, [En ligne] https://papyrus.bib.umontreal.ca/xmlui/bitstream/handle/1866/3939/DUFOUR_FRANCE_2010_these.pdf?sequence=2

Durand, M. (1996). *L'enseignement en milieu scolaire.* Paris, France, PUF.

Durkheim, E. (1969). *L'évolution pédagogique en France.* Paris, France, PUF.

Dweck, C. S. (2006). *Mindset : The New Psychology of Success.* New York, NY, Random House.

Dweck, C. S. (2007). « Stimuler la réussite par des messages de motivation » (traduit par F. Appy). *La 3ᵉ voie*, p. 1-8. Récupéré le 13 janvier 2016 de http://www. formapex.com/telechargementpublic/dweck2007a.pdf

Eber, L. (2006). *Illinois PBIS Evaluation Report*. LaGrange Park, IL, Illinois State Board of Education, PBIS/EBD Network.

Elbaum, B., Vaughn, S., Hughes, M. T. et Moody, S. W. (1999). « Grouping practices and reading outcomes for students with disabilities », *Exceptional Children*, vol. 65, nᵒ 3, p. 399-415.

Emmer, E. T., Evertson, C. M. et Anderson, L. M. (1980). « Effective classroom management at the beginning of the school year », *Elementary School Journal*, vol. 80, p. 219-231.

Emmer, E. T., Evertson, C. M. et Worsham, M. E. (2003). *Classroom Management for Secondary Teachers* (6ᵉ éd.). Boston, MA, Allyn and Bacon.

Emmer, E. T., Sanford, J. P., Clements, B. S. et Martin, J. (1982). *Improving Classroom Management and Organization in Junior High Schools : An Experimental Investigation* (R&D Report No. 6153). Austin, TX, Research and Development Center for Teacher Education, The University of Texas at Austin (ERIC Document Reproduction Service. ED 261053).

Emmer, E. T., Sanford, J. P., Evertson, C. M., Clements, B. S. et Martin, J. (1981). *The Classroom Management Improvement Study : An Experiment in Elementary School Classrooms*. Austin, TX, Research and Development Center for Teacher Education, The University of Texas at Austin (ERIC Document Reproduction Service. ED 226452).

Evertson, C. M. (1988). *Improving Elementary Classroom Management : A School-based Training Program for Beginning the Year*. Peabody College, Vanderbilt University, TN (ERIC Document Reproduction Service. ED 302 528).

Evertson, C. M. (1989). « Improving elementary classroom management : A school-based training program for beginning the year », *Journal of Educational Research*, vol. 83, nᵒ 2, p. 82-90.

Evertson, C. M. et Emmer, E. T. (2009). *Classroom Management for Elementary Teachers* (8ᵉ éd.). Upper Saddle River, NJ, Pearson Education, Inc.

Evertson, C. M., Emmer, E. T., Sanford, J. P. et Clements, B. S. (1983). « Improving classroom management : An experiment in elementary school classrooms », *The Elementary School Journal*, vol. 83, nᵒ 2, p. 173-188.

Evertson, C. M., Emmer, E. T. et Worsham, M. E. (2003). *Classroom Management for Elementary Teachers* (6ᵉ éd.). Boston, MA, Allyn and Bacon.

Evertson, C. M., Emmer, E. T. et Worsham, M. E. (2005). *Classroom Management for Elementary Teachers* (7ᵉ éd.). Boston, MA, Allyn and Bacon.

Evertson, C. M. et Weinstein, C. S. (dir.) (2006). *Handbook of Classroom Management : Research, Practice and Contemporary Issues*. New York, NY, Routledge.

Fédération des commissions scolaires du Québec (2002). « Étude sur les perceptions des Québécoises et des Québécois à l'égard des écoles publiques », [En ligne] http://fcsq.qc.ca/uploads/tx_news/Rapport-Leger.pdf

Fenning, P., Golomb, S., Gordon, V., Kelly, M., Scheinfield, R., Morello, T. et Banull, C. (2008). « Written discipline policies and used by administrators : Do we have sufficient tools of the trade ? », *Journal of School Violence*, vol. 7, nº 2, p. 123-146.

Frères des écoles chrétiennes (1901). *Éléments de pédagogie pratique à l'usage des frères des écoles chrétiennes. Tome 1. Partie générale.* Paris, France, Procure générale.

Gable, R. A., Hester, P. P., Rock, M. L. et Hughes, K. (2009). « Back to basics : Rules, praise, ignoring and reprimands revisited », *Intervention in School and Clinic*, vol. 44, nº 4, p. 195-205.

Gallagher, S. (1992). *Hermeneutics and Education.* Albany, NY, State University of New York Press.

Gaudreau, N. (2011). « La gestion des problèmes de comportement en classe inclusive : pratiques efficaces », *Éducation et francophonie*, vol. 39, nº 2, p. 122-144.

Gaudreau, N., Royer, E., Beaumont, C. et Frenette, E. (2012). « Gestion positive des situations de classe : un modèle de formation en cours d'emploi pour aider les enseignants du primaire à prévenir les comportements difficiles des élèves », *Enfance en difficulté*, vol. 1, mars 2012, p. 85-115.

Gauthier, C., Bissonnette, S., Richard, M. et Castonguay, M. (2013). *Enseignement explicite et réussite éducative. La gestion des apprentissages.* Montréal, Québec, ERPI.

Gettinger, M. (1988). « Methods of proactive classroom management », *School Psychology Review*, vol. 17, p. 227-242.

Gettinger, M. et Kohler, K. M. (2006). « Process-Outcomes approaches to classroom management and effective teaching », dans C. M. Evertson et Weinstein, C. S. (dir.), *Handbook of Classroom Management : Research, Practice and Contemporary Issues.* New York, NY, Routledge, p. 77-95.

Gottfredson, D. C., Gottfredson, G. D. et Hybl, L. G. (1993). « Managing adolescent behavior : A multiyear, multischool study », *American Educational Research Journal*, vol. 30, p. 179-215.

Grünewald-Huber, E., Hadjar, A., Lupatsch, J., Gysin, S. et Braun, D. (2012). *Garçons « paresseux », jeunes filles « appliquées » ? Différences dans la réussite scolaire en fonction du sexe.* Centre suisse de coordination pour la recherche en éducation, [En ligne] www.skbf-csre.ch/pdf/12078.pdf

Gump, P. V. (1982). « School settings and their keeping », dans D. L. Duke (dir.), *Helping Teachers Manage Classrooms.* Alexandria, VA, Association for Supervision and Curriculum Development.

Hastings, N. et Schweiso, J. (1995). « Tasks and tables : The effects of seating arrangements on task engagement in primary classrooms », *Educational Researcher*, vol. 37, nº 3, p. 279-291.

Hattie, J. A. (2009). *Visible Learning. A Synthesis of Over 800 Meta-analyses Relating to Achievement.* New York, NY, Routledge.

Hattie, J. A. (2012). *Visible Learning for Teachers. Maximizing Impact on Learning.* New York, NY, Routledge.

Horner, R. H., Dunlap, G., Koegel, R. L, Carr, E. G., Sailor, W. et Anderson, J. (1990). «Toward a technology of nonaversive behavior support», *Journal of the Association for Persons with Severe Handicaps*, vol. 15, p. 125-132.

Horner, R. H., Sugai, G., Todd, A. W. et Lewis-Palmer, T. (2005). «School-wide positive behavior support», dans L. Bambara et Kern, L. (dir.), *Individualized Supports for Students with Problem Behaviors: Designing Positive Behavior Plans*. New York, NY, Guilford Press, p. 359-390.

Irvin, L. K., Horner, R. H., Ingram, K., Todd, A. W., Sugai, G., Sampson, N. et Boland, J. (2006). «Using office discipline referral data for decision-making about student behavior in elementary and middle schools: An empirical investigation of validity», *Journal of Positive Behavior Interventions*, vol. 8, n° 1, p. 10-23.

Irvin, L. K., Tobin, T., Sprague, J., Sugai, G. et Vincent, C. (2004). «Validity of office discipline referral measures as indices of school-wide behavioral status and effects of school-wide behavioral interventions», *Journal of Positive Behavioral Interventions*, vol. 6, p. 131-147.

Jeffrey, D. (2002). «Crise de l'autorité et enseignement», dans C. Gohier (dir.), *Enseigner et libérer*. Québec, Québec, Presses de l'Université Laval, p. 125-136.

Jeynes, W. et Littell, S. (2000). «A meta-analysis of studies examining the effect of whole language instruction on the literacy of low-SES students», *Elementary School Journal*, vol. 10, n° 1, p. 21-33.

Jones, V. F. et Jones, L. S. (2001). *Comprehensive Classroom Management* (6e éd.). Boston, MA, Allyn and Bacon.

Kauffman, J. (2010). *The Tragicomedy of Public Education: Laughing and Crying, Thinking and Fixing*. Verona, WI, Full Court Press.

Kellam, S., Rebok, G., Ialongo, N. et Mayer, L. (1994). «The course and malleability of aggressive behavior from early first grade into middle school: Results of a developmental epidemiological-based preventive trial», *The Journal of Child Psychology and Psychiatry*, vol. 35, n° 2, p. 259-281.

Kelm, J. I. et Mc Intosh, K. (2012). «Effects of school-wide positive behavior support on teacher self-efficacy», *Psychology in the Schools*, vol. 49, p. 137-147.

Knoster, T. (2008). *Effective Classroom Management*. Baltimore, MA, Paul H. Brookes Publishing.

Kounin, J. S. (1970). *Discipline and Group Management in Classrooms*. New York, NY, Holt, Rinehart & Winston.

Lampi, A. R., Fenty, N. S. et Beaunae, C. (2005). «Making the three Ps easier: Praise, proximity and precorrection», *Beyond Behavior*, vol. 15, p. 8-12.

Lancaster, J. (1811). *Hints and Direction for Building, Fitting up and Arranging Schoolrooms on the British System of Education*. Londres, Royaume-Uni.

Lane, K. L., Gresham, F. M. et O'Shaughnessy, T. E. (2002). *Interventions for Children With or At Risk for Emotional and Behavioral Disorders*. Boston, MA, Allyn and Bacon.

Langevin, J. (1865). *Cours de pédagogie ou principes d'éducation*. Québec, Québec, Darveau.

Lapointe, M. J. et Freiberg, H. J. (2006). «Indiscipline, conflits et violence à l'école: Pistes nord-américaines», *Vie pédagogique*, vol. 141, p. 1-4.

La Salle, J-B. de (1951). *Conduite des écoles chrétiennes.* Manuscrit 11.759. Paris, France, Bibliothèque nationale de Paris (publication originale en 1706).

Lasteyrie, Comte de (1819). *Nouveau système d'éducation et d'enseignement ou l'enseignement mutuel appliqué aux langues, aux sciences et aux arts.* Paris, France, Colas.

Leinhardt, G. (1986). «Capturing craft knowledge in teaching», *Educational Researcher,* vol. 19, n° 2, p. 18-25.

Leinhardt, G., Weidman, C. et Hammond, K. M. (1987). «Introduction and integration of classroom routines by expert teachers, *Curriculum Inquiry,* vol. 17, n° 2, p. 135-176.

Léon, A. (1971). «De la Révolution française aux débuts de la IIIᵉ République», dans M. Debesse et Mialaret, G. (dir.), *Traité des sciences pédagogiques,* tome 2. Paris, France, PUF.

Lesage, P. (1981). «L'enseignement mutuel», dans G. Mialaret et Vial, J. (dir.), *Histoire mondiale de l'éducation,* tome 3, *De 1815 à 1945.* Paris, France, PUF, p. 241-250.

Little, S. G., Akin-Little, A. et O'Neill, K. (2015). «Group contingency interventions with children-1980-2010 : A meta-analysis», *Behavior Modification,* vol. 39, p. 322-341.

Lohrman-O'Rourke, S., Knoster, T., Sabatine, K., Smith, D., Horvath, B. et Llewellyn, G. (2000). «School-wide application of PBS in the Bangor area school district», *Journal of Positive Behavior Interventions,* vol. 2, n° 4, p. 238-240.

Long, J. D. et Frye, V. H. (1985). *Making It Till Friday: A Guide to Successful Classroom Management* (3ᵉ éd.). Princeton, NJ, Princeton Book Co.

Luiselli, J. K., Putnam, R. F. et Sunderland, M. (2002). «Longitudinal evaluation of behavior support intervention in a public middle school», *Journal of Positive Behavior Interventions,* vol. 4, n° 3, p. 182-188.

Maggin, D. M., Chafouleas, S. M., Goddard, K. M. et Johnson, A. H. (2011). «A systematic evaluation of token economies as a classroom management tool for students with challenging behaviors», *Journal of School Psychology,* vol. 49, p. 529-554.

Marquis, J. G., Horner, R. H., Carr, E. G., Turnbull, A. P., Thompson, M., Behrens, G. A., Magito McLaughlin, D., McAtee, M. L., Smith, C. E., Anderson Ryan, K. et Doolabh, A. (2000). «A meta-analysis of positive behavior support», dans R. M. Gersten, Schiller, E. P. et Vaughn, S. (dir.), *Contemporary Special Education Research : Syntheses of the Knowledge Base on Critical Instructional.* Mahwah, NJ, Lawrence Erlbaum, p. 137-178.

Martineau, S. et Gauthier, C. (1999). «La gestion de classe au cœur de l'effet enseignant», *Revue des sciences de l'éducation,* vol. 25, n° 3, p. 467-496.

Martinet, M.-A., Raymond, D. et Gauthier, C. (2001). *La formation à l'enseignement, les orientations, les compétences attendues.* Québec, Québec, Ministère de l'Éducation, du Loisir et du Sport.

Marzano, R. J. (2003). *What Works in Schools: Translating Research into Action.* Alexandria, VA, Association for Supervision and Curriculum Development.

Marzano, R. J., Pickering, D. et Pollock, J. E. (2001). *Classroom Instruction That Works: Research-based Strategies for Increasing Student Achievement.* Alexandria, VA, Association for Supervision and Curriculum Development.

Massé, L., Desbiens, N. et Lanaris, C. (dir.) (2006). *Les troubles du comportement à l'école. Prévention, évaluation et intervention.* Boucherville, Québec, Gaëtan Morin.

McIntosh, K., Campbell, A. L., Carter, D. R. et Zumbo, B. D. (2009). «Concurrent validity of office discipline referrals and cut points used in schoolwide positive behavior support», *Behavioral Disorders*, vol. 34, p. 100-113.

McIntosh, K., Chard, D., Boland, J. et Horner, R. H. (2006). «A demonstration of combined efforts in school-wide academic and behavioral systems and incidence of reading and behavior challenges in early elementary grades», *Journal of Positive Behavior Interventions*, vol. 8, n° 3, p. 146-154.

Meirieu, P. (1989). *L'École mode d'emploi : des méthodes actives à la pédagogie différenciée.* Paris, France, ESF.

Meirieu, P. (1991). *Le choix d'éduquer - éthique et pédagogie.* Paris, France, ESF.

Ministère de l'Éducation, du Loisir et du Sport (2006). *Classe ordinaire et cheminement particulier de formation temporaire. Analyse du cheminement scolaire des élèves en difficulté d'adaptation ou d'apprentissage à leur arrivée au secondaire.* Québec, Québec, Gouvernement du Québec.

Ministère de l'Éducation, du Loisir et du Sport (2011). *Référentiel d'intervention en lecture pour les élèves de 10 à 15 ans.* Québec, Québec, Gouvernement du Québec, [En ligne] www3.recitfga.qc.ca/CPCSSMI/IMG/pdf/_referentiel_lecture_10-15_ans_1.pdf

Mintz, C. M. (2003). *A Behavior Analytic Evaluation of the Overjustification Effect As It Relates to Education.* Thèse inédite, Reno, University of Nevada.

Missouri Schoolwide Positive Behavior Support (MSPBS) (2012). «Missouri Schoolwide Positive Behavior Support Team Workbook», [En ligne] http://pbismissouri.org/wp-content/uploads/2015/05/Tier-1_4-23-2015.pdf

Morency, L. et Bordeleau, C. (1992). «L'effet des attentes élevées ou faibles des enseignants», *Vie pédagogique*, vol. 76, p. 4-6.

Mukamurera, J. (2008, mars). *Insertion professionnelle en enseignement : une réalité aux multiples facettes.* Communication présentée dans le cadre de la demi-journée CRIE-CRIFPE de présentation des résultats de recherche intitulée : «Pourquoi et comment soutenir l'insertion professionnelle de nouveaux enseignants au Québec? Résultats de recherche et pistes d'action», Sherbrooke, Québec.

National Council on Teacher Quality (NCTQ) (2014). *Teacher Prep. Review Report.* Washington, DC, National Council on Teacher Quality.

National Dissemination Center for Children with Disabilities (2008). «Social Skills and Academic Achievement», *Evidence for Education*, vol. 3, n° 2, p. 1-8.

Nelson, J. R., Martella, R. M. et Marchand-Martella, N. (2002). «Maximizing student learning: The effects of a comprehensive school-based program for preventing problem behaviors», *Journal of Emotional and Behavioral Disorders*, vol. 10, n° 3, p. 136-148.

Office of Special Education Programs on Positive Behavioral Interventions and Supports (OSEP). Technical Assistance Center on Positive Behavioral Interventions and Supports : Effective Schoolwide interventions (2015). *Schools that are implementing SWPBIS and counting!*, [En ligne] www.pbis.org/

Oliver, R., Wehby, J. H. et Reschly, D. J. (2011). «Teacher classroom management practices: Effects on disruptive or aggressive student behavior», *Campbell Systematic Reviews*, vol. 4.

Paquet, A. et Clément, C. (2008). «Concepts clefs dans l'application des programmes d'économie de jetons en institution d'accueil et de soin pour l'enfant et l'adolescent», *Revue francophone de clinique comportementale et cognitive*, vol. 13, n° 3, p. 25-31.

Perrenoud, P. (1993). «La formation au métier d'enseignant: complexité professionnelle et démarche clinique», dans *Compétences et formation des enseignants. Actes du colloque de l'AQUFOM*. Trois-Rivières, Québec, Université du Québec à Trois-Rivières, p. 3-36.

Perrenoud, P. (1994). *Métier d'élève et sens du travail scolaire*. Paris, France, ESF.

Perrenoud, P. (1996). *Enseigner: agir dans l'urgence, décider dans l'incertitude*. Paris, France, ESF.

Pierce, W. D., Cameron, J., Banko, K. M. et So, S. (2003). «Positive effects of rewards and performance standards on intrinsic motivation», *Psychological Record*, vol. 53, p. 561-579.

Porter, A. et Brophy, J. (1988). «Synthesis of research on good teaching: Insights from the work of the Institute for Research on Teaching», *Educational Leadership*, vol. 45, n° 8, p. 74-85.

Putnam, R., Horner, R. H. et Algozzine, R. (2006). «Academic achievement and the implementation of school-wide behaviour support», *Positive Behavior Interventions and Supports Newsletter, 3*(1). Document téléaccessible, [En ligne] www.pbis.org/news/New/Newsletters/ Newsletter1.aspx

Rapport de la Commission royale d'enquête sur l'enseignement dans la province de Québec (Rapport Parent) (1964). *Tome 2. Les structures pédagogiques du système scolaire*. Québec, Québec, Publications du Québec.

Reder, F., Stephan, E. et Clement, C. (2007). «L'économie de jetons en contexte scolaire: risque d'un effet délétère sur la motivation?», *Journal de thérapie comportementale et cognitive*, vol. 17, n° 4, p. 165-169.

Reiss, S. (2004). «Multifaceted nature of intrinsic motivation: The theory of 16 basic desires», *Review of General Psychology*, vol. 8, n° 3, p. 179-193.

Reiss, S. (2005). «Extrinsic and intrinsic motivation at 30: Unresolved scientific issues», *The Behavior Analyst*, vol. 28, n° 1, p. 1-14.

Rhode, G. et Jenson, W. R. (2010). *The Tough Kid Book: Practical Classroom Management Strategies* (2e éd.). Eugene, OR, Pacific Northwest Publishing.

Rivière, V. (2006). *Analyse du comportement appliquée aux enfants et adolescents*. Villeneuve-d'Ascq, France, Presses universitaires du Septentrion.

Rouleau, T. G., Magnan, C.-J. et Ahern, J. (1904). *Pédagogie pratique et théorique*. Québec, Québec, Darveau.

Rosenshine, B. V. (1980). «How time is spent in elementary classrooms», dans C. Denham et Liberman, A. (dir.), *Time to Learn*. Washington, DC, National Institute of Education, p. 107-126.

Rosenshine, B. V. (1986). «Synthesis of research on explicit teaching», *Educational Leadership*, vol. 43, n° 7, p. 60-69.

Rosenshine, B. V. et Stevens, R. (1986). «Teaching functions», dans M. C. Wittrock (dir.), *Handbook of Research on Teaching* (3ᵉ éd.). New York, NY, Macmillan, p. 376-391.

Rosenthal, R. et Jacobson, L. (1968). *Pygmalion in the Classroom: Teacher Expectations and Student Intellectual Development.* New York, NY, Holt.

Ross, R. P. (1984). «Classroom segments: The structuring of school time», dans L. W. Anderson (dir.), *Time and School Learning: Theory, Research and Practice.* Londres, Royaume-Uni, Croom Helm, p. 69-88.

Ross, F.-X. (1952). *Pédagogie théorique et pratique* (7ᵉ éd.). Québec, Québec, Chartier et Dugal.

Rousseau, N., McDonald, L. et MacPherson-Court, L. (2004). «Besoins de formation et enseignement inclusif: l'expérience albertaine», dans N. Rousseau et Bélanger, S. (dir.), *La pédagogie de l'inclusion scolaire.* Sainte-Foy, Québec, Presses de l'Université du Québec, p. 295-323.

Royer, É. (2005). *Comme un caméléon sur une jupe écossaise ou Comment enseigner à des jeunes difficiles sans s'épuiser.* Québec, Québec, École et comportement.

Royer, N., Loiselle, J., Dussault, M., Cossette, F. et Deaudelin, C. (2001). «Le stress des enseignants québécois à diverses étapes de leur carrière», *Vie pédagogique*, vol. 119, p. 5-8.

Sauvé, F. (2012). *Analyse de l'attrition des enseignants au Québec.* Mémoire de maîtrise, Montréal, Québec, Université de Montréal.

Shavelson, R. J. et Stern, P. (1981). «Research on teachers' pedagogical thoughts, judgements, decisions, and behaviour», *Review of Educational Research*, vol. 51, p. 455-498.

Shulman, L. S. (1986). «Paradigms and research programs in the study of teaching», dans M. C. Wittrock (dir.), *Handbook of Research on Teaching* (3ᵉ éd.). New York, NY, Macmillan, p. 3-36.

Simonsen, B., Fairbanks, S., Briesh, A., Myers, D. et Sugai, G. (2008). «Evidence-based practices in classroom management: Considerations for research to practice», *Education and Treatment of Children*, vol. 31, n° 3, p. 351-380.

Slavin, R. E. (dir.) (2014). *Classroom Management and Assessment.* Thousand Oaks, CA, Corwin.

Solomon, B. G., Klein, S. A., Hintze, J. M., Cressey, J. M. et Peller, S. L. (2012). «A meta-analysis of school-wide positive behavior support: An exploratory study using single-case synthesis», *Psychology in the Schools*, vol. 49, p. 105-121.

Sommer, R. (1969). *Personal Space; The Behavioral Basis of Design.* Upper Saddle River, NJ, Prentice-Hall.

Sprick, R., Knight, J., Reinke, W. et McKale, T. (2006). *Coaching Classroom Management: A Toolkit for Coaches and Administrators.* Eugene, OR, Pacific Northwest Publishing.

Stage, S. A. et Quiroz, D. R. (1997). «A meta-analysis of interventions to decrease disruptive classroom behavior in public education setting», *School Psychology Review*, vol. 26, n° 3, p. 333-368.

Sugai, G. et Horner, R. H. (2002). «The evolution of discipline practices: Schoolwide positive behavior support», *Child and Family Behavior Therapy*, vol. 24, p. 23-50.

Sugai, G. et Horner, R. H. (2009). «Responsiveness-to-intervention and school-wide positive behavior supports: Integration of multi-tiered approaches», *Exceptionality*, vol. 17, p. 223-237.

Sugai, G., Horner, R. et Todd, A. (2000). *Effective Behavior support: self-assessment survey*. Eugene, OR, University of Oregon.

Tardif, M. (2013a). *La condition enseignante au Québec. Une histoire cousue de fil rouge. Précarité, injustice et déclin de l'école publique*. Québec, Québec, Presses de l'Université Laval.

Tardif, M. (2013b). Conférence de presse donnée par Maurice Tardif, [En ligne] http://crifpe.ca/download/transfer/doc/Presentation_lancement.pdf

Tardif, M. et Lessard, C. (1999). *Le travail enseignant au quotidien*. Sainte-Foy, Québec, Presses de l'Université Laval.

Taylor-Greene, S. J., Brown, D., Nelson, L., Longton, J., Gassman, T., Cohen, J., Swartz, J., Horner, R. H., Sugai, G. et Hall, S. (1997). «School-wide behavioral support: Starting the year off right», *Journal of Behavioral Education*, vol. 7, p. 99-112.

Taylor-Greene, S. J. et Kartub, D. T. (2000). «Durable implementation of school-wide behavior support: The high five program», *Journal of Positive Behavior Interventions*, vol. 2, n° 4, p. 233-235.

Tochon, F. (1993). *L'enseignant expert*. Paris, France, Nathan.

Vannest, K. J. et Harrison, J. (2008). *Evidence-based Practices for Learning and Behavior Problems Across Levels of Prevention and Intervention*. Boston, MA, American Psychological Association

Vasquez-Bronfman, A. et Martinez, I. (1996). *La socialisation à l'école. Approche ethnographique*. Paris, France, PUF.

Veillet, M., Bacon, D., Massé, L., Lévesque, V. et Couture, C. (2011). *Intervenir auprès des groupes difficiles au secondaire: Guide d'accompagnement des enseignants*. Trois-Rivières, Québec, Direction régionale du MELS, Mauricie et Centre-du-Québec.

Vincent, G. (2008). «La socialisation démocratique contre la forme scolaire», *Éducation et francophonie*, vol. 36, n° 2, p. 47-62.

Vinette, R. (1948). *Pédagogie générale*. Montréal, Québec, Centre de psychologie et de pédagogie.

Wang, M. C., Haertel, G. D. et Walberg, H. J. (1993). «Toward a knowledge base for school learning», *Review of Educational Research*, vol. 63, n° 3, p. 249-295.

Wannarka, R. et Ruhl, K. (2008). «Seating arrangements that promote positive academic and behavioural outcomes: A review of empirical research», *Support for Learning*, vol. n° 2, p. 89-93.

Weinstein, C. S. (1991). «The classroom as a social context for learning», *Annual Review of Psychology*, vol. 42, p. 493-525.

Weinstein, C. S. et Mignano, A. J. (2003). *Elementary Classroom Management: Lessons From Research and Practice*. Boston, MA, McGraw-Hill.

Pour enrichir vos pratiques pédagogiques, découvrez d'autres titres de la collection Chenelière Didactique.

Commencer l'année du bon pied
Activités pédagogiques pour stimuler la participation des élèves

LouAnne Johnson (Adaptation : Mylène Mercier)

232 pages • ISBN : 978-2-7650-4950-0

Cet ouvrage propose une banque de plus de 125 activités permettant de motiver les élèves à apprendre dans l'harmonie dès les premiers jours de l'année. Grâce à ces courtes activités, les enseignants du primaire et du secondaire gagneront un temps précieux en gestion de classe.

• La première partie de l'ouvrage propose des activités pour, entre autres, faire connaissance, favoriser l'esprit d'équipe et établir les règles de vie qui assureront le bon fonctionnement de la classe.
• La deuxième partie propose des activités regroupées par matière scolaire (mathématiques, science et technologie, français, univers social, TIC, arts, musique et français langue seconde).
• En prime, une troisième partie regroupe 40 activités d'intégration et de réinvestissement pour conclure avec brio la journée ou l'étape.

Les meilleures pratiques pédagogiques au primaire
Ce qu'il faut savoir, ce qu'il faut éviter

Wendy W. Murawski, Kathy Lynn Scott (Adaptation : Christine Hamel)

296 pages • ISBN : 978-2-7650-5193-0

Découvrez diverses méthodes d'enseignement solides, basées sur les dernières recherches en éducation, pour vous aider à apprendre ce qui fonctionne et ce qui ne fonctionne pas avec les élèves du primaire. Jamais auparavant autant d'informations précieuses n'ont été présentées de manière si simple et efficace en un seul ouvrage. Vous pourrez ainsi profiter :

• de nouvelles approches de gestion de classe ;
• de meilleures stratégies pour l'enseignement des matières scolaires importantes ;
• de conseils précieux sur des sujets d'actualité, y compris l'utilisation des technologies et l'évaluation ;
• des conseils pratiques pour intéresser tous les apprenants ;
• des fiches reproductibles et des ressources utiles pour chaque thématique ;
• … et bien plus encore !

3 minutes pour susciter l'intérêt des élèves
Plus de 100 activités pour favoriser l'apprentissage

Kathy Paterson (Adaptation : Louis Laroche)

120 pages • ISBN : 978-2-7650-3379-0

Ce livre propose plus de 100 activités simples, concises et stimulantes, auxquelles tous les élèves peuvent participer, en groupe ou individuellement. Plus que de simples exercices, ces activités d'une durée approximative de trois minutes sont structurées de manière à faire participer tous les élèves de la classe ; elles favorisent l'apprentissage et font appel autant à la compétition qu'à la coopération. Grâce à ce temps d'arrêt, les élèves peuvent retrouver leur concentration. Une fois redevenus attentifs, ils seront mieux disposés à se recentrer sur la tâche et à reprendre une leçon ou un exercice. Les activités sont variées et prêtes à être utilisées. Elles sont en outre idéales pour transformer des problèmes potentiels en occasions d'apprendre. Cet ouvrage s'avère donc un outil formidable, tant pour les nouveaux venus dans l'enseignement que pour les enseignants expérimentés.

La rétroaction efficace
Des stratégies pour soutenir les élèves dans leur apprentissage

Susan M. Brookhart (Adaptation : Léo-James Lévesque)

104 pages • ISBN : 978-2-7650-2974-8

Cet ouvrage décrit les éléments d'une rétroaction efficace ainsi que des stratégies en la matière. Basé sur des recherches validées en classe, La rétroaction efficace présente des suggestions pratiques et des exemples concrets qui montrent la voie à suivre pour avoir une influence positive sur les productions des élèves. En aidant ceux-ci à voir où ils en sont dans leur apprentissage et quelle direction ils doivent emprunter par la suite, l'enseignant leur permet de s'approprier leur propre apprentissage. L'auteure indique également les types de rétroaction les plus efficaces selon les matières, de même que les différenciations possibles en fonction des besoins des élèves.

Donner le goût d'apprendre ensemble

Créer un climat de classe de qualité

Francine Bélair

240 pages • ISBN : 978-2-7650-4958-6

Francine Bélair propose une approche humaniste permettant de créer un climat harmonieux où les élèves auront envie d'apprendre avec les autres, de faire des efforts et de persévérer. Les enseignants, les directions d'écoles et autres professionnels de l'éducation y trouveront des conseils judicieux et pratiques ainsi que des activités et des idées qui faciliteront l'accompagnement d'un élève ou la gestion de groupes de tous âges :

• Des tableaux explicatifs, des histoires de cas, des mises en situation ;
• Des pistes d'intervention pour améliorer les comportements ;
• Des processus visant l'autodiscipline et la responsabilisation ;
• Des suggestions pour améliorer la qualité de la relation enseignant-élève ;
• Du matériel reproductible favorisant la mise en œuvre de façon positive.

Enseigner en contexte de diversité ethnoculturelle

Stratégies pour favoriser la réussite de tous les élèves

Bonnie M. Davies (Adaptation : Ariane Provencher)

216 pages • ISBN : 978-2-7650-5037-7

Cet ouvrage invite les enseignants du primaire et du secondaire à mieux comprendre les différences dans leur classe afin d'offrir un enseignement inclusif et équitable qui favorise la réussite de tous. Il présente des stratégies relationnelles et pédagogiques ainsi que des activités fondées sur la recherche qui permettent :

• de créer un milieu scolaire accueillant pour les élèves issus de communautés ethnoculturelles diverses, leurs familles et les membres du personnel ;
• d'établir des liens interpersonnels essentiels à une intégration scolaire réussie ;
• d'adapter l'enseignement aux besoins de chacun, en particulier à ceux des élèves allophones ;
• d'amener les élèves à s'engager pleinement dans leur apprentissage.

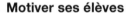

La rentrée scolaire

Stratégies pour les enseignants

Harry K. Wong, Rosemary T. Wong (Adaptation : Sylvie Dubé et Gervais Sirois)

336 pages • ISBN : 978-2-7650-3299-1

La rentrée scolaire est un vrai coffre au trésor rempli de conseils pratiques et sensés qui seront utiles pour les enseignants débutants et les plus expérimentés afin de démarrer l'année scolaire en établissant des bases harmonieuses et solides avec leurs élèves. Les auteurs proposent notamment des stratégies sur l'organisation de la classe, l'accueil des élèves lors de la première journée et la planification de l'enseignement. Résolument pratique, cet ouvrage composé de 25 courts chapitres faciles à lire fourmille d'exemples concrets et de témoignages d'enseignants. Distribué dans plus de 108 pays et utilisé dans quelque 2 000 facultés d'éducation à travers le monde, il a été vendu à 3,6 millions d'exemplaires.

Motiver ses élèves

25 stratégies pour susciter l'engagement

Carolyn Chapman, Nicole Vagle (Adaptation : Lyne Legault)

240 pages • ISBN : 978-2-7650-3435-3

Un des grands défis que doit relever tout enseignant, c'est d'arriver à motiver ses élèves et à faire de chacun d'eux un apprenant engagé dans ses apprentissages. Comment y parvenir lorsque la route est parsemée d'embûches ? S'appuyant sur les travaux de recherche les plus récents sur le désengagement en milieu scolaire, Carolyn Chapman et Nicole Vagle expliquent comment déterminer les besoins de chaque élève et comment y répondre. Ce guide pratique répond tant à vos besoins qu'à ceux de vos élèves. Il présente des stratégies efficaces fondées sur les recherches les plus récentes et des activités faciles à réaliser pour augmenter l'estime de soi, la persévérance et la réussite scolaire. « Voici le livre que j'ai attendu toute ma carrière, écrit une enseignante après avoir lu *Motiver ses élèves*. Il est rempli d'outils pratiques qui nous permettent d'éveiller la passion chez tous les élèves. »

Mieux évaluer et motiver ses élèves
Stratégies d'évaluation au service de l'apprentissage

Myron Dueck (Adaptation : Line Germain)

152 pages • ISBN : 978-2-7650-5157-2

Dans cet ouvrage, Myron Dueck invite les enseignants à repenser leurs pratiques pour que l'évaluation soit vraiment au service de l'apprentissage des élèves. En plus des conseils, anecdotes et mises en garde, vous découvrirez des stratégies aux objectifs clairs, telles que :

- garantir que les notes mesurent les connaissances réelles des élèves ;
- procéder à l'examen critique de la justesse et de l'efficacité de la notation des devoirs ;
- concevoir des plans de leçons présentant de façon claire aux élèves les critères d'évaluation ;
- créer un système permettant aux élèves d'améliorer leurs résultats à certaines sections d'examen.

Le modèle RàI appliqué en classe
Activités pour améliorer les habiletés en français et en mathématiques

Eli Johnson, Michelle Karns (Adaptation : Elias Abdel-Nour)

184 pages • ISBN : 978-2-7650-4948-7

S'adressant spécifiquement aux enseignants des 2e et 3e cycles du primaire, cet ouvrage propose 25 activités RàI (Réponse à l'Intervention), touchant les niveaux 1 et 2, qui aideront les élèves à améliorer leurs compétences en lecture, en écriture, en communication orale et en mathématiques. Pour chacune des activités qu'il présente, les auteurs :

- indiquent les concepts et les attentes du programme associés à cette activité ;
- décrivent, étape par étape, le déroulement de l'activité en classe ;
- donnent des conseils utiles pour soutenir les élèves dont le français n'est pas la première langue ;
- expliquent pourquoi plusieurs élèves ont de la difficulté avec ces concepts et comment l'activité les aide à surmonter cette difficulté ;
- montrent comment vérifier la compréhension des élèves et comment en faire le suivi.

Des stratégies pour une direction scolaire efficace
Motiver et inspirer les enseignants

Joseph Blase, Peggy C. Kirby (Adaptation : Martine Leclerc)

192 pages • ISBN : 978-2-7650-2973-1

Quelles stratégies les directeurs efficaces utilisent-ils pour influencer les enseignants, les élèves et l'enseignement en classe ? Les auteurs proposent des stratégies pour aider les leaders de l'éducation à influencer les autres grâce à des attentes bien ciblées, à favoriser l'engagement du personnel, à maximiser le rendement en soulignant les bons coups, à encourager l'autonomie professionnelle, et à utiliser l'autorité formelle de façon positive. Les stratégies présentées sont basées sur les commentaires d'enseignants ainsi que sur les plus récentes études dans ce domaine. Cet ouvrage de référence clair et pertinent fournit des idées novatrices sur les façons d'inciter les enseignants à donner le meilleur d'eux-mêmes.

Apprendre... une question de stratégies
Développer les habiletés liées aux fonctions exécutives

Pierre Paul Gagné, Normand Leblanc, André Rousseau

208 pages • ISBN : 978-2-7650-2415-6

Cet ouvrage propose aux intervenants des milieux scolaires et de réadaptation des façons d'aider les élèves à mieux gérer leurs apprentissages. Il définit les habiletés liées à six fonctions exécutives du cerveau : l'activation, l'inhibition de l'impulsivité, la flexibilité, la planification, la mémoire de travail et la régulation des émotions. Les habiletés traitées permettent le contrôle métacognitif des apprentissages, l'autocontrôle, le traitement de l'information, la résolution de problèmes et la gestion des actions intentionnelles. Chaque chapitre porte sur l'une de ces six fonctions et comporte deux sections. La première section fournit une explication de chacune des fonctions et facilite la compréhension des objectifs visés par les activités proposées. La seconde section correspond au répertoire d'activités proprement dit, qui comprend des exercices à l'intention des élèves. Le livre est accompagné d'un cédérom qui comprend le matériel reproductible nécessaire aux activités.

Découvrez d'autres titres offerts dans la collection Chenelière Didactique en consultant notre site Internet ou en commandant notre catalogue.

CHENELIÈRE
ÉDUCATION

5800, rue Saint-Denis, bureau 900, Montréal (Québec) H2S 3L5 Canada
Tél.: 514 273-1066 ou 1 800 565-5531 • Téléc.: 514 276-0324 ou 1 800 814-0324 • www.cheneliere.ca
Service à la clientèle : Tél.: 514 273-1066 ou 1 800 565-5531 • Téléc.: 450 461-3834 ou 1 888 460-3834 • clientele@cheneliere.ca